VICTOR-LÉVY BEAULIEU

Victor-Lévy Beaulieu est un visionnaire. Il est sans doute le plus prolifique des auteurs contemporains. Né en 1945 dans la campagne jouxtant Rimouski, transplanté à Montréal-Nord (« Moréal-Mort, » dit-il), il est employé de banque avant d'entrer en écriture pour s'y donner avec la fureur d'un Balzac iconoclaste. VLB possède la constance, la force et la persistance d'un géant passionné. Lecteur affamé, romancier niagaresque, polémiste dangereux, critique tranchant, dramaturge énorme, éditeur-sourcier-casse-cou, Victor-Lévy Beaulieu a pratiqué toutes les formes de l'écriture y compris le journalisme et le télé-feuilleton (Race de monde, L'héritage).

DON QUICHOTTE DE LA DÉMANCHE

Voici le cinquième livre de la *Vraie saga des Beauchemin*. Abel, l'écrivain de la tribu, s'écroule sur sa machine à écrire : trop de livres lus, trop de mots écrits, trop de passion : le cœur a flanché. Revenant de l'hôpital, Abel trouve son bungalow vide. Judith l'a quitté, enceinte d'un enfant qui n'est pas d'Abel. L'écrivain reste seul avec ses chats et ses mots. Quelle vie que la sienne ! Quel combat ! Que de souvenirs ! Abel a triomphé de la polio. Par l'écriture, il triomphera de l'oubli et de la non-existence. Abel se fait personnage de sa propre fiction. Il revêt l'uniforme tragique de Don Quichotte qui donnera un sens aux moulins à vent de sa démence. « Don Quichotte de la Démanche, n'ayons pas peur des mots, est un chef-d'œuvre. » *(Libération)*

Don Quichotte
de la Démanche

La collection Québec 10/10 *est publiée sous la direction de Roch Carrier.*

Éditeur : Éditions internationales Alain Stanké Ltée
2127, rue Guy
Montréal (Québec)
CANADA H3H 2L9

Illustration de la page couverture : Stefan Anastasiu

Données de catalogage avant publication (Canada)

Beaulieu, Victor-Lévy, 1945-
  Don Quichotte de la démanche
  (Québec 10/10 ; 102)
  Éd. originale : Montréal : L'Aurore, 1974.
  ISBN 2-7604-0320-3
  I. Titre. II. Collection.
PS8553.E25D66 1988   C843'.54   C88-096129-5
PS9553.E25D66 1988
PQ3919.2.B43D66 1988

ISBN 2-7604-0320-3

Dépôt légal : premier trimestre 1988

IMPRIMÉ AU CANADA

Victor-Lévy Beaulieu

Don Quichotte de la Démanche

Stanké roman

«On dit que la terre tourne, alors j'attends que ma maison passe par ici.» Malcom Lowry

1

Et puis, il comprit qu'il allait mourir. Cette pensée lui vint au beau milieu d'une phrase, alors qu'il cherchait ses mots et n'était pas satisfait de ceux qu'il trouvait: ils étaient ou bien trop longs (serpents à lettres pâteuses qui entouraient ses jambes et faisaient monter le sang à sa`tête) ou bien creux comme le tronc du vieil érable qu'avec son père jurant et crachant le brun-malade de sa chique, il avait abattu jadis devant la maison lambrissée de papier-brique, à Saint-Jean-de-Dieu. Ou bien encore, les mots brillaient trop devant ses yeux, l'éblouissaient, lui donnaient le vertige, se modifiaient en d'apeurantes étoiles noires qui glissaient silencieusement derrière ses paupières closes. Alors Abel se laissait tomber dans sa chaise et se mettait à hoqueter: désormais, il n'allait plus pouvoir rien faire; quelque chose en lui — (mais peut-être aussi cela venait-il de l'extérieur, dans cette fourmi absurde se frappant obstinément la tête contre la vitre de la fenêtre, dans une entreprise désespérée tout autant qu'in-sensée, et dehors les sous-vêtements bruns battaient au vent, faisant quelque danse obscène sur la corde à linge, provo-quant l'oeil, créant dans la cour un champ d'angoisse parfaitement circulaire et au centre duquel, comme quelque bête suant et jurant, lui, Abel Beauchemin venait de com-prendre que jamais plus il ne pourrait écrire de romans).

Pourtant, les mots n'arrêtaient plus de se bousculer en lui; ils venaient de partout, de la plante de ses pieds, du bout de ses ongles, du lobe de ses oreilles et des poils de son pubis. (C'était comme si son corps brusquement n'avait été qu'une antenne multiple captant tous les sons zigzaguant dans l'espace.)

«Non, non», balbutiait-il en essayant de se lever. Mais il n'y avait plus de force en lui et il retomba sur sa chaise, échappant le stylo feutre qu'il tenait à la main. Il mit du temps à percevoir l'immense douleur qui meurtrissait son bras (milliers d'aiguilles empoisonnées pénétrant la peau) et Abel pensa tout à coup qu'il se pouvait qu'il fût de nouveau malade. N'était-ce pas ainsi (il y avait dix ans de cela maintenant) qu'avait frappé la poliomyélite, après une crise nerveuse au terme de laquelle il ne pouvait plus utiliser son bras gauche? Souviens-toi Abel, souviens-toi de l'hôpital Pasteur, les cylindres de sable sur tes genoux, les infirmières qui te faisaient manger avec des pailles et ce médecin qui mettait le gant de caoutchouc et entrait la main profondément en toi, puis la sortant de ton corps, poussant devant elle les défécations séchées, dures comme du ciment disait-il avec cet étrange sourire à la docteur Jekyll, souviens-toi aussi que tu n'avais pu lire *Germinal* ni *Lumière d'août* (titres appropriés puisque tu es devenu infirme ce mois-là, dans les grandes chaleurs de la fin de l'été, et c'était plein de longs peupliers de Lombardie tout autour de l'hôpital et tu délirais dans le bruissement des feuilles poussiéreuses) car tu les avais fait tomber par terre et une infirmière les avais ramassés avec du papier hygiénique. — «Faut les stériliser avait-elle dit. En attendant, je peux vous prêter mon recueil de mots croisés.» Mais tu avais refusé: sa main paralysée, comment un gaucher peut-il désirer faire l'herbivore? (Car en ce temps-là, ta connaissance des mots était tout aussi maladive que ta poliomyélite et cruciverbisme, qu'était-ce pour toi sinon quelque Guillin-Barré outrageant, vêtu d'une cape noire, chaussé de bottines de feutre, chapeauté d'un haut de forme, et qui semait la désolation et la mort dans le petit hôpital?)

Il n'arrivait plus à maîtriser les battements de son coeur. Il pensa que si cela continuait à s'accélérer, bientôt son coeur jaillirait de sa poitrine et tomberait quelque part devant lui; et son sang lui serait repris, violemment comme dans les westerns de Pakampas, alors qu'on voyait la balle pénétrer dans la poitrine et, en ralenti, le flot de sang trop rouge qui se mettait à gicler.

«Ne reste pas comme ça, pensait Abel. Lève-toi, marche, dehors tout ira mieux.»

Mais cela même était au-dessus de ses forces. Pleurer, il n'y avait plus que cela qui était possible.

(Ainsi donc, il était lui-même devenu un personnage de roman, au même titre que Jos Connaissant, que Malcomm Hudd, que Milien Bérubé, que Berthold Mâchefer et que Lémy Dupuis, héros qui étaient sortis de lui au rythme de cinq pages par jour, à raison de trois heures de patient labeur quotidien, alors qu'à l'étage au-dessus Judith dormait. Judith dormait toujours à l'étage au-dessus, même après qu'elle se fût séparée de lui, au terme de quelque dérisoire voyage à Miami — et cela encore s'était passé en août, et des Noirs, nus jusqu'à la ceinture, montaient le long des palmiers et enlevaient, dans l'ombre des branches, les fruits encore verts. Et tandis qu'il faisait cette crise, cherchant désespérément son souffle, épongeant d'une serviette mauve la sueur qui lui coulait dans la face, Judith dormait toujours. Peut-être même rêvait-elle au bébé qui commençait à vivre dans son ventre, qui suçait son pouce, roulé en boule dans la poche de ses eaux, et qu'elle portait aussi aisément qu'une chatte, ronronnant dans son sommeil, le petit ventre déjà bombé tressaillant quand l'enfant bougeait les pieds, ce qui laissait croire qu'il serait normal, qu'il ne lui manquerait ni bras gauche, ni lèvres, ni oreilles, ni yeux quand il naîtrait, minuscule chose rouge qu'il faudrait presser contre soi, minuscule chose molle et prématurée dont la tête lourde et le cou sans force étaient un attendrissement et le signe que jamais on n'aurait la force pour soi mais que l'extrême indigence de ce qui vient au monde trop tôt.)

Abel soufflait fort, la tête entre ses mains. Il se laissait étrangler par ses sanglots — d'où tout cela lui venait-il? Qu'est-ce qui l'attirait vers le plancher où, la langue entre les dents, il se mettrait à rouler, tout en mouvements détraqués des bras et des jambes, comme ces épileptiques que son père soignait, le regard plein de pitié, dans le silence du grand hôpital où hydrocéphales et oligophrènes disaient bien qu'il y avait quelque chose de profondément affligeant dans le spectacle du monde. «Fixe-moi pas de même de tes grands yeux de tête d'eau», disait dans quelque salle verrouillée du Mont-Providence un gardien écoeuré. Il fallait changer son slip au monstre, un jeune homme-légume. Abel voyait son père (peut-être avait-il pincé son nez avec une épingle à linge) tirer le sous-vêtement blanc taché d'excréments, il le voyait mettre la main dans le seau, saisir le linge mouillé et le passer calmement sur les fesses du Mongol, avec ce geste très précis du doigt pour nettoyer la raie et, pendant tout ce temps, son père ne regardait pas l'enfant, n'avait même pas jeté un coup d'oeil aux organes génitaux qui étaient, entre les jambes, comme quelque progression subtile et pacifique de la mort.

Peut-être père songe-t-il qu'il y a presque trente ans, dans la maison-restaurant de Saint-Paul-de-la-Croix, après le grand orage de pluie, de vent et de foudre (faisant dans le champ, loin derrière les bâtisses, un gigantesque chicot calciné de l'érable rouge) et les cris de maman, j'étais venu au monde en criant désespérément et qu'il y avait dans cette naissance se passant dans le déchaînement des temps quelque sombre augure — une vie tourmentée, tumultueuse comme la petite rivière faisant des bonds prodigieux parmi les roches, sauvage comme le pays, remplie de chardons, de pissenlits et, au milieu de l'été, devenant sèche et brûlée comme l'herbe et les feuilles mangées par les chenilles.

Peut-être père songe-t-il aussi que le lendemain matin, alors que le soleil rouge arrivait de loin derrière les arbres, il marchait dans le chemin mouillé, léger comme un oiseau et donnant de petits coups de pied sur les cailloux, et qu'il s'en allait ainsi chez Maxime Thériault pour lui dire la bonne nouvelle de ma naissance. Le vieil homme à moustache était là près du perron, quelques rondins de bouleaux sous le bras, il regardait père venir, calme — on avait tout son temps pour attendre, les toasts dorées pourraient tout aussi bien être mangées dans une heure car rien ne pressait en ce temps-là; c'était toujours l'été, à peine le commencement de septembre, et la gelée, cet automne, attendrait paisiblement son heure.

«Sais-tu la nouvelle?» pouvait avoir dit le père en montant les marches de l'escalier. Sur la dernière était couché le vieux chien jaune à moitié aveugle, et qui ne jappait plus, ne se levait guère, de sorte qu'il fallait, dans une assiette sale, lui apporter sa nourriture, restes de viandes et de patates, navets bouillis et vieux épis de blé-d'Inde — plus tard même, il faudrait presque le faire manger, en pilant ses aliments (étrange purée qu'on lui mettrait sur la langue et qu'il avalerait difficilement, en déglutinant) — plus tard encore, il n'allait plus rien garder, vomissant tout ce qui lui serait donné. Et un matin, celui de la naissance du huitième enfant des Beauchemin, le père manquerait mettre le pied dessus: le chien était mort durant la nuit et, sans doute dans le dernier spasme de son agonie, il avait roulé dans les marches (les quatre pattes raidies, la langue entre les dents jaunes). Mais il y avait cette question qui avait été posée par le père, et la réponse du vieux Maxime Thériault:

«Je te gage cinq piastres que ton p'tit Laval s'est délivré durant l'orage.»

«Oui, c't'en plein ça, mon Xime. Mais là où tu te trompes, c'est qu'il s'appellera pas Laval. Mathilde a parlé de le nommer Abel pour faire plaisir à son parrain Victor. Moi, l'un ou l'autre, ça me dérange pas. Je l'ai déjà baptisé à ma façon et pour moi-même: c'est Bouscotte son nom.»

Père et le vieux Maxime Thériault avaient dû parler encore quelque temps près du perron aux plantes pourries, père songeant non plus à son fils mais au beurre qu'il ferait bientôt, cependant que Maxime Thériault sentait déjà dans sa bouche le goût des toasts dorées.

«Tu entres une minute, hein?»

Et père l'avait suivi à l'intérieur, dans la petite cuisine empestant le vieux tabac — les deux crachoirs devant le poêle, remplis à ras bord, avec les flopées d'insectes volant au-dessus, et les tue-mouches, comme des tires mal formées, ou des ressorts défaits, suspendus au plafond. Père s'était assis sur la chaise d'osier, les mains sur son béret. Il avait vomi dans le chemin menant chez Maxime Thériault.

«Toutes les fois que Mathilde met bas, je suis malade comme un chien. Mange tes toasts dorées, mon Xime. Occupe-toi pas de moi. Juste les sentir, ça sera assez bon pour mon estomac.»

Et il avait regardé son vieil ami briser ses oeufs, mettre les tranches de pain sur le poêle; il l'avait vu avaler avec force sapements (si petites étaient les tranches dans les grandes mains velues de Xime) les toasts et puis, tout de suite après avoir bu le verre d'eau, le vieil homme s'était fabriqué une chique et s'était mis à cracher furieusement dans l'un et l'autre des crachoirs, à tour de rôle, avec une précision que le père admirait car elle lui rappelait tout ce que le patriarche Antoine, dans la grande maison de la rue Vézina, pouvait faire avec sa bouche.

«J'ai aussi une chose à t'apprendre et à te montrer», avait dit Maxime Thériault en se levant de table.

«Quoi donc, Xime?»

Et encore une fois, le père avait suivi. Ils étaient passés par la porte de derrière, celle qui menait aux bâtiments; trois vieux hangars bâtis bout à bout et qui servaient de grange-étable. Des poules picoraient, faisaient aller leurs pattes jaunes dans la terre mouillée. Et le grand cheval bai avait appuyé sa tête sur la clôture pour mieux les regarder venir. Seules ses oreilles bougeaient. Maxime Thériault avait poussé le verrou de la porte et ils étaient entrés dans l'étable. Les bottes calaient dans le fumier et le père eut cette sensation extrêmement douce d'avoir les pieds bien au chaud. Ils s'avancèrent jusqu'au fond où était le petit enclos fraîchement chaulé.

«Regarde, avait dit Maxime Thériault. Ma vache a aussi fait sa délivrance durant l'orage.»

Et le père avait mis sa main sur la clôture, étourdi par les odeurs fortes de la grange-étable. Il ne s'était pas aperçu tout de suite que le veau n'avait que trois pattes et quand Maxime

18

le lui dit, toute la chaleur du fumier lui monta à la tête et il vomit une autre fois. Maxime lui tapa de la main sur l'épaule et ils sortirent. En voyant le veau, père avait sans doute pensé à Abel, à cette petite boule de chair rouge et hurlante qui était sortie d'entre les cuisses de Mathilde, et il regrettait de ne pas avoir fait plus attention aux jambes de son sixième enfant. Il ne se rappelait même pas s'il y en avait deux, trois ou bien seulement une. Lorsqu'il poussa la barrière, il comprit qu'au lieu de se rendre à sa beurrerie, il reviendrait à la maison, Il n'irait pas travailler aujourd'hui, il passerait toute la journée à regarder Bouscotte dormant dans le vieux ber à côté du lit de Mathilde. Il n'aurait pas à s'expliquer là-dessus, ni à Mathilde, ni au vieux Doc, ni même au curé Saindon qui viendrait dans l'après-midi, posant son chapeau noir et sa canne sur une poignée de porte.

«Bouscotte», disait le père en roulant parfois une cigarette qu'il n'allumait pas. (Le nez des enfants est si fragile!...) «Bouscotte!»

Mais il y avait vingt-sept ans de cela maintenant, c'était trop loin dans le temps et Abel, dans la chambre qui lui servait de bureau, et tandis que Judith dormait à l'étage au-dessus, le petit enfant immobile dans son ventre, n'était plus habité que par sa mort. Son coeur n'allait pas tenir long-temps; ses yeux se remplissaient de toiles d'araignée, il s'était mis à trembler, ses muscles faisaient des ondulations sous sa peau, de grands frissons couraient de ses pieds à sa tête. Il réussit toutefois à se lever, appuya ses deux mains sur la planche de contreplaqué qui lui servait de pupitre. Mais c'est lorsqu'il voulut faire un pas que tout se défit en lui, créant une énorme noirceur au centre de laquelle il se laissa glisser, presque avec apaisement. Il venait de mourir. Belhumeur et Hudd lui tendaient les mains, il les prit et les secoua avec énergie.

«Toi aussi, il te fallait devenir personnage», dit Malcomm en fermant le soupirail.

«Tu viens de te lier à nous, pieds et poings livrés», dit Belhumeur.

19

Les prodigieux amis jaillirent dans la ténèbre et Abel comprit que l'histoire, il y avait déjà longtemps qu'elle était commencée.

2

Ainsi donc, il avait écrit cinq ou six romans et quelques autres textes qu'il n'avait pas fait publier encore et qu'on retrouverait dans de grandes enveloppes brunes au fond de la garde-robe de sa chambre-bureau quand il allait mourir.

C'était des écrits échevelés, en dents de scie comme il disait, pleins de hachures, de trous blancs au milieu des pages et des phrases longues comme des centaines de lacets de bottines noués bout à bout. Il avait peut-être écrit un million de mots en sept ans — d'énormes romans d'une petite écriture serrée, qu'il coupait de moitié lorsqu'il les tapait à la machine parce qu'il se lassait d'eux comme on se fatigue de ses vieux amis qu'on n'écoute plus que distraitement pour trop les connaître et deviner en eux ce qui n'est que radotage et bouillie culturelle mal ingurgitée. Le premier roman, petit Mongol d'écriture stagnante, avait été un échec. Mais c'était de cet avatar qu'étaient nés les autres. Et eux-mêmes n'en amenaient que de plus terribles encore, comme s'il ne pouvait y avoir ni fond ni fin dès qu'on avait trouvé le premier mot. C'était cela, la vérité: on était enchaîné et ce qui n'avait pu être qu'un jeu s'était vertigineusement transformé en un enjeu qui ne pouvait que vous conduire tout droit à la mort, vos personnages continuant à riboter en vous, même une fois assassinés d'un trait de plume. Il n'y avait pas de solution à l'écriture sinon celle de continuer et de continuer à noircir des pages, question de noyer le poisson en soi. Mais cela n'arrivait pas, ne pouvait arriver. Cela aurait été trop simple et Abel avait rapidement compris qu'il n'en allait jamais ainsi: plus on écrivait et plus l'on se sentait obligé d'écrire, et moins l'on comprenait ce qui se passait en soi et hors de soi, comme si tout finissait par se brouiller, le rêve et le réel. Était-il seulement malade? Ces peurs subites qui le prenaient de tomber au beau milieu de la rue pour mourir d'une mort absurde, d'où étaient-elles venues? De quel monde qui, en lui, s'était lové comme un serpent et sans qu'il s'en rendît compte? Jamais personne ne lui avait parlé de ce qu'il avait cru essentiel dans ses livres, ces quelques mots, ces quelques phrases, ces quelques paragraphes et ces quelques chapitres où il s'était vraiment mis à nu et dans lesquels n'importe quel clinicien de lecteur aurait pu deviner ce qui ne pouvait que lui arriver aujourd'hui, cette maladie, non: cette fièvre plutôt, cette fureur d'écrire qui le rendait incapable de mettre trois mots l'un à côté de l'autre quand, au moment où penché sur la feuille blanche, il songeait aux phrases qu'il utiliserait, décapuchonnant son stylo feutre, sa tête se remplissant d'idées délirantes, exactement comme si elle avait été une éponge buvant toute la folie du langage qu'il pouvait y avoir dans le monde. Comment choisir dans tout cela? Et quel choix pouvait-il faire de toute cette matière gluante (un baril de mélasse renversé dans l'herbe, une grosse couleuvre glissant sur les pierres, ou millions de fourmis-mots drogués et ne sachant plus où donner de la tête) — de tout ce magma, de ce cancer proliférant et désormais impossible à contenir? Il était devenu écrivain pour se délivrer de tout le mal qu'il y avait en lui et il avait cru qu'après trois ou quatre romans, il serait débarrassé de son angoisse et pourrait enfin s'asseoir sur le perron de son petit bungalow de banlieue, fumant tranquillement sa grosse pipe alors que les automobiles passeraient dans la rue Kennedy et que Judith, toute petite dans son bikini rouge et noir, couperait les fleurs dans le parterre pour les mettre dans un pot sur la table de la cuisine. Même cela n'avait pu arriver. Écrire, ce n'était que rouvrir une blessure, celle qu'il s'était faite jadis quand on habitait Saint-Jean-de-Dieu. (L'espace, n'était-ce finalement que la projection subtile de soi-même dans un paysage dont on tentait par ailleurs et désespérément de se déprendre?)

Pour l'heure, Abel était étendu devant sa table de travail, la bouche ouverte, les extrémités de ses pieds tressautant dérisoirement. C'était là tout ce qui restait de lui, et qui s'en allait rapidement. Le rideau bougeait devant la fenêtre. Il devait pleuvoir, une pluie fine et molle qui n'augurait rien de bon alors que le roman tournait en rond dans la chambre-bureau, au-dessus d'Abel maintenant immobile, enfoncé jusqu'aux oreilles dans sa fausse mort. Pourquoi avait-il travaillé toute la nuit, le petit chat noir roulé en boule sur son épaule? Dès le début, il savait qu'il n'irait pas loin, à cause des mots qui avaient commencé à se rébeller au fond de lui. Ils arrivaient sur la pointe de son stylo feutre armés de pied en cap et riaient de lui qui les regardait sans rien comprendre. Il avait d'abord été étonné, puis il était devenu furieux et, d'un coup d'épaule, il avait fait tomber le petit chat noir sur le tapis. La grosse bouteille de gin était là devant lui, accaparant toute son attention, le détournant des mots fantômes qui, vêtus de grands draps blancs, faisaient maintenant les guignols sur la page. De quel silence vivait donc la nuit? Il regardait dans la fenêtre mais ne voyait rien. Il n'y avait que la senteur des cèdres de la savane qui venait jusqu'à lui et tout ce qu'il n'avait encore pu exprimer dans ses romans lui semblait à la portée de la main pour ainsi dire: tout cela était dans l'air et dans l'obscurité, tout cela vivait d'une vie si simple et si pleine qu'Abel était pris comme dans un tourbillon. Vite! Il devait s'asseoir sur la vieille chaise bancale et écrire cette vérité qu'il y avait dans la nuit et qui venait de lui être révélée devant la fenêtre pour l'apaiser enfin. Mais à peine était-il assis que la vérité de la nuit se tordait malicieusement, ne le ramenant qu'à son cauchemar, ces milliers de mots bâtards qui tournoyaient dans sa tête comme de vieux vautours enragés, qui voulaient tous sortir en même temps, ce qui rendait inutile toute tentative qu'Abel pouvait faire pour ne pas perdre complètement ce qui restait encore de la nuit dans la chambre-bureau. D'un coup de pied, il poussait la chaise et se mettait à marcher à petits pas dans la chambre-bureau. Le long kimono rouge s'ouvrait, montrant ses cuisses brunes. Quel sabbat ignoble les mots avaient-ils décidé de faire dans la tranquillité des ténèbres? Judith ronflait dans la chambre au-dessus. Le petit chat noir avait dû se coucher entre ses seins, attiré par les battements du coeur. À quoi rêvait Judith? Et le bébé dans son ventre, le bébé-légume n'était-il qu'un petit monstre armé de pied en cap comme les mots auxquels Abel pensait? Il buvait à même la grosse bouteille de gin, seule son angoisse constituait peut-être une défense efficace contre la horde barbare de tous ces mots fous et élastiques qui apparaissaient dans la chambre-bureau pour le torturer et le mortifier. Il buvait beaucoup, Abel. Trop de nuits antérieures menaçaient de revenir ensemble et tout d'un coup pour qu'il n'eut pas la tentation de les tenir à distance en se saoulant sauvagement. Hier, n'était-il pas tombé au beau milieu de la nuit, rendu fou par cette angoisse qu'il n'avait pu identifier à temps, de sorte que c'était Judith qui, alertée par le bruit qu'il avait fait en perdant pied, était accourue pour le ramener à lui-même en l'embrassant sur la bouche — pauvre petite fille qui ne comprenait pas qu'on pût ne pas dormir la nuit et qui passait son temps à dire:

«Tu finiras par te rendre complètement fou si tu ne t'arrêtes pas à temps. Viens te coucher, Abel. Viens te coucher!»

Ne voyait-elle pas qu'il était incapable de se mettre debout? Que les rapaces-mots s'étaient jetés sur lui et lui béquetaient la chair? Il faisait de grands gestes avec ses mains pour protéger ses yeux mais les becs pointus s'y enfonçaient et il se mordait la langue pour ne pas crier, pour ne pas affoler Judith dont la médecine dérisoire consistait à lui appliquer des serviettes d'eau froide sur le front. Pendant ce temps, le petit chat noir jouait sous la table avec le capuchon de son stylo feutre, rendant indécente l'angoisse d'Abel, lui montrant qu'il y avait dans sa folie quelque chose de carrément ridicule. Il avait ouvert tout grand la bouche, il essayait de reprendre son souffle, il aurait tant voulu que son coeur se calmât, mais il se sentait tragiquement vulnérable, en proie au

24

monde baroque de ses images. Des dizaines de romans s'écrivaient en même temps dans sa tête et, pour la première fois, le personnage de son père y prenait presque toute la place.

«Tu devrais venir plus souvent à la maison, Bouscotte. Je crois que je m'ennuie maintenant.»

Son père lui avait envoyé ce petit mot, par deux fois, à la maison d'éditions où il travaillait, lui qui jamais dans sa vie n'avait écrit une lettre, laissant cet acte à la mère. Mais elle était morte, il y avait dix ans de cela maintenant, dans des douleurs infinies, et son père avait quitté cet emploi de gardien de fous où, pendant vingt ans, il avait mis tout ce qu'il y avait de beauté et de bonté en lui, de sorte qu'il ne lui en restait plus guère pour les autres, et à peine assez pour lui-même. Et voilà qu'à soixante ans, il vivait tout seul, dans les vieux meubles de l'appartement de la rue Monselet où peu de ses fils et de ses filles venaient désormais. Pourquoi Abel n'avait-il pas répondu? Qu'avait-il à craindre du vieil homme solitaire qui mourrait bientôt, et sans personne à son côté, peut-être pour avoir trop donné la vie?

«Tu devrais venir plus souvent à la maison, Bouscotte. Je crois que je m'ennuie maintenant. Seul dans mon coin, pourquoi que je jouerais de l'harmonica, hein?»

Et les images de son père n'arrêtaient pas de bouger en lui, s'ordonnaient dans une manière de roman qui ne pourrait avoir de suite car bientôt il se verrait poussé dans ses coins par quelque autre récit, celui du bébé de Judith par exemple, cette petite chose encore informée qui poussait comme un champignon sacré dans son ventre, cette petite chose qui n'appartenait qu'à Judith, cette petite chose inoffensive dont il ne pouvait être le père à cause de cette poliomyélite qui avait détruit tout ce qui restait d'avenir en lui. Et Judith ignorant tout cela, ne sachant même pas qu'il était au courant de sa liaison avec Julien, ce beau et grand homme aux cheveux gris qui stationnait toujours sa Thunderbird dans la rue d'à côté, attendant que Judith vînt à lui, toute écourtichée dans sa robe, et Abel la regardait partir, caressant du bout des doigts le petit chat noir qu'il tenait dans sa main ouverte, et les ronronnements il ne les entendait pas, tout attentif aux bruits dans la rue d'à côté, au claquement de la portière, au baiser sonore de Julien sur la joue de Judith (et il voyait ses jambes nues et provocantes, et la rutilante Thunderbird, quelle route déserte emprunterait-elle bientôt et dans quel coin de la ténèbre mascoutaine l'enfant avait-il été fait tandis qu'Abel tapait à tour de bras sur sa vieille Underwood pour oublier toutes les accumulations de la mort en lui?)

«Abel! Abel!» avait dit Judith.

Il essaya d'ouvrir les yeux, ses paupières étaient collées, il ne désirait pas voir ce qu'il pouvait encore y avoir de nuit dans la chambre-bureau. Il aurait tout simplement voulu que la mort vînt rapidement, sans forfanterie ni détour, avalant son coeur tout d'un coup, ce maudit coeur qui, après avoir cogné furieusement dans sa poitrine, ne battait plus que lentement. Mais peut-être pouvait-on mourir longtemps sans jamais mourir vraiment. Peut-être était-ce cette angoisse épouvantable qui rendait impossible la vraie mort, lui substituant sans relâche que des transparences pour mieux l'affoler encore, pour mieux l'écarteler sur le tapis de la chambre-bureau, trop silencieuse depuis que Judith, enlevant sa main froide sur son coeur, était allée dans la cuisine. Et pour y faire quoi? Y appeler le médecin sans doute, ou le policier Fred, ou peut-être même le pompier Cardinal... Meurs! Meurs donc! se disait Abel. Tout avait été gâché depuis les origines, depuis ses premiers cris dans la maison démunie de Saint-Paul-de-la-Croix, ses premiers cris auxquels avait répondu le veau à trois pattes de Maxime Thériault, le vieux bonhomme aux toasts dorées. Il faut que tu meures! se disait Abel. Sinon c'est Judith qui mourra à ta place, et le bébé aussi. Il la vit qui était couchée dans le cercueil brun, entourée de la mauvaise odeur des fleurs teintes, et les bougies faisaient toutes sortes de jeux sur les murs, et Judith était morte, il l'avait tuée, il n'avait eu besoin que d'être à côté d'elle durant quelques années pour la détruire, pour lui retirer toute sa vie, et cela parce qu'il avait eu tant besoin d'elle, mettant toute sa crainte en elle dans l'espoir d'en être délivrée, de la sublimer dans la magie de son affection. Au lieu de quoi, le croque-mort fermait le cercueil, dissimulant à jamais la beauté de Judith. La bouche pleine de terre déjà et l'immonde putréfaction.

Il ne vit pas les deux policiers qui étaient entrés dans le bungalow. Il ne vit pas davantage la bonbonne d'oxygène ni les larmes qui roulaient sur les joues de Judith. Comme la mort vous mettait loin de tout! Il s'était légèrement tourné sur le côté, pour moins souffrir et, surtout, pour ne pas laisser voir à Judith tout ce qu'il y avait de faible en lui, et qu'elle n'avait jamais vu. Je peux me lever, essaya-t-il de dire. Le policier avait ôté sa casquette qu'il avait déposée sur le pupitre, enfouissant dessous le petit chat noir. Que dit le policier? Qu'était-il? Vous n'aurez plus besoin de me matraquer, songea dérisoirement Abel. Le petit chat noir était de nouveau libre et il avait recommencé son jeu avec le capuchon du stylo feutre. Judith disait:

«L'ambulance s'en vient, Abel. Elle sera là dans une minute.»

Elle faisait cela pour ne pas tomber à son tour et pour cacher à Abel tout ce qu'il atteignait au travers d'elle par les possibilités de sa mort.

Les infirmiers le mirent sur la civière, le recouvrirent d'une couverture rouge, attachèrent les courroies, et c'est ainsi qu'Abel sortit de la maison. Devant, l'oeil rouge sur le capot de l'auto-patrouille clignotait, changeant la nature des arbres et la qualité de la nuit. L'ambulance n'était au fond qu'un corbillard déguisé. Une fois rendue sur le pont surplombant la Rivière des Prairies, l'ambulance s'arrêterait, les infirmiers descendraient, ouvriraient la portière arrière, tireraient la civière et la feraient basculer par-dessus le garde-fou. Cela n'effrayait pas Abel. L'infirmier avait mis sa main sur son bras, l'infirmier le regardait et s'informait à tout moment s'il allait mieux. Il le fallait bien puisque la Rivière des Prairies venait rapidement à la rencontre de sa mort.

3

Quel rêve avait-il fait lorsque épuisé, il s'était endormi dans l'ambulance? Il ne s'en souvenait plus guère et cela disait bien jusqu'à quel point il avait été atteint par ce qui s'était passé cette nuit-là, dans la chambre-bureau. Pour tout dire, il n'avait pas fait qu'un rêve; ou plutôt c'était un rêve qui s'était dédoublé en plusieurs autres, exactement comme cela était arrivé dans le cas du roman qu'il avait commencé et qui avait éclaté dans tant de directions qu'il devenait impossible de les contenir, sinon pour la forme, sinon pour garder bien au chaud en soi l'illusion qu'il était encore possible d'écrire. Mais dans l'au-delà de l'écriture, il y avait cette vérité que commençait à comprendre Abel et qui semblait perceptible seulement dans le silence de la mort. Voilà pourquoi il avait commencé à mourir. Les mots n'étaient là que pour le tromper, les mots mentaient... Un million de mots déjà et qu'avait-il appris en les écrivant? Qu'ils étaient des à peu près (ces foetus conservés dans des bocaux de verre remplis de formol), qu'on ne pouvait leur faire confiance, pas plus qu'à soi, et que plus on en imaginait plus l'effroi grandissait en soi. Sans doute aussi y avait-il autre chose dans les mots, mais comment Abel aurait-il pu y songer alors que l'ambulance roulait à toute vitesse sur l'autoroute, les automobiles s'écartant devant elle pour lui permettre d'arriver à temps à l'hôpital du Sacré-Coeur? Mais comment Abel aurait-il pu y songer alors que le rêve le revirait dans sa peau?

«Nous n'en avons pas pour longtemps», disait l'infirmier.

Et cette voix était cassante comme du verre et, en même temps, il n'y avait aucune peur en elle, qu'une lointaine absence. Toute la région de son cœur, de même que les banlieues gonflées de sang, lui faisaient mal. Le jus de son mauvais sang dévorait Abel. L'infirmier lui mit la main sur le front, puis il l'enleva et dit:

«Tout ira mieux maintenant. Quittez votre crainte.»

Pourtant le rêve ne lâchait pas sa prise. Il y avait toujours la répétition des quelques images fondamentales qui lui revenaient dans son sommeil à raison de trois ou quatre fois par année depuis que, abandonnant Saint-Jean-de-Dieu et les digues de cailloux qui faisaient office de clôtures, on était venus dans le Grand Morial où il devenait facile de n'être plus rien et d'opposer quotidiennement son refus à ce qui n'était pas la vie mais une malicieuse contrefaçon. Les images du rêve étaient toujours les mêmes: la maison du grand-père Antoine roulait sur de grandes roues de bois, elle avait quitté la rue Vézina des Trois-Pistoles, elle montait la Grande Côte du Deuxième Rang et, comme un long cheval lancé à l'épouvante, elle défonçait ainsi l'espace jusqu'au Rang Rallonge. (Quel était le sens de ce voyage entrepris par la maison du grand-père? Pourquoi celle du père ne pouvait-elle suffire dans le rêve d'Abel? Était-ce que le père n'avait point de maison qui lui fût propre et grâce auquelle ses enfants eussent pu se reconnaître dans son paysage?)

Abel était dans le champ, il regardait Toxon monter la formidable vache noire, et du sexe du taureau s'échappait une musique qui était chaude et humide et Abel, jambes écartées, avait glissé la main dans la poche trouée de son pantalon, et Abel se caressait discrètement, la tête non pas pleine par l'image du sexe de Toxon vrillant la vrille rose dans la formidable vache noire — c'était toute autre chose qui lui revenait en mémoire, qui s'était passé il y avait déjà plusieurs années de cela. Tout le monde était parti aux champs, la mère Mathilde faisait la lessive dans la cuisine et Abel, où était-il? Les p'tits veaux l'attiraient. Le matin, quand on leur donnait à boire, ils se tétaient dans l'enclos, et cela était fascinant, à ce point fascinant qu'Abel n'avait pu résister. Ouvrir la barrière, s'agenouiller derrière le veau, tirer la langue et avoir dans la bouche toute l'humidité fauve de la boule de chair, pourrait-on jamais éprouver émotion plus pure et plus totale?

La sirène de l'ambulance hurlait pour annoncer au monde endormi la mort d'Abel sanglé comme un porc sur sa civière. Il avait fermé les yeux et ses pieds luttaient contre le froid. La maison du grand-père s'était arrêtée dans la swampe, ses grosses roues blanches calées jusqu'aux essieux dans la boue. Abel était devant la maison, il n'osait pas entrer mais c'était son père qui lui avait mis la main sur l'épaule et qui lui avait dit:

«Il faut que tu y ailles maintenant, tu ne peux pas reculer.»

Alors il avait regardé son père et il avait vu que son père n'avait plus d'yeux, seulement d'épaisses rides blanches qui n'exprimaient rien d'autre qu'une souffrance inouïe et qu'une insupportable solitude. Alors Abel avait dû entrer dans la maison de son grand-père. Tout y était à sa place, les vieux meubles noirs, les prélarts usés, le piano dont plus personne ne jouait, les toiles naïves, oeuvre de la tante neurasthénique, les portraits de famille couvrant tout un mur et, assise dans sa chaise favorite, la grand-mère. Sur la petite table devant elle, une paire de lunettes, une tasse de thé et six biscuits Village. Abel avait dit:

«Où est grand-père Toine?»

Et la grand-mère avait fait un geste vague de la main:

«Derrière, il est toujours dans la cuisine d'été.»

Le miroir dans le passage, pourquoi l'avait-on placé à l'envers? Était-ce depuis que le grand-père Toine disait ne plus se reconnaître? Il se regardait dans le miroir, faisait un bond et hurlait:

«Y a un étranger dans la maison, Nini! Qu'on m'apporte mon fusil que je le tue!»

Abel poussa la porte de la cuisine. Le grand-père aussi était assis dans sa chaise favorite, près du gros poêle qui chauffait dur malgré que dehors il fît grand soleil. Abel tressaillit. Pauvre grand-père Toine, dit-il. Le vieil homme était immobile, habillé que de son long caleçon tout sale et de ses bottines de feutre. Sous la chaise, il y avait une mare jaunâtre. Abel dit encore:

«Où est grand-père Toine?»

Et le grand-père ne répondit rien, fit lui aussi un geste vague de la main, en montrant l'escalier qui conduisait au grenier. Puis il ricana, d'une façon tellement dérisoire qu'il n'y avait plus, dans la petite cuisine, que le trou noir de sa bouche sans dents qui avait quelque importance. Abel évita le croc-en-jambe du grand-père Toine et monta au grenier. Le grand cercueil aux poignées dorées était au milieu de la pièce encombrée. Abel regarda d'abord dans les sacs empilés les uns sur les autres. Il n'y trouva que des vieilleries qu'il oublia tout de suite, à l'exception du pot à barbe du grand-père Toine. Puis il jeta un coup d'oeil aux livres. Ceux-ci l'avaient toujours intrigué car du temps où le grand-père Toine vivait, il les tenait sous clé dans l'armoire brune à côté du piano. Maintenant, cela n'avait plus aucune importance: ils étaient tous là, dans un tas, et Abel les examina. Sauf pour un martyrologue romain, il ne vit que des livres pornographiques. Il lui semblait qu'il les avait tous lus et il haussa les épaules. Les gallons de peinture, le gros maillet, les bretelles et tout ce qu'il toucha encore ne l'intéressèrent pas davantage. Il s'approcha donc du cercueil. Il tira un gant blanc de sa poche et brisa la toile d'araignée au-dessus du couvercle. Son grand-père Toine était là, allongé dans le cercueil. Abel se pencha vers lui pour mieux entendre ce qu'il disait dans le silence de sa mort. Qu'y avait-il à comprendre?

«Grand-père Toine, disait-il. Mais que viennent faire les blancs chevaux de l'Apocalypse là-dedans?»

«Essayez de ne pas bouger, dit l'infirmier. Nous sommes quasiment rendus. On va s'occuper de vous maintenant.»

Or le rêve était trop bien installé en lui et ce n'était plus que de sa substance qu'Abel vivait. Les battements de son coeur avaient ralenti; peut-être même le moteur s'était-il arrêté dans sa poitrine. «Massez-moi le coeur», voulut-il dire à l'infirmier. Mais sa peur était trop vaste, il n'y avait plus ni ambulance ni infirmiers, seulement le rêve absurde qui mangeait tout l'espace et se modifiait vertigineusement. La maison du grand-père Toine montée sur ses grandes roues ridicules était disparue. Dans quel tiroir de sa mémoire Abel l'avait-il mise et quelle autre nuit d'épouvante la lui ramènerait-il, plus malicieuse encore, grand sac d'illusions dont jamais plus on ne verrait le fond?

À peine le rêve disparut-il qu'Abel en rêva un autre. Lui et son frère Steven faisaient le pied-de-grue dans un restaurant. Depuis des heures, ils attendaient debout près de la porte mais aucun des clients ne semblait vouloir terminer son repas. Steven surtout s'impatientait. Son visage était mince comme une lame de couteau, il avait des oreilles prodigieuses et de grands doigts avec lesquels il frappait le câble qu'on avait installé pour séparer les mangeurs de ceux qui attendaient.

«Partons, disait Steven. Allons au Ouique. Au moins là, on est sûrs de manger.»

Cependant, ils restaient immobiles, l'un à côté de l'autre. Il y avait si longtemps qu'ils ne s'étaient pas vus! Deux ans au moins... Que disait Steven de Paris? Et quelle femme s'était suicidée dans la chambre de Steven? Et qu'y avait-il donc de si important dans ce poème que Steven récitait? Était-ce Judith? Était-ce de Judith qu'il parlait, décrivant ses seins, son petit ventre bombé et la rondeur de ses fesses? Steven en voulait-il à Abel qui lui avait enlevé l'affection de Judith? Abel l'interrompit au beau milieu de son poème, il lui mit les mains sur les épaules, il lui dit:

«Pourquoi tes oreilles sont-elles si importantes? Tu devrais t'en faire amputer les trois quarts!»

Et tous deux s'étaient mis à rire, et leurs rires étaient si odieux que des gens s'avancèrent vers eux et leur demandèrent de sortir.

Le Ouique était beaucoup plus proche qu'ils ne l'auraient pensé. Ils firent trois pas dans la rue et virent tout de suite l'immense enseigne aux néons phosphorescents. Ils poussèrent la porte. De l'intérieur, le Ouique n'était plus le Ouique, plus exigu et sans ouétrice, comparable à une épicerie minable aux boîtes de conserves poussiéreuses dans les étagères. Et il n'y avait rien pour s'asseoir. Quelques clients étaient étendus sur des sacs de couchage, fumaient comme des cheminées et racontaient de grosses farces cochonnes.

«Oh frère, si tu savais comme je suis par tant de fatigue rompue!» dit Steven sortant de sa poche l'*Ulysse* de Joyce et se mettant à réciter ce passage où Monsieur Bloom, dans Dublin et sur l'heure du midi, s'enferme dans un Ouique irlandais et dérive, de la tête à l'estomac, en songeant aux jeux de mâchoires, aux pommes d'Adam sautantes, aux lourdes langues blanches, aux sauces dégoulinant sur les mentons pointus et chauves, aux viandes qui, il y avait quelques jours à peine, broutaient encore l'herbe verte et haute. Steven disait tout cela d'une voix nasillarde. Il était presque nu maintenant puisque vêtu seulement d'un curieux pagne rose et d'une petite moustache hitlérienne sous le nez. Quant à son sexe, il n'avait rien à cacher et attendait, dans le calme des poils pubiens, le moment de sa gloire. Et Steven lisait.

«Joyce m'est devenu un livre tout à fait ouvert», dit-il en avalant une poignée de grains de café qu'il arrosa d'un verre d'eau et de deux cuillerées de sucre. Abel ajouta:

«Crains la colère de ton présent détraquement, Steven! Tes mots m'apparaissent comme autant de vlimeux serpents. Ils finiront par te mordre à ta queue.»

Les clients du Ouique roulaient dans leurs sacs de couchage. «Je buverais bien une autre tasse de café», dit Steven qui prit sur la tablette une enveloppe de Maxwell House. Abel n'avait pas entendu la phrase de Steven. Ses yeux étaient braqués sur la porte du Ouique. Une grande femme rousse venait d'y entrer. Elle avait deux paires de fesses: l'une devant, l'autre derrière; et ses yeux étaient tout à fait blancs. Elle poussait devant elle un gros cochon à tête de poisson. La laisse dorée brillait, répandant dans le Ouique les ondes ensorceleuses. «Te voici rendu chez tes gens», dit la grande femme rousse en donnant une petite tape amicale sur la croupe du cochon. Puis elle disparut. Le cochon ne dit mot, se mit à fouiner dans les étagères. Son groin était fort mobile, s'allongeait et se rapetissait à volonté. Seuls les yeux ne changeaient pas... des yeux de poisson mort!

«Attention, Steven!» dit Abel.

Le cochon avait sauté sur Steven, ouvert la gueule et avalé l'*Ulysse* de Joyce. *Tisse tisseur de vent.* Steven était furieux, il tenait le cochon par ses oreilles et lui donnait de grands coups de tête. «Steven! Steven!» disait Abel. Le cochon se laissait tordre les oreilles, semblait même y prendre goût, tirebouchonnant de la queue et montrant avec grâce son sexe humide.

«Attrape, Steven!» dit Abel en lui lançant un marteau. Et Steven se mit à fesser sur la tête du cochon, délaissant les oreilles pour les yeux. Les morceaux de peau et d'os revolaient, le cochon avait tout un côté de la face mutilé, Steven n'était plus qu'une tache sanglante sous lui. Et le cochon pissait, pissait. Abel se boucha les oreilles avec ses doigts.

«J'ai froid», dit-il.

L'infirmier fit semblant de remonter la couverture rouge. Il ne regardait pas Abel. Sans doute songeait-il que ce n'était pas une vie que de travailler la nuit. De temps en temps, il haussait les épaules comme si, par ce geste, il avait voulu chasser toute cette noirceur qui semblait venir du corps immobile et bien sanglé sur la civière. Il ne cherchait pas à voir si Abel le regardait. D'une main qu'il tenait dans la poche de son pantalon, il caressait machinalement l'harmonica dont il ne jouait qu'une fois les malades bien arrivés à l'hôpital et alors que l'ambulance roulait, mais à rebours, sur l'autoroute. C'était une manière de rituel pour chasser la mort et la maladie. Et c'était autrement plus efficace que de raconter des blagues grivoises comme le faisait le conducteur.

L'ambulance quitta la route et s'engagea dans l'allée asphaltée qui menait à l'urgence. Abel ouvrit les yeux. Il se sentait tout à fait calmé maintenant, le coeur ayant repris son rythme normal. Mais de quel cauchemar venait-il de sortir?

«Vous pouvez retourner, dit-il à l'infirmier, je n'ai plus le mal. Ramenez-moi à Terrebonne. »

L'infirmier ne répondit rien. Il en avait entendu d'autres! Hier, une vieille femme était morte dans la civière après avoir dit une phrase semblable. Les gros yeux bleus qui avaient avalé l'ambulance. Bon dieu que ça l'avait démangé de jouer tout de suite de l'harmonica, avant même de quitter le souterrain trop illuminé de l'hôpital! L'infirmier dit:

«Calmez-vous. Le médecin va s'occuper de vous tu suite. »

La lourde porte automatique s'ouvrit par le haut, comme un couperet de guillotine fonctionnant à l'envers. La portière de l'ambulance grinça. Sortons le macchabée, dit le conducteur en crachant sur un pneu. Abel referma les yeux, fit le mort. Quelle honte! Quelle dérision! Il ne pourrait jamais pardonner cela à Judith. Elle pleurait, le bébé bien au chaud dans son ventre, quand les ambulanciers l'avaient sanglé comme un porc sur la civière. S'il fallait que tu meures, s'il fallait que tu meures! Qui cassera les citrouilles jaunes en septembre, Abel?

4

Le gardien s'approcha d'eux, poussant devant lui une civière sur roues. On y transféra le macchabée. Abel nota que la couverture dont on le recouvrit était blanche maintenant. L'image de la mort ridicule. Il songea à une phrase qu'il avait déjà écrite. De l'autre côté du miroir, dans le pays immobile et blanc. Il se mordit la langue pour ne pas pouffer de rire. Son nouveau pays blanc, l'hôpital! Son bras gauche lui fit mal tout à coup. C'est peut-être le même rêve qui continue, pensa-t-il alors que le gardien faisait rouler la civière dans le long corridor. Il avait dix-huit ans et les poumons d'acier, dans la chambre d'à côté, ronronnaient comme de gros chats. Dedans, de grandes femmes maigres dont on n'apercevait jamais que la tête et qui ne voyaient de la réalité de l'hôpital que ce que le petit miroir au-dessus d'elles leur montrait. Mortes de partout, corps déjà immobiles, emprisonnés dans l'acier, corps décharnés, corps osseux, corps scandaleux et sinistres... Pourquoi ne les tuait-on pas? (Et le petit bébé couché dans une boîte, ses fragiles pieds froids dans le plâtre, de quel enseignement pouvait-il être pour Abel marchant entre les lits, s'apitoyant sur le spectacle de la souffrance, affolé par tous ces grands yeux pleins d'une étrange lumière, comme si tout ce qui restait encore de vie en eux leur remontait dans l'iris... Muettes douleurs, explosions silencieuses de la mort. Et Abel, son bras gauche d'écrivain en écharpe, courait vers son lit et s'y laissait lourdement tomber. (Pourquoi faut-il que je me sente coupable de tout le mal formant ses spirales sombres dans l'hôpital?) Le vieux bonhomme dans le lit à côté de lui agitait le moignon de sa jambe dont il venait d'arracher le pansement et le sang coulait

36

lentement le long de la cicatrice. Tourne la tête, Abel! Regarde ailleurs où il doit bien y avoir un peu de beauté! Dans un autre lit encore, le grand garçon maigre pleurait, hurlait sa souffrance. Une physiothérapeute sautait sur ses jambes paralysées (ô les pauvres jambes cure-dents qui ne bougeaient plus!) — «Je voudrais que vous m'ouvriez les yeux.» Et l'infirmière lui mettait des serviettes d'eau froide dans la face puis, du bout des doigts, elle lui relevait la paupière, et l'oeil n'arrêtait plus de bouger. Même les affreux lits étaient beaux. Même la vieille peau usée du bonhomme poilu se faisant laver par l'auxilière était belle. Oh, tant qu'il y a de la vie il y a de l'espoir! Alors colle tes pieds sur le panneau de bois, Abel, et remets contre tes jambes les petits cylindres de sable et recouche-toi sur tes planches et ne fais plus la grimace parce que tu dois sucer tes aliments avec une paille!)

Ils étaient maintenant arrivés à la salle d'urgence. Une flopée d'infirmières, stéthoscopes autour du cou, se précipitèrent vers lui.

«Une attaque cardiaque! dit une infirmière. Dépêchons, dépêchons!»

Elles l'avaient entouré, et lui il voyait tous ces visages, toutes ces mèches de cheveux, tous ces grands yeux limpides, et quelque chose en lui, quelque chose de souterrain éclata soudainement, comme s'il avait compris enfin qui il était, un pauvre petit enfant démuni dans une carcasse trop lourde pour lui; et c'était tout cet espace de trop en lui qui le faisait chuter sans cesse, le petit enfant étant avalé par la monstrueuse carcasse... Perdu, perdu était le maigre bras ballotant dans l'écharpe. Les infirmières avaient relevé la tête, s'étaient regardées. Celle qui mâchait le chewing-gum avait dit:

«Si vous voulez mon avis, ce gars-là mourra pas cette nuit.»

Et elle pouffa. On poussa Abel dans un coin de la salle et on l'y laissa. Il se tourna contre le mur pour ne plus rien voir. Les larmes de Judith quand il était parti. Ce curieux geste qu'elle avait eu de mettre ses mains sur son ventre. Elle était en haut de l'escalier à ce moment-là, et il y avait quelque chose d'irrémédiablement désespéré dans son attitude. Oh, quelle peine énorme faut-il que je te fasse toujours, Judith! Et quelle troublante image dois-tu avoir de moi-même! Si faible! Si faible! «J'aurai bientôt deux bébés dans la maison. Dis-moi, Abel: aurai-je assez de lait pour deux?» Riantes phrases qu'elle disait alors qu'allongés devant le feu, ils regardaient les bûches flamber. Évidemment, il n'y avait pas vraiment de bûches, pas plus que de feu, mais il était facile d'imaginer tout cela quand on était heureux, contents des jeux improvisés dans le souterrain du bungalow de Terrebonne. Ne rêve plus, Abel! Ne rêve plus! Judith ne t'appartient plus, elle t'a filé entre les doigts, virevoltant maintenant dans les bras de Julien. Et le sable, sur la plage de Daytona Beach, était chaud sous les pieds nus... Ne rêve plus, Abel! Ne rêve plus! Judith n'est pas avec Julien, mais elle t'attend dans le petit bungalow de Terrebonne, et, pour tromper ses craintes à ton sujet, elle parle à l'enfant dans son ventre. Laisse le mur, Abel, et regarde enfin le médecin en face.

«Qu'est-ce qui ne va pas, Monsieur Beauchemin?» lui dit le médecin en blouse verte.

Il n'attendit pas la réponse d'Abel qui ne trouva d'ailleurs rien à dire, et l'ausculta. Bien sûr, le coeur pompait calmement le sang. Le médecin enleva le stéthoscope, fit venir une infirmière.

«Donnez-lui une jaquette et faites-lui passer un électro-cardiogramme.»

Une femme criait, étendue dans une civière à l'autre bout de la salle. De son nez écrasé pissait le sang. Un homme se tenait debout devant elle, bras croisés. Il léchait nerveusement les poils de sa grosse moustache qui faisait comme deux cornes de chaque côté de la bouche. Des gouttes de sang maculaient son gilet. Abel avait enlevé son pantalon et sa chemise et avait enfilé la jaquette blanche. Un échappé d'asile! Un échappé de Saint-Jean-de-Dieu! Assis sur le bord de la civière, il souriait. Tout cela était tellement absurde! Son père, que dirait-il le voyant ainsi, ses grandes jambes nues s'agitant mollement? Père, j'irai te voir demain et nous nous parlerons enfin dans le blanc des yeux. J'achèterai des grains pour te regarder en train de soigner tes poules blanches. Et maman nous appellera du seuil de la porte de la maison et, me menant par le bras, tu me conduiras à elle. Sur la table de la cuisine, la cassonade fond dans le gruau chaud.

On tira la grosse machine à côté de sa civière, on lui demanda de se coucher, on lui mit des espèces de ventouses un peu partout sur le corps, ce qui le chatouilla, et les deux jeunes filles qui s'occupaient de lui rièrent de bon coeur. Une troisième infirmière vint regarder le ruban puis elle demanda qu'on allât le porter au médecin. Et la machine s'éloigna d'Abel. Seule la troisième infirmière resta à son côté. Elle avait les cheveux très noirs et coupés court, et de petits yeux bruns qui pétillaient de malice. La poitrine plate mais des fesses rondes comme des pommes. Peut-être la peau, sous l'uniforme, était-elle rouge, éclatante de tendresse et de beauté. Elle s'assit au pied du lit d'Abel, sur la civière, et l'interrogea sur la nature du malaise qui l'avait terrassé dans le petit bungalow de Terrebonne. Elle le regardait dans les yeux, notant sur un bloc les réponses d'Abel. Puis elle lui dit:

«Je pensais que vos yeux étaient noisette mais je me rends compte qu'ils sont verts. J'aime bien.»

Il lui sourit. Le bout de ses pieds touchait les fesses de l'infirmière. Bonne était cette chaleur qui montait le long de ses jambes. Au fond, je ne me suis jamais senti aussi bien. Cette infirmière, la connaissait-il depuis longtemps? En tout cas, il n'aurait pas voulu qu'elle s'en aille et c'était pourquoi il avait dit:

«Vous n'avez pas d'autres questions à me poser?»

Elle rit encore, montrant toute la blancheur de ses dents.

«Steven étant ici ferait un poème sur l'Ange, dit Abel. Dans le désert, l'Ange plia ses ailes, les mit dans la valise noire, se caressa le sein puis, allongeant le bras, prit une lame de rasoir avec laquelle il se trancha le sexe. L'avalant, il chanta: Je suis l'Ange femelle et dépouillé de mes ailes, je me suis assis à tes pieds pour m'entendre parler de toi.»

«À quoi pensez-vous?» dit l'infirmière.

«J'ai un frère poète et s'il était ici à ma place, vous mettrait de grandes ailes blanches dans le dos.»

L'infirmière haussa les épaules. Elle griffonna quelque chose sur son bloc et dit:

«Sur quoi travaillez-vous présentement? Qu'écrivez-vous? Toujours des choses aussi sombres?»

«Pas plus sombres que la tombe où repose mon ami.»

«De quoi parlez-vous?»

«C'est sans importance... Non, je n'écris plus. Comment le pourrais-je puisque je suis mort encore une autre fois cette nuit?»

«Je ne vous comprends pas. C'est comme quand je vous lis. Je perds de grands bouts de mots.»

«Connaissez-vous la fameuse trilogie freudienne?»

«Qu'est-ce que c'est?»

«Freud compare la paranoïa à la philosophie, la névrose obsessionnelle à la religion et l'hystérie à l'art. Cette nuit, j'ai donc été un grand artiste, tombant derrière ma table de travail, au coeur de mon hystérie. Pendant ce temps, mon petit chat noir jouait avec le capuchon de mon stylo feutre. En un sens, c'était très bien comme ça.»

«Vous me faites marcher.»

«Dommage qu'il y ait ce linge sur la peau de vos fesses.»

«Et dommage que cette nuit il vous ait fallu mourir bien emmitouflé dans les ailes blanches de l'ange à Monsieur votre frère. Je crois que vous pouvez vous rhabiller maintenant. Le matin ressuscite les gens de votre espèce. Debout Monsieur Beauchemin et enlevez-moi cette jaquette. Votre barbe n'y paraît pas trop à son aise.»

Ce fut l'infirmière qui se leva d'abord, ajustant son uniforme qui s'était froissé à la hauteur des hanches. Maternelle croupe. Quand donc le lait monterait-il en elle, inondant de ses eaux blanches la vaste poitrine? Quels seins avaient donc maman? Et quel doux durcissement de la tétine lorsque j'y mettais ma bouche, faisant aller mes petites mains dans les gonflements du sein et piochant de mes pieds sur son ventre

40

large et mou? Et père, nous regardait-il quand je buvais la vie de maman? Debout devant la porte, mains sur les hanches, tétant sa pipe, retenant cette chaude envie de sexualité qui montait entre ses cuisses... Comment pouvait-on vivre quand on n'avait aucun souvenir de ce qu'il y avait de plus beau dans son histoire?

«Dépêchons, dit l'infirmière. Dépêchons.»

Il enleva sa jaquette, fit exprès pour laisser tomber son sous-vêtement sur le plancher. L'infirmière se pencha avant lui, prit le slip vert et le lui donna. Ce qu'il y a entre vos jambes ne saurait me tenter. Pauvre Monsieur Beauchemin! Vous ignorez donc encore que je ne puis aimer que ce qui me ressemble? À moins, bien sûr, que vous désiriez que je vous fasse apporter une lame de rasoir! Les grands yeux bruns de l'infirmière s'amusaient à ses dépens, Abel les vit pleins d'une douce ironie et cela acheva de le faire passer de l'autre côté de la nuit. Il n'y avait jamais eu de cauchemar. À défaut de taxi, il avait hélé une ambulance pour venir parler avec son amie. Et y soutirer un peu de sa chaleur. Savez-vous que j'ai tué ma mère vendredi passé et que ce n'est que depuis l'accomplissement de mon meurtre initiatique qu'elle a commencé de vivre en moi? Donne-moi le sein. Oh voie lactée se terminant en nombril! (Ils marchaient dans la salle d'urgence, sous les yeux métalliques des gros appareils (comme des bras au bout desquels étaient immobiles d'étranges iris blancs) qu'on avait suspendus au plafond, et qui vous faisaient tout de suite venir à l'esprit l'image d'une pieuvre gigantesque. Les civières dessous semblaient d'une curieuse fragilité, ne demandaient pas mieux que d'être sucées par les étranges iris blancs.)

Dans le petit bureau insonorisé, le médecin étudiait le ruban de l'électrocardiogramme. Mais il le faisait de telle façon (comme s'il avait joué avec un galon à mesurer) qu'Abel comprit qu'il avait déjà sa petite idée sur ce qui était survenu. Abel mit les mains dans ses poches et fit tinter les pièces de monnaie qu'il y avait. Il en mettait toujours dans les deux. Avant sa polio, seule la poche gauche était celle qu'il utilisait; mais il lui avait fallu changer tellement de choses dans le monde de sa vie! Et maintenant, il n'était plus ni gaucher ni droitier, allant de senestre à dextre continuellement et sans jamais être satisfait; la gauche répondait plus rapidement mais il y avait quelque chose d'absolument désyncronisé en elle, des changements de vitesse inexplicables. Voulait-il saisir un objet qu'il en prenait un autre. Je ne mange pas de soupe dans les restaurants, je suis comme un enfant, je cochonne tout. Seigneur! Me voilà donc infirme pour le reste de mes jours!

«Assoyez-vous», dit le médecin.

Ne me regarde pas par-dessus tes lunettes, vieux chnoque, pensa Abel. La chaise du médecin craquait. Il y avait un poster de Pasteur sur le mur et une machine à lire les radiographies dans un coin du bureau. Le monde chloroformé de l'hôpital et les cendres fumantes de la pipe dans le cendrier.

«Vous êtes tendu, dit le médecin. Vous devez trop travailler. Reposez-vous un peu. Prenez ça aisément pendant quelque temps. Vous écrivez, je crois? Toute création est angoisse, j'espère que vous savez au moins ça. Cela finit par faire un gros noeud dans la région du coeur. Le bordel, ça ne vous dit rien?»

«Je veux bien que vous vous payiez ma tête, docteur, mais pourquoi en retour faudrait-il que je paye pour mon cul? Au fond, je n'ai rien. D'autres malades vous attendent. Griffonnez votre ordonnance que je m'en aille. La nuit est finie maintenant. Il n'y en aura plus. Tout le reste, c'est de l'insignifiance.»

Abel prit le papier que lui tendait le médecin, salua en claquant des talons, se disant qu'il était normal que tout ceci se terminât en queue de poisson. Me resterait plus qu'à mugir. Me resterait plus qu'à beugler. Et de ma queue, je chasserais les moustiques. O mon fol amour! En tirant la porte derrière lui, il pensa qu'il devait téléphoner à Judith, pour la rassurer et lui dire qu'il rentrerait bientôt. Puis il fut avalé par le long couloir des schizophrènes marchant sur leurs béquilles, pleurant, le nez cassé, ou la tête toute blanche dans les espèces de turbans que faisaient les pansements, ou le ventre difforme. Les civières sur roues allaient et venaient dans le corridor, chargées de macchabées pourrissant. Odeurs fortes de toutes les morts. Venez vous vider par le haut et par le bas, à l'ombre des jeunes infirmières en fleurs. Venez, venez, divins cadavres!

5

Il dut attendre un bon moment avant de pouvoir téléphoner, tout le monde de l'hôpital s'étant apparemment donné le mot pour envahir en même temps la salle d'attente. Comme la vie savait devenir artifice quand on lui tordait le bras! Abel prit place derrière la longue file. Une grosse bonnefemme italianisait à mort dans l'appareil. Un petit garçon chauve se pendait à son collier. Peut-être avait-il reçu un coup de hache sur la tête. La cicatrice était toute rouge, cela faisait comme un ver dans la région de la nuque. Abel regardait tout cela et essayait de ne penser à rien. Même pas à son roman. Même pas à Judith. Les oiseaux devaient maintenant chanter dans les cèdres derrière le bungalow et peut-être que pour tromper son attente Judith marchait-elle, pieds nus sur la pelouse, et cueillait-elle des roses. Les lames étincellantes des ciseaux. Le silence de ce qui n'était pas encore le jour. Que faire pour tout ramener à l'ordre et pour que le bonheur facile revînt? Dans le lit, je me glisserai le long de toi et je mettrai mes mains sur tes seins qui se gonflent déjà et ainsi pourrai-je abolir tout le mal qu'il y a entre nous deux. Tes pauvres pieds froids, n'y aurait-il désormais que la chaleur de Julien pour les réchauffer? Pourquoi n'utilises-tu pas les briques jaunes et tièdes que j'ai mises dans le four de la cuisinière? Aime-moi, Judith! Aime-moi! Ne vois-tu pas que je m'enfonce et que bientôt je ne serai plus à ton côté? Cette banale banalité alors que je me meurs. Tas de fardoches à brûler dans le gros gin.

«C'est moi, dit-il à Judith. D'ici deux heures on me lâchera, à défaut de prétexte pour me garder. N'aie pas peur. Je ne suis pas malade. L'ambulance, tu l'as appelée trop vite.»

«Je vais demander à Jim qu'il aille te chercher.»

«C'est pas la peine, je prendrai un taxi.»

Il avait vu la corvette rouge du grand frère veule de Judith et tout de suite il avait songé à une obscénité. Revenir de l'hôpital dans la corvette rouge d'une tapette! Décidément, Judith ne pensait à rien. Le voyait-elle à côté de son grand frère veule tout grimé, avec ses longues cuisses nues et brunes et la boucle d'oreille dorée et les petits gestes féminins et le regard mort après sa nuit orgiaque dans quelque club pour tantes du grand Morial? Et le short de Jim souillé de sperme et la boucane grise du joint. J'aimerais mieux entrer à pied tant qu'à y être! Envoie ton traficant coucher avec sa mère! Qu'ils mamourent sans moi! Il vit Jim dans la chambre d'hôtel, à quatre pattes sur le lit, son short descendu sur ses genoux, se branlant lentement. L'autre tapette se tenait debout derrière lui. Il dit: «Je m'aiguise le grain puis, prêt pas prêt, j'y vas, je t'enfonce mon amour!» Jim gémissait. Il ne gémissait pas pour vrai, il actait de manière à ce que la tapette en train de se masturber s'excitât davantage. Et Jim s'accroupit. «Je fais la chatte», dit-il. Et la tapette s'approcha, mit ses mains sur les fesses de Jim, les ouvrit, promena son sexe dans la raie. Jim aimait qu'on lui fasse cela brusquement, avec sauvagerie. Il pria la tapette de l'enfiler sans plus attendre. «Bien sûr mon amour, j'y viens, j'y viens!» Et d'un grand coup de reins, il pénétra chez Jim, par la porte d'en arrière, en hennissant... Une tapette en corvette! Une tapette qui l'était devenue en s'enfermant tous les soirs dans la chambre de bains, une grande carotte rouge dissimulée dans la poche de son peignoir! Et c'était cet énergumène que Judith avait voulu lui envoyer!

À l'entrée du souterrain, Abel alluma sa pipe. Le gardien était assis dans sa cage de verre. De la main il invita Abel à venir le rejoindre. «Vous voulez que je vous fasse venir un taxi?» Abel fit non de la tête. Il dit:

«J'attendais tout simplement. J'attends que Jim arrive.»

Le gardien haussa le volume de la radio. C'était curieux cette musique rock dans le souterrain de l'hôpital. Je n'attendrai pas longtemps, dit aussi Abel. Il y a toujours l'autobus. Le gardien le regarda; il n'y avait rien dans ses yeux, que la fatigue blanche de la nuit. Une ambulance stoppa devant la cage. «Je vous laisse écouter la musique», dit le gardien... Un autre macchabée! Dès que le gardien eut disparu dans le corridor, Abel s'en alla. Il se demandait ce qu'il ferait, n'ayant pas envie de retourner dans le petit bungalow de Terrebonne. Judith avait dû s'endormir sur le divan dans le salon. De toute façon, elle ne pouvait rien faire pour lui.

Abel monta dans l'autobus du boulevard Gouin. Il ne sut pas pourquoi une phrase de William Burroughs lui vint en tête — «Des cathédrales gothiques se dressèrent et se dissolvèrent en l'air» — Il se sentait très las, comme si la nuit lui avait tout enlevé, même la mémoire de ce qui s'était vraiment passé. Tout le flou retournait au flou. Rien ne tenait plus. Rien ne tiendrait jamais plus. Le vieil autobus brinque-ballait comme une charrette. Le monde était un écran de cinéma et, parce qu'il n'y avait plus de bons acteurs, on confiait les premiers rôles à n'importe qui. Hamlet était joué par Gros Gin Lévesque, l'hôtelier de Saint-Jean-de-Dieu qui avait perdu sa grosse Blanche morte d'un cancer au ventre, et qui avait pacté son grément pour venir s'établir dans le grand Morial, dans la même rue que le père d'Abel. Pauvre Hamlet claudiquant, sa pinte de gros gin sous le bras, frappant à la porte des Beauchemin, criant:

«Hé, le ramoneur de chunées, sors ton grand nez de l'auge! Chus v'nu fêter ça avec toi!»

Presque jamais il lui était répondu et Hamlet jurait, déboulant l'escalier, au centre d'une grande colère qu'il noierait dans le gros gin. Oh, le film du monde était triste, il y avait trop d'Orson Welles qui perdaient leur vie dans de ridicules simagrées, poussés à cela par la trop grande place que prenait le vide en eux, et cette indéfinissable sensation que les dés qu'on touchait dans le fond de sa poche étaient truqués. L'avenir est aux monstres, à tout ce qui pustule, pue et vesse! avait dit son frère Jos, autre Hamlet manqué, qui

46

après une nuit de veille alors qu'il était resté assis dans sa chaise pliante au beau milieu de l'appartement priant et chantant des mandalas sacrées, avait maintenant revêtu sa salopette et s'en allait travailler. Livreur de mazout! «Hélie, Hélie, pourquoi m'as-tu embauché?» — Le bleu perçant de l'oeil de Jos quand il criait cela chez Cornéli, assis devant sa pizza, Abel en face de lui, une bouteille de vin entre eux. Dehors, la vieille ambulance noire de Jos tournait au ralenti. Et Abel regardait Jos qui buvait. Lui, il avait mal à l'estomac et ne prenait rien. Les yeux de Jos injectés de sang. Après la deuxième bouteille de vin, il serait tout à fait métamorphosé, Jos, et prêt à retourner dans sa vieille ambulance noire où il achèverait son déguisement, mettant dessus ses épaules la cape noire, recouvrant sa tête frisée d'un grand chapeau, noir lui aussi, laçant les bottines de feutre pour lesquelles il avait fait le long voyage de Morial-Mort aux Trois-Pistoles où, dans la maison de la tante Nnellie, il avait fouillé dans les vieilles choses du grand-père Antoine, à la recherche de sa Bible et de ses chaussures. Dès qu'il les avait trouvées, il s'en était allé dans un chalet sur le bord du fleuve. Nu, il s'y était baigné, se frottant le corps de varech, faisant au beau milieu de la nuit le poirier fourchu sur une grosse roche plate. Puis il était entré dans le chalet, avait mis les bottines de feutre. Et c'était ainsi, assis sur une chaise devant la fenêtre donnant sur la grève, qu'il avait vécu durant deux semaines, à jeûner et à lire la Bible du grand-père Antoine. Qu'était-il sorti de tout cela? «J'étais sec et mort et j'avais à comprendre pourquoi.» Maintenant, Jos était fou, il se prenait pour le Bonhomme Sept-Heures. La nuit, il patrouillait Morial-Mort dans sa vieille ambulance noire et essayait d'y faire monter son monde. Vers les onze heures, il y avait toujours beaucoup de gens qui attendaient l'autobus ou faisaient de l'auto-stop. Mais quand ils voyaient Jos dans l'ambulance, un Jos maquillé dont les yeux semblaient sortir des orbites, ils faisaient un saut en arrière, croyant que c'était Satan qui leur apparaissait. O mon frère Jos! Dans quel désespoir es-tu tombé? Et moi, je suis là devant toi, je te regarde manger ta pizza, je te vois boire ton vin, et je me dis que tantôt tu exploseras, monteras sur la table, mettras tes deux pieds dans l'assiette à pizza et, criant ta souffrance, on te croira saoul et te jettera dehors comme un chien pas de médaille. Maman est morte, Jos! Et moi aussi, je serai bientôt mort. Le monde de ton ambulance saura-t-il te faire avaler tout le reste?... Jos! Jos! Il ne faut pas que tu partes! Que deviendraient les Beauchemin?

Morial-Mort s'en venait vers l'autobus, de même que le soleil. Abel ne regardait rien. Il connaissait le paysage et il n'y avait rien à retirer de lui. C'étaient toujours les mêmes maisons, la même monotonie, les mêmes arbres poussiéreux, les mêmes automobiles devant les portes. Seuls les gens n'avaient pas encore commencé à envahir les rues. Le reste était un jello qui ne bougerait plus jamais. Abel descendit donc à la rue Saint-Vital qu'il monta jusqu'à Monselet. Ses yeux commençaient à lui faire mal. L'espace se peuplait de papillons blancs. Il baissa la tête. Tout, peut-être, avait commencé par ces taches qu'il voyait dès que le jour se levait, et qui voyageaient follement dans ses yeux sans qu'il comprît d'où elles venaient et quel sens il fallait leur donner. Et cette nuit, il n'avait pas pensé prendre ses lunettes noires avant de monter dans l'ambulance. Il marchait, les yeux quasiment fermés, se pressant. Il avait hâte d'arriver à la maison de son père. Les papillons blancs n'entraient jamais dans les édifices; ils se ramassaient par paquets dans les fenêtres et tournaient en rond. Muets papillons blancs qui voulaient le déposséder de sa vie, du peu qui lui en restait. Sans doute avaient-ils tenté le coup avec Joyce qui, pour ne pas les voir, s'était crevé les yeux avec la pointe d'un ciseau. Abel pensa au roman qu'il pourrait écrire là-dessus. Faudrait que je me documente sur l'oeil. Puis il haussa les épaules. Ce roman n'empêcherait guère les papillons blancs de proliférer dans l'espace. Joyce aussi était mort, il y avait longtemps, ses petites lunettes épaisses sur le bout de son nez. *Tisse tisseur de vent!* Et sors de ta poche le filet et cours comme un malade après la flopée de papillons blancs virevoltant devant la bonne vieille grosse face du soleil! Et que ta crainte de mourir te noircisse par en dedans! Que disait maman à la veille de mourir? Elle disait que les oiseaux de la tapisserie s'étaient mis à bouger et qu'ils viendraient lui becquer le ventre, son pauvre ventre gonflé par les mauvaises eaux de la mort, et que le père massait avec tendresse, les yeux pleins de larmes, affligé d'un curieux tic de la mâchoire qui le rendait grotesque. Ce vieil homme redevenant enfant. Démuni. La vie brisée qui se bloquait dans la gorge. O mère gémissante, que restera-t-il du gaspillage de nos vies?

Abel savait que son père n'était pas à la maison, qu'il ne rentrerait pas avant sept heures de son travail de nuit à l'hôpital. Les petits Mongols lui souriaient, en rang d'oignons dans le dortoir. Il venait de les réveiller, les avait lavés et habillés. «Merci papa, disaient-ils. Merci.» Et le père leur frottait gentiment les oreilles, passait ses grandes mains dans les cheveux des enfants, s'arrêtant parfois devant l'un d'eux et, de deux doigts, faisait semblant de lui arracher le nez. Puis, mettant son pouce entre les deux doigts, il disait: «Fils, tu n'as plus de nez. Regarde, il est là dans ma main.» Les gros yeux du Mongol s'ouvraient démesurément et il croyait tellement tout ce que disait le père qu'il ne songeait même pas à vérifier si son nez était toujours dans sa face. Il s'accrochait plutôt au père, criait: «Rendez-moi mon nez! Rendez-moi mon nez!» Et le père s'agenouillait devant lui, accomplissait l'acte magique, embrassait le Mongol. «Pauvre petit, mon pauvre petit!» disait-il.

Dès qu'il poussa la porte derrière laquelle l'escalier menait à l'appartement du père, les papillons blancs disparurent, mangés par la noirceur de l'étroit vestibule. Abel monta les marches, certain que la porte n'était pas fermée à clé. «N'ayant plus rien maintenant, que pourrait-on me voler? Et puis, sait-on jamais! Je ne suis pas toujours ici et quelqu'un de mes enfants pourrait avoir besoin d'y venir sans prévenir.» Mais il y avait autre chose d'autrement plus profond sous ces paroles du père: depuis la mort de Mathilde, les enfants s'étaient éparpillés un peu partout dans le grand Morial et ne venaient plus guère rue Monselet, emportés dans le tourbillon de leur propre vie, négligeant le vieil homme que, pour tout dire, ils ne connaissaient pas. De toute façon, le père ne parlait plus beaucoup depuis la mort de Mathilde. Quand il arrivait de son travail, il mangeait ses deux oeufs quotidiens, buvait une tasse de café et allait s'asseoir dans la grande chaise berceuse du salon où il ne tardait pas à s'endormir, la bouche ouverte, et ronflant. C'était presque toujours l'oncle Phil qui le réveillait. Il arrivait vers la fin de l'après-midi, trois bouteilles de bière dans un sac de papier brun sous le bras, il saluait d'un «Hell!» tonitruant, puis s'assoyait dans le fauteuil pivotant, sortait de sa poche un petit canif, ouvrait deux bouteilles, en offrait une au père qui refusait, et se mettait à boire, à grandes gorgées et en rotant effrontément. Après cela, il ouvrait la télévision et l'on regardait les bandes animées en se tapant sur les cuisses. Après cela encore, Abel ignorait ce qui se passait; il y avait au moins six mois qu'il n'était pas venu chez son père.

Il tourna la poignée de la porte et entra. Tout de suite les odeurs de tabac à pipe, mêlées à celles de vieilles oranges pourrissantes, lui emplirent le nez.

«Salut, Pops!» dit Abel bien qu'il sut que son père ne pouvait pas être là. Tout était d'une troublante propreté, absolument pas celle qu'on y remarquait quand la mère vivait, moins saine pensait-il sans pouvoir s'expliquer ce qu'il entendait par cela. Qu'est-ce qui, dans la maison de son père, s'était modifié? Dans la cuisine, il comprit que les meubles avaient tout simplement pris un coup de vieux, comme son père dont il essaya d'imaginer le visage. Il ne restait de lui que les rides épaisses obstruant ses yeux. Quand il reviendrait tantôt, peut-être Abel ne reconnaîtrait-il pas son père; il le vit tout blanc et desséché et tremblant au point qu'il devait s'appuyer sur une canne et marmottant entre ses lèvres des phrases incohérentes. Cela l'effraya et un angoissant sentiment de pitié pour son père vint l'habiter. Pour n'y plus penser, il se promena dans la maison. Les murs du salon étaient pleins de petits encadrements noirs. Abel regarda les photos, toutes représentaient des gens de la tribu, les grands-pères et oncles, les petits-fils, les missionnaires, les longues femmes souriantes assises dans l'herbe, une bicyclette devant elles et, au milieu, la mère, ses cheveux noirs bouclés, sa robe à pois blancs qui laissait voir les chevilles fortes. Il ne restait plus rien de tout cela, que des images. Il y en avait tout un album ouvert sur la table du salon. Ce devait être le seul livre que son père daignait encore feuilleter.

«J'ai faim», dit tout haut Abel.

Il regarda dans le frigidaire. Que dirait Père si je lui faisais des toasts dorées comme celles que maman lui préparait le matin en se levant? Il prit deux tranches de pain qu'il avala avec un morceau de fromage. Puis il but un grand verre d'eau. Il ne sentait plus sa fatigue. Il écarta un pan du rideau et regarda dehors où les papillons blancs attendaient toujours, grouillant comme des fourmis dans l'espace. Abel fit la grimace — Il serait temps que je m'en retourne, Judith va finir par s'inquiéter.

Il allait sortir lorsqu'une idée lui vint, qui l'en empêcha. Il voulait faire quelque chose pour son père, une niaiserie sans doute, mais il ne pouvait pas quitter la maison sans y laisser un peu de lui-même. Jadis, quand son père revenait, la table était toujours dressée. La mère le faisait immanquablement, à sa façon, pliant la nappe en deux, ne dressant qu'une moitié de la table, les enfants ayant déjà mangé et se querellant devant la porte de la chambre de bains. Abel refit les mêmes gestes que sa mère, traînant un peu les pieds à sa façon, allant du frigidaire à la table et de la table aux armoires. Il coupa en deux un pamplemousse, sortit une soucoupe, y mit la première partie. L'autre, il l'enveloppa dans du cellophane avant de la replacer dans le frigidaire. La cassonade était sur la deuxième tablette, à côté du sac d'oranges que le père avait dû oublier car de grandes taches brunes marbraient les pelures. Je suis Mathilde et j'ai hâte que tu me reviennes enfin mon pauvre mari. Je n'ai pas dormi de la nuit. C'était comme si j'avais eu des pierres chaudes dans le ventre. Tu as l'air bien fatigué toi aussi. Rien ne t'empêche de dormir pourtant. La cassonade fondait sur le pamplemousse. Assis sur la chaise qu'occupait autrefois sa mère, Abel massait son mollet droit; sa mère faisait toujours ainsi quand elle se levait parce qu'elle se plaignait d'avoir mal à la jambe, cette pauvre jambe variqueuse, enflée et déformée, qui l'avait fait souffrir toute sa vie. Abel avait enlevé ses lunettes. Il se disait qu'il était revêtu du long kimono bleu que portait sa mère. Il croisa les jambes. Son père aimait voir le gros genou de Mathilde, cette chair toute blanche et dodue, lorsqu'il suçait ce qu'il restait de jus dans la pelure du pamplemousse. Cette beauté simple que comprenait bien Abel car il l'avait vécue parfois avec Judith, lui demandant de lui faire des toasts dorées, pour retrouver le monde des odeurs de la rue Monselet. Judith avait fini par lui refuser et faisait exprès pour cacher ses jambes sous la table, disant:

«Je ne vois pas ce que tu aimes tant dans les toasts dorées et je ne comprends pas davantage pourquoi il faut que je te montre mes cuisses quand tu les manges. Ça me paraît tout à fait farfelu.»

Elle ne comprenait pas plus pourquoi le soir il lui demandait de se déshabiller et de s'asseoir, les jambes repliées sous elle, sur le tapis, alors que lui il se berçait dans sa chaise, fumant sa grosse pipe, lui regardant les fesses, en disant: «Belle Judith dans ta chair d'en arrière!» Il ne la touchait jamais, voir lui suffisait car rien ne pouvait compter que la simplicité de cette beauté toute chaude et silencieuse devant lui, qui ne ressemblait à rien et qui annulait toute image extravagante, comme s'il y avait dans le corps nu de Judith une bienheureuse force d'apaisement, des vibrations extrêmement calmes abolissant tout le mal qui avait pu s'accumuler entre eux depuis qu'à l'aéroport (il y avait cinq ans de cela maintenant), il l'avait enlevée à son frère Steven partant pour Paris. Ma bonne Judith que je ne pouvais aimer, à défaut de m'aimer moi-même. Me pardonneras-tu jamais? Non, ne te lève pas tout de suite, ne recouvre pas tes épaules de l'affreuse couverture jaune, j'ai besoin, tant besoin de ta nudité. Une fois, il lui était arrivé de s'endormir ainsi, les yeux se fermant sur la vision des fesses blanches de Judith, un doigt dans la bouche. La pipe était tombée par terre et la cendre chaude avait fait une petit trou noir sur le tapis.

Le café bouillait sur la cuisinière. Il tourna le bouton. Père en aura pour une semaine à boire tout ça. Du seuil de la porte, il regardait la chambre du Sud, celle dans laquelle sa mère était morte. Le père avait poussé le lit contre la fenêtre et ajouté un petit divan à la pièce. Ce devait être là-dedans qu'il couchait quand il revenait de son travail, trop las pour se bercer dans sa chaise au salon. Je t'imagine, Père, titubant, nu jusqu'à la ceinture, les bretelles de ton pantalon battant contre tes cuisses, et tu erres ainsi dans ta maison dévastée, cherchant malgré tout à ramener au centre de ta vie ta pauvre femme et tes enfants perdus dans le vaste monde de Morial; et tu crains pour eux tous; et tu as honte car personne ne vient plus vers toi, on t'a laissé seul dans ta maison et tu sais que ta mort ne dérangera plus rien. Alors tu marches dans le corridor, tu sifflotes pour que ton chagrin ne te monte pas aux yeux mais cette boule dans ta gorge, il y a déjà trop longtemps qu'elle y est, et tu cours t'allonger sur le divan à côté du lit de Mathilde et tu te mets à brailler comme un veau. Sur le mur, sainte Cécile sourit aux deux petits anges dodus qui tiennent dans leurs mains des branches de rameau.

Une autre fois, Abel regarda dehors. Les papillons blancs ne lâchaient pas leur guet devant la fenêtre. Ils s'étaient multipliés de façon presque incroyable, bouchant tout l'espace. De petits serpents noirs leur tenaient compagnie, voyageaient de droite à gauche dans les yeux d'Abel. Il ferma les paupières, se massa les yeux du bout des doigts. Son coeur s'était mis à battre avec force dans sa poitrine. Il laissa tomber le pan du rideau. Il devait y avoir des lunettes noires dans le tiroir de la petite table à côté de la télévision. Il l'ouvrit et fouilla parmi les papiers, les bouts de ficelle, les enveloppes, le briquet-grenade (qu'il lui avait donné pour son cinquante-cinquième anniversaire, en ce temps où la mère n'était pas morte encore), l'harmonica dans la boîte de velours, c'était comme un petit cercueil, le père avait enterré la musique dans le tiroir, les crayons et le jeu de cartes complètement noircies, aux bouts brisés. Les lunettes étaient dans l'étui. Abel les essuya sur sa chemise et les mit. Filtre ta vision des choses et déforme ton oeil pour ne pas regarder ta vérité en face! Il souleva une autre fois le pan du rideau: les papillons blancs et les petits serpents noirs déboulèrent vertigineusement dans ses yeux et s'écrasèrent lourdement sur l'asphalte. Je peux m'en aller maintenant. Un mot de Cervantes lui revint à l'esprit. Devant les portraits des ancêtres, il le répéta plusieurs fois, en changeant sa voix, petit jeu insignifiant auquel il se livrait souvent devant le miroir dans le corridor du bungalow de Terrebonne. Cervantes avait écrit: «La nuit s'en va et je ne voudrais pas qu'au lever du soleil nous nous trouvions dans l'ombre du silence.» Mais le jour, en grosse bête putassière, fouinait maintenant partout, défonçait la ténèbre, la désenchantait. La chemise du père, jetée dans le corridor, n'était plus ce gros chat malicieux qui avait fait sursauter Abel lorsqu'il était entré; elle était de nouveau une chemise, et moins qu'une chemise: un petit tas de guénilles puant la sueur. Abel la ramassa et la suspendit au clou à côté de la porte. Puis il sortit. Devant la porte, des ouvriers foraient le ciment du trottoir. Il n'y avait plus rien à faire ici où il était venu pour rien. Son père avait dû accepter de travailler en surtemps, entouré par ses Mongols qui lui demandaient de se déguiser en magicien ou de leur raconter la fable de Blanche-Neige ou celle du Petit Poucet qui leur plaisait davantage car, tandis qu'il parlait tout en marchant autour d'eux, il laissait tomber de sa poche de petits bonbons blancs sur lesquels les Mongols se jetaient en gloussant. Quelle patience en toi, Père! Et quelle douloureuse résignation devant tout ce mal odieux modifiant l'air de l'hôpital!

Dans la rue, Abel héla un taxi. Pourquoi ne demanda-t-il pas au conducteur de stopper quand il vit son père au coin de la rue Saint-Vital, son vieux père qui s'en venait à pas lents, son veston sur l'épaule et sans ses lunettes? De la main, Abel se cacha le visage, bien inutilement car son père ne pouvait le voir — «Je marche de mémoire, je sais combien il me faut de pas de l'arrêt d'autobus à la maison. Pour le reste, entendre me suffit. Devenir aveugle, est-ce une si mauvaise fin que cela? Ma mère a été ainsi pendant cinq ans avant de partir. Ça ne l'a pas empêché de boire tous les jours sa tasse de thé et de manger ses six biscuits Village. Et puis, c'est plus propre que le cancer.»

L'auto-taxi roulait sur le pont Pie IX. Bientôt, Judith lui ouvrirait la porte, tomberait dans ses bras. Et il l'embrasserait et ainsi pourrait-on tourner la page, chacun ayant au fond de soi l'espoir que tout recommencerait, comme dans les premiers temps quand on attendait la fin de la construction du bungalow pour y entrer et accomplir ces rêves naïfs dont on n'arrêtait plus de parler, assis dans le bran de scie, Abel caressant les cuisses de Judith, lui mordillant l'oreille. Oh, danse encore pour moi seul la danse sacrée de ton ventre! Danse follement, Judith, pour que j'oublie la vision de mon père égaré dans la solitude de la rue Saint-Vital!

7

Quand l'auto-taxi bifurqua, se désengageant du boulevard des Seigneurs pour pénétrer dans l'espèce d'impasse de la rue Kennedy, Abel crut voir la Thunderbird de Julien stationnée devant le bungalow. Il détourna les yeux. Il valait mieux que la Thunderbird restât là où elle était dans sa tête, à l'extrême limite du réel et du rêve, dans le tiroir des possibilités et comme en attente de quelque chose qui devrait venir tôt ou tard, avant la fin de l'année alors que Julien aurait suffisamment vendu de drogues pour acheter cette belle cadillac noire auquelle lui et Judith avaient tant rêvé, allongés comme deux lézards dans le sable chaud de Daytona Beach.

La beagle des Smith jappait, le corps tendu au bout de sa chaîne, les deux pattes de devant dans son écuelle vide. Tous ces gazons ras, presque artificiels dans leur perfection, verts comme l'Irlande, avec les petits arbres feuillant mal malgré les engrais, et les bouquets de fleurs le long des solages. Salut, chevreuil de plâtre aux bois cassés, muant dans ta peinture devant le perron des Dupuis! Salut, vieux Guillaume tétant ta pipe sur le balcon-chenil, tes trois Danois léchant tes pieds sales et flairant le vieux jus de pipe que tu craches dans la moustiquaire! La boucane de ta mort fait des cercles au-dessus de toi, et c'est ainsi que tu t'en iras avant la fin de l'été, et il ne restera plus de toi que ta grosse tête blanche écrasant les géraniums rouges, et tes chiens hurlant comme des perdus. Meurs, vieux Guillaume. Ta mort me protégera de la mienne.

Abel paya le conducteur et descendit. J'habite une maison infirme dont le pignon est aveugle. J'habite une maison dont le grand cèdre à côté du trottoir de ciment pue la mort. Ses branches plaquées de rouge. Desséché dans la force de son âge d'arbre. Père viendra-t-il pour m'aider à le couper comme autrefois à Saint-Jean-de-Dieu quand il avait craché sur sa hache et entaillé le bois mort?

«Ne compte pas sur moi, Bouscotte. Je ne suis plus bon qu'à garder des Mongols. Mon dos, Bouscotte. C'est par mon dos que je m'en irai. Non, ne compte pas sur moi. Achète-toi un sciotte et scie. Cuba si, Pops no.»

Abel avait insisté, et lui et son père avaient parlementé longtemps, assis dans les chaises à pivot de la rue Monselet, bras croisés et ne se regardant jamais, absurdes dans leur entêtement mais comprenant tous deux que leurs mots les projetaient dans un au-delà de paroles, dans cette vaste région intérieure où les souvenirs se chamaillaient, charognant ce qui restait encore d'avenir en eux, et qui ne pouvait être partagé.

«Ne parlons plus du passé. Oublions le passé. Tes pipes se cabossent, Bouscotte. Tu ne devrais pas les frapper comme ça sur le bord du cendrier. Apprends à fumer. Le tabac vert que nous hachions sur la table de la cuisine tandis que les femmes éventraient les grosses citrouilles jaunes. Elles jouaient sur des mots mouillés comme la pulpe des citrouilles, et elles riaient, sachant que la compote serait bonne. Fume, Bouscotte, et cesse de te répéter au sujet de ce maudit cèdre planté comme une grande dent noire sur le devant de ton bungalow.»

La butte de terre à côté de la galerie était comme un calvaire. Au sommet du Gotha, les trois bouleaux nains avaient l'air fou. Les vers devaient ronger les racines dans la terre trop meuble. Je te l'avais pourtant dit, Abel. Quelle farce avait fait Jim sur ce calvaire de petites fleurs jaunes? Il était venu une nuit que tout le monde dormait et avait planté sur le Gotha un Christ de plâtre, noir de suie, effrayant avec son nez cassé. Un Jésus tapette se laissant mordiller les doigts de pied par Marie-Madeleine et relevant ses jupes comme une vieille putain pour qu'on lui voit les fesses. Continuez à faire ceci en mémoire de moi. Alléluia! Abel avait vu le Christ sur

58

la butte de terre et il avait compris brusquement que désormais le bungalow était piégé, rendu calamiteux par ces grands bras écartés, par ces clous dans les mains et ces gouttes de sang qui tombaient par terre. *Furieuse fut ma fureur.* Ses pieds faisaient top top dans l'herbe mouillée, il saisit le Christ par la tête et l'alla jeter dans la savane derrière le bungalow, ne se rendant pas compte que son pyjama était mal boutonné et que Judith, derrière la fenêtre de la chambre du Sud, regardait cette petite chose humiliée qui sautait ridiculement à chacun de ses bonds. Christ enterré sous les feuilles, verdissant dans son plâtre quelque part sous les arbres de la savane, Christ saoul sous les arbres de la savane que Patin, le chien d'Abel, trouverait, prendrait dans sa gueule et viendrait déposer devant la porte, frétillant de la queue, content comme peut l'être un chien découvrant un Christ saoul sous les arbres de la savane.

La pancarte MAISON À VENDRE était tombée durant la nuit. Abel la remit à sa place sur le poteau. Combien d'étrangers étaient déjà venus ouvrir les portes des armoires, fouiner dans les garde-robes, regarder sous les tapis la qualité des planchers? Combien avaient fait fonctionner la chasse d'eau avant de se regarder dans le miroir? Yeux noirs de femme tirant la langue et la Négresse Johanne, amie de Judith, ne fermait jamais la porte et je l'ai vue plusieurs fois soulever sa robe, descendre son slip, j'ai vu plusieurs fois ses fesses sur le siège. Laque noire des plinthes dans la chambre de bains. Lac noir de mes plaintes gémissantes dans la baignoire tandis que du bout de son pied la Négresse et amie de Judith me caressait le sexe — sa grande bouche rieuse seule était rouge dans tout le noir de son corps. Pourquoi Judith nous a-t-elle ainsi surpris, ses bras chargés de paquets, ses grands yeux horrifiés? «Nous ne faisions que le mal», et Dieu vit que cela était bon et Judith avait laissé tomber ses paquets, la bouteille de jus d'orange s'orangeant sur le plancher du corridor, et je m'étais levé dans la baignoire, à peine noirci par le pied de la Négresse et je ne songeais même pas à me cacher et je regardais Johanne ramasser les boîtes de conserves, accroupie dans la boue orange, accroupie comme une jument noire dans la boue orange, et pourquoi diable ne l'ai-je pas grimpée? Pourquoi n'ai-je pas passé le seuil de la porte? Pourquoi n'ai-je pas pénétré dans le pays noir entre ses jambes? Les pneus de la petite voiture de Judith avaient crissé sur l'asphalte et peut-être songeait-elle, peut-être songeait-elle déjà à Julien, avalant la route, les yeux mouillés, le pied fin sur l'accélérateur, disant: «Julien, Julien!» et se mordant les lèvres, se demandant si elle avait bien vu Abel se laissant masser le sexe par les doigts noirs de Johanne ou si elle avait rêvé. «Mange ton sundae», avait dit Julien en croquant la cerise rouge. «Ne reviens pas toujours là-dessus, Judith.» Ils étaient assis à une table du Club House de Blue Bonnets. Sur la piste, les chevaux amblaient, belles bêtes industrielles aux pattes délicates, à la queue tressée, s'époumonant à courir et ne sachant pas encore qu'elles finiraient mangées par les chiens, dans des écuelles d'aluminium. «Si tu savais, Julien!» Il lui avait mis une main sur l'épaule, regarde-moi dans les yeux Judith, et peu à peu elle s'était apaisée, disant même: «Tu as raison, c'est tout à fait ridicule Julien» et, à la neuvième course, son cheval l'avait emporté et c'était pourquoi, dans le Club House, elle finissait de manger son sundae, ne songeant plus à Abel, ni à son amie négresse regardant la télévision, Abel s'étant réfugié dans sa chambre-bureau pour y attendre Judith, pour la forcer à revenir grâce aux mots magiques qu'il tapait vertigineusement sur la vieille Under-wood.

Était-ce ainsi que tout avait commencé, ce commencement étant en fait une fin puisque lorsqu'Abel était sorti de sa chambre-bureau, il n'avait point retrouvé la noire Johanne devant la télévision, pas plus que Judith qu'il s'attendait à voir allongée dans le lit en ronflant? Seul dans ta maison, voilà comment tu fus laissé et voilà comment tu mourras. Il flottait dans le kimono rouge, il songeait à ces paroles que son père avait eues quand Mathilde était morte et que, les yeux pleins d'eau, il s'était levé après l'avoir embrassée une dernière fois, pâle, visage pâle de son père qui marchait dans le corridor, poussait la porte de la cuisine où tous les gens de sa tribu étaient assis, qui buvant du gin, qui mâchant de la gomme, qui se mordant les doigts et, ses lunettes à la main, levant les bras, il n'avait pu dire que Mathilde était morte et c'était cette phrase absurde, ce seul dans ta maison voilà comment tu fus laissé et voilà comment tu mourras, ces mots troubles qui étaient sortis de lui pour déclencher chez tous les gens de sa tribu l'hystérie.

O Judith! Que ferai-je si j'entre et que tu n'es pas là?

Tu n'auras qu'à coucher avec ta Négresse, qu'à te noircir dans le fleuve de ses eaux!

Il y avait deux ans de cela maintenant, et c'est ce matin que j'y pense, après la nuit ridicule, après cette ambulance, après cet hôpital et tout ce que je pourrais encore me rappeler mais auquel je ne tiens pas. Pousse la porte, Abel! Entre chez toi! Pourtant, il restait sur le perron, droit comme un i, comme si, par cette immobilité, il eût appelé Judith mieux que par tout autre geste, mieux que par n'importe quelle parole. Mes mots silencieux, voilà tout ce qui me reste pour me rappeler à toi et pour te demander d'avoir pitié de moi. Viens, Judith! N'attends pas que je sois devenu ce vieux chien galeux qui venait gratter à la porte pour quémander un os et que les Smith ont fait tuer par la police. Il vint près d'appuyer sur le bouton de la sonnette mais il se retint de le faire, restant ce i absurde sur le perron. Les odeurs des fleurs dans le parterre montaient jusqu'à lui qui se disait que par un tel matin tout pouvait revenir, même sa guérison. Pour cela, il suffisait qu'on lui ouvre par l'intérieur la porte de sa maison et que les toasts dorées fussent dans l'assiette sur la table, de même que la tasse de chaud café. Je n'irai pas au bureau aujourd'hui, Judith. Je viens t'apprendre que je resterai avec toi et que nous ne ferons rien d'autre que parler. J'ai compris que la nuit... Qu'avait-il compris de cette nuit? Rien d'autre qu'il devait rester ainsi immobile comme un i devant la porte jusqu'au moment où Judith se réveillerait et viendrait enlever la chaînette protégeant la porte des bandits de Terrebonne.

La rue Kennedy se remplissait lentement d'automobiles,

capots reluisant au soleil. Les bruits confus dans les radios, tous ces gribouillages vocalisés, hurlés ou chantés... Il ne faut jamais rester seul. Wou ba lou ba lou lou lou lou! Il ne faut jamais rester seul. Les bruits confus dans les radios des automobiles lancées comme des chevaux de combat vers le Pont Pie IX, vers la ville enveloppée dans l'aura de ses pollutions, tous ces gribouillages vocalisés, hurlés ou chantés et dont Abel entendait des bribes, droit comme un i devant la porte de sa maison qui ne s'ouvrait pas, qui ne s'ouvrirait peut-être jamais puisque maintenant les papillons blancs, malgré les lunettes noires de son père, commençaient à reparaître dans son oeil. Il ne faut pas que je me laisse avaler dans l'espace des papillons. La nuit viendrait bien assez tôt le menacer dans l'épaisseur de sa ténèbre, derrière la table de travail dans sa chambre-bureau où il mordrait son stylo feutre pour juguler l'hémorragie de l'encre et tous ces mots incohérents qui lui disaient bien que jamais il n'atteindrait à la connaissance. Pays des meurtres sans rituel. Pays qui se suicidait au volant d'une Thunderbird aux freins défectueux, et alors qu'on écoutait calmement la radio. Pays qui ne serait jamais Ulysse. Pays inconséquent, faudrait-il t'aimer quand même d'un sublime amour, en écartant les jambes pour pisser sur toi? Pays! Y avait-il encore du pays? Le i que faisait Abel s'était déformé en un s tragique sur le perron de ciment dont la peinture s'écaillait. Les morceaux qui en tombaient faisaient des taches grises dans l'herbe. Entre dans ta maison, Abel. Fais face à ta musique. Oh, pourquoi n'ai-je pas appris à jouer du piano, comme Steven? Ou de l'harmonica comme mon père et comme Jos? Ou de l'égoïne? Il s'appuya à la rampe de l'escalier. La porte du bungalow ne pouvait pas être fermée à clé. Je le sais, je le sais puisque je suis le seul à l'utiliser. (Si je mourrais, je ne voudrais pas qu'on retrouve mon cadavre trente jours après, à moitié mangé par les vers et les rats, à moitié décomposé dans le kimono rouge.) Cancer du duodédum. Quelqu'un en Suisse était mort de cela il y avait plusieurs années. Abel! Regarde ton chat te regardant dans le petit carreau que tu laisses ouvert au bas de la fenêtre panoramique. Grandes moustaches blanches. Oeil vert.

«Pollux», dit-il.

Et il avança la main et le chat le flaira et bientôt il le tenait contre sa poitrine et Pollux ronronnait, heureux que le Maître fût enfin là car j'ai faim disaient ses yeux et Castor, ma Mère, court la galipotte avec le gros matou écoeurant des Smith, je veux que tu les entendes miauler dans la savane, est-ce ainsi que je suis entré chez toi, dans le ventre de Castor où le matou des Smith s'était glissé, embarqué sur ma Mère, soumise femelle à la loi chaude du mâle, et je ne sais même pas si tu m'as pris dans ta main quand la poche de tes eaux s'est ouverte, et je bougeais mais ce n'était plus en toi, je bougeais dans le vide, je bougeais sur un tas de guénilles au fond d'une boîte, et j'étais une petite boule noire tétant ma Mère Castor. Il caressait le chat qui tendait le cou. Entre maintenant, entre donc Abel. Ta Judith dort à poings fermés dans le lit de la chambre du Sud, allongée nue sur les couvertures. Seuls ses seins sont restés emprisonnés dans le soutien-gorge. À quel jeu joue le bébé dans son ventre? Je ne peux pas mettre ma coiffe, il vente trop et le vent me l'enlèverait. C'est un mauvais jour pour se marier, Abel. C'est signe que nous aurons à déménager souvent. Cela, le crains-tu Abel? Souriante jeune mariée dans sa robe toute blanche et il ne me reste de toi que les grands yeux verts de la Mère Castor, que les grands yeux verts de Pollux, que les grands yeux verts des photos que je prenais de ta première beauté dans les bois de Saint-Jean-de-Dieu. Vaches, ô mes mères! La délirante poésie de Steven. J'irai te voir un jour, mais j'ignore si tu habiteras toujours cette chambre de la rue Saint-Denis où Gabriella dort avec toi, blottie contre ton épaule. Quel goût a l'amour de notre soeur? Vaches, ô mes mères! Il prit le courrier dans la boîte à côté de la porte, Pollux commençait à s'impatienter, c'était la première fois qu'Abel mettait si long à le nourrir, il miaula faiblement, seulement pour l'avertir qu'il devait entrer dans la maison. Sinon dépose-moi par terre que je m'en aille rejoindre ma Mère Castor pour qu'elle m'apprenne à chasser le moineau.

«Chat, ne t'effraie pas, dit Abel en l'embrassant entre les oreilles. Tu es petit, tu n'as encore rien vu. Un jour, tu seras content même si je devais arriver en retard pour ta pâtée. Lapant le lait blanc, accroupi sur une balle de ping-pong. Sapant en avalant la mauvaise viande. Léchant tes pattes, le ventre gonflé, heureux dans ta vie simple de chat.»

La porte chez Gros Jean Cardinal claqua. Le bon pompier se lève tôt et fait de l'auto-stop pour économiser l'essence. Il ne faut pas qu'il me voie ainsi, sur le perron, et incapable d'entrer dans ma maison. Le pompier varnoussait dans l'entrée asphaltée, il devait sortir les jouets pour que son fils puisse s'amuser en attendant son retour. Le grand Morial, ville des pyromaniaques, ville au cent incendies. Traîner ses boyaux pour éteindre le feu de la vérité. Le père de Gros Jean Cardinal s'est exilé au Mexique dans une maison blanche entourée de fils barbelés et gardée par de méchants chiens hauts comme des chevaux. De policier en pompier. Vous arrive-t-il parfois, cher Monsieur Cardinal, de faire dans l'aube lumineuse, le poirier fourchu? Moi, c'est les pompiers! Voyez mon bouton d'or. Cuivre serait la journée, comme filtrée à cause de toutes ces poussières que crachaient les cheminées des usines Moodie et Rubber Company. Au delà, la Rivière des Mille-Isles. Plus de canots d'écorce désormais.

«Salut, Beauchemin!» dit Gros Jean Cardinal.

Abel déclencha la porte. Il ne devait pas entendre Gros Jean Cardinal, il ne devait pas le regarder, il ne voulait pas lui dire ce qui était arrivé cette nuit, il n'y avait pas d'explication au sujet de cette ambulance allumée de tous ses feux devant le bungalow. Aussi donna-t-il un coup de pied dans la porte et entra-t-il en criant Judith, je suis de retour, je suis là Judith, recommençons tout à zéro, ô ma Judith!

8

Deux gros chats lui passèrent entre les jambes. Abel ne tressaillit même pas. Il n'avait qu'une idée: se rendre à la chambre du Sud, ouvrir la porte et s'allonger dans le grand lit, au côté de Judith, et se mettre à pleurer. Le bungalow était dans un fabuleux désordre, c'était plein de boules de saleté aux angles des murs, les grands posters de Guevara, Hemingway et Abraham Lincoln étaient tombés sur le tapis dans le salon et les chats les avaient maculé de boue en marchant dessus avec leurs pattes mouillées. Araignées du matin tissant leur toile au plafond. *Tisse tisseur de vent.* Et tous ces livres empilés les uns sur les autres dans le corridor! Balzac sur le dos, Hugo entrouvert et grotesque devant la chambre de bains. La porte de la chambre du Sud était noire. Un bonhomme de guénilles s'y trouvait pendu, une bouteille de gin dans la main gauche. Abel donna un coup de pied au Hugo qu'il poussa contre le mur. Le petit Pollux qu'il tenait dans sa main se mit à miauler. Pourquoi crains-tu que je t'oublie? Ne suis-je pas ton père et ta nourrice? O pauvre petit Pollux! Il l'embrassa entre les oreilles et c'est ainsi qu'il arriva dans la cuisine. Une chaise avait été jetée par terre, de même que les journaux faisant des taches de couleur fauve sous la table. Les portes des armoires étaient ouvertes et Abel se demanda comment il se faisait que celles-ci étaient vides. L'ouvre-boîte sur le comptoir et les trois contenants de poisson pour chats. Pollux regardait la boîte tourner dans l'engrenage électrique. Il ronronnait, le nez sur le bras d'Abel qui remplit à ras-bord l'écuelle blanche de Pollux. Puis Abel mit Pollux par terre et le chat s'accroupit pour mieux manger. Abel tira sur la ficelle et le rideau dans la cuisine s'ouvrit un peu; les papillons gris tourbillonnaient dans la rue Kennedy, en compagnie de serpents noirs qui s'allongeaient à mesure que le soleil prenait de la force. Au plus haut de la journée, les serpents seraient gigantesques. On verrait les longues langues venimeuses sortant des gueules et les petits yeux seraient des narines de dragon jetant des flammes pour le terroriser. (Je m'enroule autour de tes jambes et je monte et je serre toujours davantage et bientôt je t'étranglerai et tes yeux seront comme des ressorts bondissant dans ta face. Non, je ne veux pas mourir aveugle.)

Abel referma le rideau, vint pour regarder Pollux mangeant son poisson quand ses yeux se posèrent sur la cuisinière électrique et le frigidaire — c'est-à-dire à l'endroit où ils étaient d'ordinaire, encavés dans les armoires et retenus solidement en place par de gros fils rouges. Les taches de graisse marbraient le plancher, des morceaux de pelures d'orange avaient bleui et séché dans la poussière. Les capsules de bouteilles de 7-Up roulant sous le comptoir où Pollux, couché sur le dos, essayait de les reprendre au monde épais de la poussière. Quand donc la grosse patate jaune avait-elle glissé le long de la cuisinière, pour pourrir sur le prélart, n'y laissant qu'une tache brunâtre, comme un immonde caillot de sang? — Que de coulisses sur les panneaux de mes armoires, ô mon Abel! Et qu'avait dit Madame Thomas Talons-Hauts, de l'agence d'immeubles, au sujet de la propreté?

«Si vous ne faites pas un ménage là-dedans, eh bien! moi Monsieur, je renonce tout à fait à amener ici mes clients! Mettez-vous ça entre les dents et brossez fort!»

Lui, il avait haussé les épaules et ri. Qu'avait-on à faire de la propreté d'une maison d'où bientôt l'on serait tiré, après y être mort dévoré par les serpents de lumière qui grugeaient sagacement les vitres des fenêtres? Il avait eu la tentation de dire tout cela à Madame Thomas Talons-Hauts seulement pour qu'elle reste un peu plus longtemps devant lui, protégé par son corps vieillissant mais encore opaque de la puissance maléfique du jour. Pourtant, rien n'était sorti de sa bouche. Il lui avait suffi de voir les petits yeux de porc de Madame

Thomas Talons-Hauts pour comprendre qu'il ne devait pas se révéler à elle et garder flou tout ce qu'il pouvait entre eux.

«Donne-moi du lailait», dit Pollux en le regardant droit dans les yeux. Petit chat grand-père à moustache blanche dont la patte gauche restait suspendue au-dessus de l'écuelle. Abel se pencha vers lui, le reprit dans sa main. En se relevant, de grosses mouches noires emplirent tout l'espace de ses yeux et il échappa le chat. Abel se laissa tomber à genoux, se couvrit la face de ses mains, cria: «Mon Dieu! Mon Dieu!» La nuit, ce n'était rien à comparer avec la malfaisance du jour, mille fois plus audacieuse, mille fois plus traître, mille fois plus écoeurante car, se dissimulant dans la transparence de la lumière, comment assurer ses gardes contre elle? Le papier-journal puait la pisse de chat. Ce furent ces odeurs, et les miaulements même de Pollux, qui ramenèrent Abel à lui-même. Il se redressa en faisant un bond prodigieux, poussa quelques hurlements atroces pour obliger les grosses mouches noires à déguerpir dans la fenêtre entrouverte. Après, il ramassa Pollux qui faisait le gros dos contre ses jambes, et fit quelques pas dans la cuisine, courant en quelque sorte après son inspiration, ne sachant plus ce qu'il convenait de mettre dans son roman qui, au lieu de se construire, se défaisait insidieuse- ment en lui, mare stagnante de ses ignominies dont il ne savait plus comment se déprendre, trop oublieux de ses personnages, ne croyant guère à leur grandeur, et c'était pourquoi tout tournait à vide, se mangeait à l'intérieur de lui, abolissant toute possibilité de roman et pourtant le tirant loin hors du silence, dans le monde cauchemardesque de ses obsessions où rien de ses fautes ne pouvait lui être remis. Goulatromba, épinglé au-dessus du vieux bahut qu'il ne finirait jamais de récaper, souriait, le ventre ensanglanté, son grand ventre de cheval affreusement ouvert, sans doute par les chats qui étaient venus dans la maison alors que l'ambu- lance roulait sur l'autoroute en direction de l'hôpital. Cette souffrance d'entrailles de Goulatromba le fit grimacer. Il arracha le dessin sur le mur, le froissa dans sa main et le jeta sur la table. La boule de papier bondit deux ou trois fois sur les journaux et roula dans l'escalier qui menait au souterrain, conduisant lui-même à la chambre-bureau. Abel entendit distinctement le bruit des sabots du vieux Goulatromba dans les marches, puis les renâclements d'épouvante et cette espèce de cri sourd sortant du ventre ouvert, et il comprit que, comme un abcès, son imaginaire s'était crevé, qu'il n'y aurait plus jamais de cheval sur le dos duquel galoper quand il serait à bout et tremblant derrière sa table, dans la chambre-bureau d'où on avait une si belle vue sur les citrouilles grosses comme des poires dans le potager. Il dévala les marches, buta sur le balai tombé dans l'escalier, perdit pied. Il vit Pollux débouler devant lui, petite chose noire dont les pattes battaient dans le vide, et il ne songea guère à se protéger, inquiet pour Pollux et ne voulant pas l'écraser sous son poids. Il réussit à s'agripper à la rampe pour ralentir sa chute. Pollux avait aussi retrouvé son équilibre et le regardait, au bas de l'escalier, de ses grands yeux effrayés. Abel se laissa glisser sur les fesses vers lui mais quand il vint pour le prendre, Pollux fit un saut et se mit hors de portée de sa main.

«Occupe-toi de Goulatromba», dit Pollux.

«Tu as raison, je l'avais complètement oublié.»

Et Abel, à quatre pattes, chercha le formidable cheval au ventre ouvert. Mais déjà il ne savait plus ce qu'il devait trouver, sollicité par l'humidité qui sourdait du souterrain et se jetait sur lui. Une infinité de petites langues roses mais terriblement froides qui lui chatouillaient la peau sous ses vêtements. À quatre pattes toujours, il marcha jusqu'à la fenêtre qu'il ouvrit puis, les coudes appuyés sur le rebord de la fenêtre, il regarda dehors. Deux rouge-gorge se chicanaient pour un morceau de pain sur la table de pique-nique. Les roses s'ouvraient devant la haie de grands soleils à l'autre bout de la cour. Je me rapetisse dans mon monde et ce n'est pas pour mieux rebondir. O ma Mère Castor! Que fais-tu dans les grands bois cédrés et sapinés avec le gros matou des Smith? Viens lécher les poils lustrés de Pollux qui s'ennuie de toi et qui miaule. Viens, ô ma Mère Castor! Il se mit à imiter les miaulements de Pollux, griffant de ses ongles la moustiquaire, effrayant les araignées qui couraient sur le rebord de la fenêtre. Bientôt lassé, il tourna les yeux. Je deviens tout à fait ridicule, il faudrait que je sorte de ce maudit souterrain. Pollux! Pollux! Où es-tu mon bon Pollux? Le petit chat était à ses pieds et tenait dans sa gueule la boule de papier. Donne, chachat. Il s'accroupit et défroissa Goulatromba, bien inutilement puisque celui-ci était mort, presque déjà tout décomposé, avec les gros os qui perçaient au travers de la peau et les deux jambes avant en moins. Abel fit craquer une allumette et ce qui restait encore de Goulatromba brûla sur le bout de ses doigts en dégageant une noire fumée.

«As-tu oublié que j'ai soif? dit Pollux. Je t'en prie: donne-moi du lait.»

Abel haussa les épaules.

«Deux minutes de silence pour la mort de Goulatromba», dit-il en mettant son doigt à la verticale sur ses lèvres.

Mais le chat continua de miauler.

«Laisse-moi sortir dans ce cas», dit-il.

«Le carreau de la fenêtre panoramique est ouvert, tu n'as qu'à t'y rendre», dit Abel.

Pollux hocha la tête et suivit Abel dans le couloir du souterrain. Bientôt ils seraient tous deux devant la porte noire de la chambre-bureau où Abel resterait immobile durant quelques minutes, question de se demander qui avait bien pu fermer cette porte qui ne l'était jamais, au nom d'une superstition mal identifiée en lui.

«Peut-être est-ce Judith qui a fait cela la nuit passée, après que les brancardiers m'eurent cloué sur la civière», dit Abel.

«Je croirais plutôt que c'est le vent», dit Pollux.

«Sans doute la vérité est-elle dans un en-deçà de ce que nous venons d'avancer», dit Abel.

«Hum, hum», dit Pollux.

Abel ferma la main sur la poignée de la porte qu'il poussa avec force. La chambre-bureau, comme une flèche empoisonnée, vint se ficher dans son oeil. Abel ébloui

69

remarqua pourtant le gros matou jaune qui marchait sur sa table de travail en soufflant vertigineusement. Pollux avait fait un bond de côté et se tenait près de la porte, le dos arqué et tout son poil noir dressé. Abel prit la canne suspendu au clou contre le mur et en menaça le gros chat jaune. Allez, sors d'ici! Ote-toi, ôte tes vilains pieds dessus ma table! Ouste, chat! Ouste, chat! Le matou s'affola, comme si la canne que brandissait avec fureur Abel devant lui l'eût secrètement terrifié. Il se mit à faire de petits sauts sur la table, les yeux fixés sur le bout de la canne qui brillait en faisant des cercles de plus en plus rapprochés de lui. Ouste, chat! Ouste, là! Abel atteignit le matou sur la queue. Il miaula affreusement et se jeta dans la fenêtre, griffant le rideau, ne comprenant pas qu'Abel ne lui voulait aucun mal mais désirait seulement qu'il s'en aille sans faire de manière. Le dictionnaire sur le bout de la table tomba par terre. Le gros chat s'en prenait maintenant aux livres qu'il faisait débouler des étagères, aveuglé par sa peur coléreuse, poursuivi par Abel qui lui donnait de petits coups de canne sur les côtes en criant comme un perdu qu'il n'y avait qu'une issue et que c'était la porte. Et quelque chose de curieux se produisit tout à coup. Pollux qui était resté immobile près de la porte s'agita à son tour et la première chose qu'Abel vit, ce fut le petit chat noir sautant sur le gros matou. La réaction du matou fut tout aussi étonnante: au lieu de livrer la bataille, il se mit à ramper à toute vitesse vers la porte, son corps ondulant comme celui d'un serpent. Pollux essaya de lui mordre la queue mais le gros matou jaune filait dans le souterrain. Alors Pollux s'arrêta de courir, s'assit sur ses pattes arrière, et dit:

«Maintenant que ton ménage est fait, j'aimerais bien que tu me donnes à boire.»

«O.K. petit», dit Abel.

Il tapa dans ses mains et Pollux y bondit. Sa petite langue rêche léchant la peau de la paume. À son tour, Abel s'engouffra dans le souterrain. Le gros matou jaune lui avait ouvert l'appétit.

70

9

Des jours, ça ne marchait pas. Des jours, ça marchait trop. À la fin, on ne savait plus, on avait la tête comme un disque ou bien comme une boule et l'on sentait toutes choses autour de soi s'effriter, tomber en ruines, se corrompre et se dessécher, comme si la vie était une tornade blanche anarchique ou un vieux bout de ficelle, cela aussi on ne savait plus, il y avait tant de choses qui avaient changé en Abel ces derniers temps, sa puissance d'écriture notamment, ce désir furieux de remplir des pages et des pages, avalé par la nuit calme et bâillant aux petites heures du matin devant la tasse de café vide, relisant quelques lignes seulement pour pouvoir aller se coucher content de lui, à côté de Judith suçant son pouce. Tu ne pouvais me comprendre, ne me voyant qu'au fond de ta pitié. Des jours, il y avait des milliers de jours dans la même journée et Abel les voyait comme s'il se fût agi d'une accélération de sa propre histoire. O mon peuple dépeuplé! Ne me quitte pas, Judith! Il y avait combien de jours maintenant qu'elle était partie, après quelle chicane muette alors qu'allongés l'un à côté de l'autre dans la chambre du Sud ils boudaient sans que ni l'un ni l'autre ne sut pourquoi, à cause de la noire Johanne peut-être, ou du travail d'Abel qui était de lire des manuscrits dans une maison d'éditions et pour lequel, selon Judith, il était mal payé, ou de toute autre chose probablement, allez donc sonder le coeur d'une femme qui a un autre homme dans sa vie, et une Thunderbird, et des chats dont elle ne veut plus, qui m'exaspèrent, qui se couchent sur la table tournante et m'empêchent d'écouter Jimi Hendrix. Foin de notre complicité! J'ai tout perdu, Judith, par ma faute, par ma très grande faute. Et il sanglotait à côté de Judith, balbutiant:

«Je n'en peux plus, Judith, je n'en peux plus!», et il ne savait pas ce qu'il voulait dire par cela, si ces mots incohérents concernaient son oeuvre, les quatre ou cinq romans qu'il avait écrits et ceux qui se pressaient derrière, mille fois plus ignomineux, comme si mon chaudron de romancier n'avait plus de fond, l'obscène me ramenant à l'obscène, le morbide entretenant le morbide, et sans qu'il m'apparaisse possible d'en sortir, sans que je le veuille car je n'ai plus la foi. O exorcisme, ma vieille mitaine! Il hoquetait, assis dans le lit. Les claques de Judith dans son dos n'étaient d'aucun effet. Même quand tu es là, je suis tout seul. Donne-moi un peu de gin, Judith. Puis habille-toi et va-t-en retrouver ton maudit Julien! Vêtue que de son seul soutien-gorge, elle marchait dans le corridor, et il la regardait aller, et il essayait de se dire qu'il ne la voyait pas, qu'il ne devait plus la voir, puisque bientôt elle ne serait plus là et qu'ainsi il aurait bien pu imaginer toute la chose, exactement comme quand il écrivait l'histoire de son frère Jos, ou celle de Steven, ou celle de son père. Tout ne tenait qu'à un fil qui lui-même ne tenait à rien.

«Tu es malheureux et de ton malheur je me rends malheureuse. Faudra en finir une fois pour toutes, Abel. Notre pourriture me lève le coeur. Oh que nous sommes lâches!»

Il l'écoutait, elle qui parlait au pied du lit, le feu de sa cigarette faisant une tache devant sa bouche. Lui, il faisait tourner le gin et le 7-Up dans son verre, toujours assis dans le lit, incapable de dire quoi que ce soit, la tête trop pleine par toutes sortes de pensées lourdes et désespérées.

«Je vais essayer de changer, Judith. Si je n'écrivais plus de romans, cela te conviendrait-il?»

Elle avait ri, mais il y avait eu dans son rire quelque chose de si totalement triste qu'Abel avait grimacé, comprenant trop bien ce qu'il y avait eu de creux dans sa phrase. Trop tard maintenant; cela est dit et le restera à jamais entre nous. Et Judith crachant la fumée de sa cigarette avait dit:

«Si pauvre Abel. Tu sais bien que tu ne pourras jamais cesser d'écrire! Tu es habité par tes monstres, ce n'est pas toi qui les habites. Et les gardant muets au fond de toi, que t'arriverait-il? Au moins, Nelligan était un poète, lui!»

Ces mots vibraient dans sa tête et il faillit s'étouffer en buvant une gorgée de gin. Judith lui avait tourné le dos, il regardait la forme de ses fesses, le point noir entre les omoplates, le cou fin, et il se disait:

«Comme je suis malade! Comme je n'arrive plus à me rejoindre par mes deux bouts! Pourquoi n'essaies-tu pas de me sortir de là, Judith? Mon coeur, patate chaude qui rissole dans le poêlon de ton sourire. Fais en sorte que je meure tout de suite, d'un trop grand afflux de sang à la tête. Judith! Tire le tiroir de la commode, prends le revolver et que la balle noire me passe entre les deux yeux! Et bois mon sang, c'est tout ce qui reste de chaud en moi!»

Judith se poudrait les joues, il était impossible de savoir à quoi elle songeait. Peut-être la grande route noire conduisant au sous-bois de Mascouche avait-elle été mangée par les racines des gros trembles. Et bien fardée, les yeux ensorcelés, je me retourne vers toi, ô mon Abel, et je voudrais te dire que je t'aime mais je suis désormais incapable de te mentir, tout comme toi d'ailleurs. Tes paroles sont devenues transparentes de vérité. Pourquoi n'écrirais-tu pas un grand roman d'amour? Abel rit pour cacher tout le mal qui s'était planté dans son dos comme la lame d'un couteau. Est-ce pour t'entendre me dire cela que je suis resté à la maison aujourd'hui? Cessons ces balivernes, Judith, et parlons sérieusement. J'ai vu Jos hier. Je m'en revenais du bureau et je ne sais pas pourquoi je me suis promené dans Morial-Mort, j'aurais pu arrêter voir mon père, je pense que je l'ai vu derrière le rideau de la fenêtre et guettant les ours, mais devant la maison j'ai accéléré pour tourner à la rue Paris, et c'est ainsi que je suis descendu jusqu'à Gouin. La Rivière des Prairies était une nappe. Le lit de la Rivière des Prairies était une table. Les bateaux dans la nappe étaient en vérité de gros cochons rôtis, des dindes énormes, des boeufs farcis à la bosse de bison. Combien de peupliers étaient entrés dans la salade dont le plat ovale tanguait doucement sur la nappe? J'étais fasciné,

Judith. J'ai stoppé ma voiture dans une entrée de cour, celle-là même où la maison a brûlé la semaine dernière, de fond en comble, souviens-t-en Judith! Souviens-t-en! Mais tu ne m'écoutes pas. Que fais-tu, Judith? Que fais-tu?

Elle avait poussé la porte coulissante de la garde-robe et y avait passé la tête. Elle était la première prostituée de la Nouvelle-France à subir la peine du carcan et les hommes, en passant derrière elle, lui tapaient gentiment sur les fesses. Sur quelle partie charnue de son appareil la marquerait-on d'une fleur de lys?

«Judith, dit-il, qu'as-tu à rester là, comme une folle, la tête dans la garde-robe?»

«Je fais l'autruche, tu vois bien», dit-elle.

Elle rit deux ou trois fois, sa voix amplifiée par l'écho, puis elle se pencha, pour mieux montrer son derrière et la fleur de lys tout au milieu, dans l'enfoncement des chairs.

«Mais je n'ai pas fini mon histoire, dit Abel. Tu ne veux donc pas savoir pourquoi et pour qui l'on donnait ce festin, hier soir, sur la Rivière des Prairies?»

Judith fit «Hum, hum», et Abel cria:

«Eh bien, toi si tu ne veux pas le savoir, c'est ton affaire! Mais moi, ça m'intéresse. J'ai hâte de me le dire!»

Judith sortit la tête de la garde-robe, se mit au garde-à-vous au pied du lit et dit:

«Captain Abel, je vous écoute.»

Lui, il ne comprit pas ces paroles, trop préoccupé par le soutien-gorge. Comment avait-il pu, en si peu de temps, passer du blanc au noir?

«Allez, dit Judith. Vide ton sac à malices au sujet de cet affreux Jos, ton frère en Christ-Jésus!»

«Alors, assieds-toi au pied du lit, enlève cet horrible soutien-gorge et ceins tes reins de cette belle cravate bleue à pois blancs.»

Il lança vers elle la cravate qui virevolta dans les airs comme un serpent à ressort. Judith dégrafa son soutien-gorge et ses petits seins apparurent, bruns comme tout son corps. Elle venait tout juste d'arriver de Miami où, à moitié enfouie

74

dans le sable, elle avait passé trois semaines à se faire cuivrer, Julien à son côté, Julien lui tapotant les fesses, heureux de l'avoir enfin à lui seul et espérant qu'Abel n'en finirait jamais, dans la petite chambre du Brodmoor Hôtel, à taper cet absurde roman qui, il en était sûr, ne vaudrait pas un pet. Judith se caressa les seins pour effacer les marques que le soutien-gorge avait faites sur la peau. Elle passa ensuite la cravate autour de ses hanches et la noua par devant. Elle dit:

«Maintenant, je puis t'entendre, mais fais vite s'il te plaît car bientôt je m'en irai magasiner.»

Il n'y avait plus de gin dans le verre d'Abel. Il le déposa sur la petite table à côté du lit, entre la lampe fleurie et le vieux ouestcloque dont les aiguilles usées ne phosphoraient plus, ni ne marquaient davantage le temps. Après quoi, il rota. C'est qu'il ne savait plus où il en était dans l'histoire qu'il avait commencé à raconter. Elle lui paraissait brutalement sans importance alors qu'il regardait Judith toute nue au pied du lit. D'elle irradiait une lumière éblouissante. Un grand roman d'amour, ô ma Judith, cela ne serait peut-être pas une si vilaine affaire. Des mots enfin purs comme de l'eau de source et dont on ne verrait que la transparence sur la page imprimée. Sois l'héroïne de ce roman, Judith! Ne fais pas l'impatiente, assise sur le bord du lit où tu t'agites dans tes jambes comme une petite fille. Fais-toi douce et amène. Et montre-moi si le lait monte dans tes seins!

«Tu me la racontes ton histoire sur l'affreux Jos, ou pas? Si cela continue, si pauvre Abel, nous allons être pris de court dans nos entournures.»

«J'y venais, j'y venais Judith», dit Abel.

Il s'appuya davantage sur ses oreillers, alluma sa pipe et songea que ce matin son père avait dû, pour faire lever ses Mongols, leur jouer *Ave Maria* sur son harmonica tout terni. Peut-être même avait-il relevé son pantalon sur ses genoux, pour mieux danser tout en jouant, et les grands yeux des Mongols regardaient avec envie et admiration ce grand homme blanc qui giguait au milieu d'eux, emporté par le rythme de sa musique magique.

«Je m'en vais», dit Judith.

Il allongea le bras vers elle comme pour la retenir et tout de suite les mots firent explosion en lui, jaillissant sur ses lèvres, blancs de salive. Il remit tout le décor de la nuit passée à sa place, la Rivière des Prairies redevint une nappe et les bateaux de grandes assiettes bourrées de viande saignante et les maisons le long de la rivière des ogres sapant fort et grommelant quand ils attrapaient, dans leurs mains velues et huileuses, quelque patte de grosse vache grillée. Et moi, je regardais ce spectacle fabuleux, les deux pieds dans l'eau, éclairant les monstres avec ma lampe de poche et je ne pouvais rien pour moi-même, pas plus d'ailleurs que pour eux. Cet oeilstant dont parlait Joyce, tu t'en souviens, Judith?

«C'est tout à fait aberrant, dit-elle, d'autant plus que j'ignore toujours ce que Jos a à voir avec tout ça.»

«La parole est lente alors que l'histoire est un turbojet fendant les airs. Sache, Judith, que le conteur est toujours une béquille.»

«Eh bien, il t'en faudrait deux.»

«Verse-moi un peu de gin.»

«Tu tiens tant que ça à devenir alcoolique?»

«Quelle importance?»

«Si cela n'en a pas plus que cela, continue ton histoire et ne parlons plus de ce maudit gin!»

«Les géants avaient fini leur festin, dit Abel, et je m'en revenais à travers les broussailles vers ma voiture, me guidant pour ce faire sur la boussole que tu m'as donnée en guise de cadeau d'anniversaire. Je fume trop et j'étais essouflé quand j'arrivai en haut de la côte. J'allais ouvrir la portière, mon pouce pesait déjà sur la poignée, et sais-tu ce qui est arrivé? Évidemment non puisque ce conte est inédit et que je l'apprends moi-même en nous le disant. Donc, j'allais m'enfermer dans ma voiture mais ne le fis point. Une vieille ambulance noire s'en venait vers moi, à grande vitesse, et malgré moi je tressaillis. Je savais que c'était pour moi qu'elle roulait à tombereau ouvert et j'appuyai davantage sur le

76

bouton de la poignée pour que la portière s'ouvre. Quels crissements épouvantables de pneus ont ces vieilles ambulances noires! Mes oreilles me faisaient mal, bien que je n'eus guère le temps de m'en inquiéter vraiment. La portière de l'ambulance s'était ouverte, un homme masqué avec des dents de vampire qui lui sortaient de la bouche, se pencha vers moi, hurlant: «Je suis le Démon sorti de ses enfers et je fais le tour du monde pour ramasser mes gens. Allez, monte Abel Beauchemin! Monte, grande face blême!» Évidemment, j'ai tout de suite reconnu Jos qui me surprenait ainsi au beau milieu de ce qu'il a appelé une répétition générale, la première devant avoir lieu demain, aux douze coups de minuit.»

«C'est beaucoup plus aberrant que je ne le croyais. Absolument aberrant.»

«Mais non, Judith. Jos a beaucoup d'imagination et en est arrivé à se prendre pour la réincarnation définitive du Bonhomme Sept-Heures. Il m'a tenu un discours hilarant, de cela j'en conviens aisément. Je ne sais trop ce que signifie ce délire au sujet de la Communauté d'Esprits qu'il veut fonder quelque part dans le Bas du Fleuve, avec des bonshommes habillés de grandes robes de couleur différente comme dans les sectes occultes. J'ignore également ce qu'il entend par l'érection, en plein coeur de sa communauté, d'une bibliothèque totale sous forme de Tour sacrée. Ni pourquoi il parle de bâtir un moulin à vent, un aquarium à étoiles, une Table sainte pour solsciser et un souterrain fait entièrement de briques cuites dans du sang de boeuf. Je pense que l'important n'est pas là et que nous n'en serons saisis que dans plusieurs années. Mais avoue quand même que ce n'est pas tout le monde qui se promène de nuit dans une vieille ambulance noire, déguisé en vampire!»

«Noksagt, mon si pauvre Abel. Je ne veux plus rien entendre. Je commence à croire que tu es aussi fou que Jos. Décidément, il est temps que j'aille magasiner. Ce que tu m'as dit vaut bien l'achat d'une belle robe, non?»

«Et le bébé, comment va-t-il?»

«Quel bébé?»

«Celui que tu as dans ton ventre, voyons, et qui suce son pouce dans la chaleur de tes eaux!»

«Que je sois enceinte, rien n'est moins sûr. Que ferions-nous d'un enfant, nous qui ne savons même pas disposer de nous-mêmes? Je crois que je lâcherais mon lest si je devais me trouver enceinte. Mon ventre si petit! Tu n'y penses pas, Abel!»

Et disant cela, elle s'était levée, fouillant du bout du doigt dans son nombril, debout devant le long miroir. Parfois, quand je suis au-dessus de toi, te pénétrant lentement, n'entrant qu'une infime partie de mon sexe en toi, je me retourne et nous vois tous les deux dans la glace et tes jambes sont comme des pattes de poulet s'agitant dans le vide. Ta peau douce, quand donc me permettras-tu d'y toucher autrement que dans mon rêve spongieux comme une vieille éponge? Tu ne réponds pas? Tu aimes mieux t'habiller, songeant déjà que Julien t'attend dans la rue Hall, le gros moteur de sa Thunderbird roulant au ralenti? Alors, va ma fille! Amuse-toi bien. Moi, je ne baiserai plus que la nuit. Bientôt les vagins d'ombre rosiront et le maniaque sexuel de Terrebonne, avec son chromosome Y en plus, déploiera ses ailes au-dessus du bungalow. Ne crains rien, fille! Refuse-toi à lui, dis-lui que toi, tu ne permets cela que dans la bouche. Il te sourira, tous les maniaques sexuels sourient à leur victime avant de se déboutonner du sexe et de le glisser dans la bouche capiteuse. Une fois que cela sera fait, n'hésite pas, Judith. Mords à belles dents la belle pulpe tendre et ton maniaque va aller faire le petit chien dans le coin! Noksagt! Continue à t'habiller.

«Il faudrait que tu me donnes un peu d'argent. Pour la robe, Abel», dit Judith.

«Sers-moi, fille. Prends encore. Il faudrait que tu te rappelles de m'acheter une nouvelle paire de chaussettes. Celle que j'ai a fait son temps.»

Elle avait mis son grand chapeau blanc, s'était dandiné par trois fois devant lui, dans sa nudité exaspérante, avant de

78

finir de s'habiller. Tu es belle à croquer. Moi, je ne suis bon qu'à craquer. Va-t-en magasiner, Judith. Mais souviens-toi: des jours ça marche. Des jours, ça ne marche pas. Des jours, ça marche trop. Mais il y a longtemps que nous vivons le même jour. Pourquoi suis-je trop grand pour que tu m'allaites? Il rit. Judith haussa les épaules:

«Une autre idée de fou vient de te traverser l'esprit? Tu devrais la noter, pour quand tu vivras tes années de dépérissement.»

Elle mit sa main sur ses lèvres, l'en retira brusquement et lui envoya un baiser sur le front. La porte de la maison claqua peu après et Abel pensa qu'il était devant la porte noire et fermée de la chambre du Sud, avec un Pollux miaulant dans sa main et que maintenant que Judith s'en était allée aux Galeries d'Anjou, il devait remplir de lait la soucoupe de son petit chat. Il donna un violent coup de pied dans la porte qui s'ouvrit. Pollux ne miaulait plus.

10

PENSEZ TOUJOURS À LA RÉVOLUTION. C'est la première chose qu'il vit en entrant dans la chambre du Sud. Une grande banderole blanche sur laquelle les grosses lettres rouges flamboyaient. «Révolution mon os!» se dit-il en se dirigeant vers le frigidaire à l'autre bout de la pièce. Il ouvrit le bec de carton de la pinte de lait, le sentit car il ne se souvenait plus depuis combien de temps tout cela était dans le frigidaire, ni même si celui-ci fonctionnait encore. Peut-être avait-il oublié de brancher le moteur ce jour où, n'y tenant plus, et sans raison avouable, il avait déménagé dans la chambre du Sud ce frigidaire et cette cuisinière électrique inutilisables, sauf pour le four qui lui servait de lingerie. Le lait n'avait pas d'odeurs particulières. Du pied, Abel tira la soucoupe sous le lit. Il la nettoya tant bien que mal avec l'extrémité du drap et Pollux put bientôt satisfaire sa soif. Abel s'était assis sur le lit. Mon Dieu, quel désordre! Quel désordre! Des montagnes de papiers, des vêtements jetés partout dans la chambre, des piles de livres dans les coins, des masques indiens sur les murs et, à côté de la commode dont les tiroirs étaient entrouverts, les deux caisses d'oranges qui lui servaient de table. C'était là-dessus qu'il écrivait le premier chapitre de son roman. Les six autres, il ne les travaillait que dans les autres pièces où il y avait aussi deux caisses d'oranges sur lesquelles on pouvait voir en tout temps une rame de papier rose, deux stylos feutre bleus, un dictionnaire et trois ou quatre livres dont il avait besoin, qu'il pillait comme un barbare avec une bonne conscience quand il lui apparaissait urgent ou nécessaire de faire un lien, d'amorcer une nouvelle situation. Par expérience, il savait que n'importe quelle phrase faisait alors l'affaire et qu'au lieu de perdre son temps à en imaginer une, il valait mieux la piquer dans l'un des ouvrages qu'il avait pris au hasard dans sa bibliothèque. Il trouvait le procédé excellent et expéditif, tout en étant fort reposant pour l'esprit. Le matin, il travaillait dans la chambre du Sud, en compagnie de Joyce, des Contes de Jacques Ferron, d'Ezéchiel et de Herman Broch. Vers la fin de l'avant-midi, il laissait là la rédaction de son premier chapitre et passait au salon où il ouvrait une bouteille de gin, laquelle ne le quittait plus de la journée. Comme il n'avait jamais de difficulté avec ses deuxièmes chapitres, une heure lui suffisait pour barbouiller trois pages qu'il farcissait de citations empruntées à l'oeuvre de William Burroughs. Il recapuchonnait toujours son stylo feutre bleu à midi, non pas parce qu'il fût superstitieux mais parce qu'il croyait que la première heure était la meilleure pour prendre une douche, manger deux oeufs crus et écouter du Bach sur la vieille table tournante qu'il avait dû sortir des boules à mites après le départ de Judith. Il aimait la musique de Bach car celle-ci le portait au sommeil. Allongé sur le sac de couchage, il finissait toujours par s'endormir, trop heureux pour n'en pas profiter, lui qui ne fermait plus guère l'oeil la nuit, si excité et si fiévreux dans la chambre-bureau du souterrain où il faisait les cent pas, drapé comme un grand seigneur dans son kimono, criant à tue-tête son chapitre septième au lieu de l'écrire parce qu'il ne voulait en rien perdre et que depuis son attaque de poliomyélite, sa main gauche crampait fâcheusement au moment où il en avait le plus à dire. Maudite poliomyélite! Maudite machine à écrire! Vous me faites des pied-de-nez? Eh bien, vous allez voir! Et il gueulait, emporté par sa rage, tempêtant comme un beau démon, brisant l'unité de son récit pour faire toutes sortes d'apartés dans lesquels il se noyait comme un poisson dans la boue. Seule le ressuscitait la lecture d'une bonne page de *Moby Dick* dont il possédait des dizaines d'exemplaires en toutes sortes de langues qu'il ne comprenait pas mais qu'il s'obstinait pourtant à gueuler. De toute façon, il connaissait *Moby Dick* par coeur et le lisait-il à l'envers que pas un mot ne lui échappait. Il n'aurait pu en dire autant de ses propres livres qu'il avait pris l'habitude d'oublier dès qu'il finissait de les écrire. Il n'était plus rien quand il songeait à Melville. Il était moins que rien — c'est-à-dire Abel Beauchemin, ce pauvre psychopathe, le seul qui, à sa connaissance, avait une cuisinière électrique et un frigidaire dans sa chambre!

Pollux était monté sur le lit, s'était roulé en boule et, la queue sur son nez, il dormait maintenant. Abel avait faim. La fatigue de son odyssée de la nuit lui creusait les épaules. Il se dit qu'il était laid, boutonneux, affublé de grosses verrues ridicules qui lui faisaient mal et d'un coeur qui avait pris la mauvaise habitude de cogner trop fort dans sa poitrine. Et Judith n'était plus là pour le lui masser, assise à cheval sur lui, lui donnant de la chaleur grâce à ses genoux appuyés contre ses côtes. Il ouvrit la porte du frigidaire pour voir ce qu'il pourrait bien manger. Il n'y avait qu'un vieux morceau de pain rassis, dur comme du fer, incomestible. Les champignons s'étaient tout raboudinés dans leur boîte. Abel les lança sur le mur. La boîte creva et les petits champignons noirs tombèrent comme une pluie de clous sur la commode. Abel allongea encore la main, empoigna le pot de beurre d'arachides, dévissa le couvercle. La masse brunâtre au fond du pot l'écoeura. Mais il avait faim. Peu lui importait ce qu'il allait manger, il ne croyait plus aux forces vivifiantes de la nourriture. Il râcla le fond du pot avec son doigt, incertain de ce qu'il convenait de faire avec cette affreuse tache huileuse qui ressemblait à une verrue merdeuse sur l'ongle. Heureusement qu'il pensait à autre chose! C'était sa façon de se mettre l'esprit en mouvement avant de commencer à travailler, tout en courbes au-dessus des deux caisses d'oranges. Et sa main courait sans bruit sur le papier. Comme je vous le disais hier, mon cher Abraham Sturgeon, notre métier est fichu, le papier ne valant plus guère grand-chose. Pourquoi n'oeuvrons-nous pas sur du marbre? Vous voyez cela d'ici, un roman de mille pages écrit, ou sculpté, ou gravé je ne sais pas, sur des tablettes de marbre? Un roman haut comme la Place Ville-

82

Marie, épais comme le Québec et mou comme son gouvernement, mon cher Abraham Sturgeon! Il rit. Abraham Sturgeon dit: «À ce que je vois, vous cultivez votre obsession.» Et Abel, son petit doigt humide en l'air pour voir d'où venait le vent, répondit: «Erreur, mon cher Abraham Sturgeon... c'est mon obsession qui me cultive!» Et il rit deux fois plus fort, assis devant le premier chapitre de son roman dont il essaya de relire les trois ou quatre dernières lignes. Ils étaient arrivés là où la parole est impossible. Encore à la fenêtre qui ne m'a jamais appartenu. Poussière de mots incolores flottant dans les nues fumées. C'est dans la fin de notre temps, Judith. Bientôt, que restera-t-il de nous-mêmes? De quelles troubles images de nous-mêmes allons-nous nous sustenter?

Ces mots relus rapidement le lancèrent sur la piste. Il s'assit lourdement sur la chaise à laquelle il avait coupé les pattes (à cause des caisses d'oranges qui étaient trop basses), il décapuchonna son stylo feutre bleu et, criant go, il se précipita avidement sur la page blanche, sa main gauche rapide comme un Concorde, sa tête jetant du feu, par rapport à toutes les idées qui lui venaient et se frappaient l'une l'autre dans son cerveau. Voici ce qu'il écrivit peut-être et qui constituait le chapitre premier de ce grand roman d'amour qu'il rédigeait depuis que Judith absente les désirs de son vice faisaient d'énormes sabbats sur les feuilles, rendant ses mots presque méconnaissables, les brûlant de leurs petites pattes tordues et chaudes comme des braises.

11

Quelle pitoyable bête que celle de l'homme! Judith, me pardonneras-tu pour toutes ces menteries que je te conte et qui ne disent qu'une chose: que nous allons par deux nous nommant l'Autre Moitié? Tu as raison, ne m'écoute pas, bavarde avec la négresse Johanne, buvez votre coca-cola, jambes croisées, assises l'une en face de l'autre, vous touchant du bout de votre pied gauche, vous regardant dans les yeux, toi te demandant quelle sensation doivent faire deux gros seins noirs sur ta poitrine, et cette langue te suçant l'oreille, et cette main te caressant le ventre, parlant au bébé qui s'y trouve, et la négresse Johanne se dit que tout pourrait être différent, que cette scène pourrait se passer dans une autre maison, à Morial-Mort où elle reste, ce petit sous-sol grand comme mes deux fesses et où il faut toujours garder les fenêtres ouvertes pour ne pas suffoquer, et la négresse Johanne se dit, regardant Judith, qu'un coup de dés aurait pu abolir le hasard du mariage de Judith avec Abel — «moi, je me vois très facilement femme de ton mari, amante loyale, maîtresse chaude et soumise, et tous les soirs je lui ouvrirais mes jambes pour qu'il y puise les mots nouveaux dont il a besoin dans son oeuvre de purification, comme je saurais être belle!, tu n'as jamais vu mon corps charbonneux quand il est tout nu et étranglé dans sa chair de poule, n'est-ce pas Judith?, seulement avec mon pied j'ai enflammé Abel l'autre jour dans la baignoire, son roman est rapidement devenu tout rigide, crachant la flamme et le feu de son inspiration, et je n'avais qu'à faire bouger mes doigts de pied pour que les métamorphoses fusent sur sa langue, ô Judith!, pourquoi es-tu venue nous troubler dans les épreuves de notre initiation, toi qui revenais de chez Julien te faisant essayer les robes de sa femme dans sa maison de Mascouche?»

Elles parlaient ainsi amicalement dans le salon, Abel terré dans la chambre du Sud entendait leur papotage, cela faisait une manière de fond pour son écriture, comme un décor de théâtre, et des coulisses de sueur se formant sous ses aisselles à cause de la chaleur, celle de cette journée de juillet et celle de Judith et de Johanne, jambes croisées sur les fauteuils, leurs courtes robes fleuries collées à la peau. Appel pour le rut, léger comme le vent entrant dans la chambre du Sud. Je n'ai vraiment pas le sexe à écrire aujourd'hui. Il s'était levé, vêtu que de son seul maillot de corps et, dissimulé derrière la porte, il regardait les deux femmes, les aimant toutes les deux. Le noir te va à ravir, vint-il pour dire à Johanne mais il mit une main sur sa bouche pour ne pas se trahir. Voir était bien suffisant. Les cuisses fortes de Johanne, sa gorge gorgée de chair noire. Et il pensa:

«Tantôt Judith va s'en aller, tantôt ce sera la nuit et sais-tu ce que j'aimerais de toi? Oh que je voudrais te voir nue et sautillante comme un lapin dans le salon!»

Il se mordit les lèvres et retourna s'asseoir devant ses caisses d'oranges. Pollux, pendant son guet, s'était réveillé, avait bâillé, couru sur le lit avant de sauter sur la table où il jouait avec le capuchon du stylo feutre. Abel écarta le petit chat de la main. Il avait encore une fois perdu le fil de son récit. Heureusement que Pollux le tira de son embarras en demandant:

«Je suis inquiet pour ma Mère Castor. Voilà deux jours qu'elle est partie et je ne l'entends plus guère miauler dans la savane. Ne devrais-tu pas t'impatienter à son sujet?»

«Cela m'était aussi complètement sorti de l'idée. Merci de m'y faire penser. Mais je ne peux tout accomplir. Je m'occuperai de ta Mère Castor tantôt. Ne crains pas pour elle, je connais bien le matou des Smith!»

Pollux ne répondit rien, se coucha sur le manuscrit d'Abel et le regarda écrire. De quoi était-il question sur toutes ces feuilles remplies de mots petits et serrés qui faisaient une seule tache dans l'oeil quand on les regardait trop longtemps? Pollux ne savait pas lire et jamais Abel ne lui parlait de ce grand roman d'amour qu'il écrivait pour oublier que Judith n'était plus là. Pourtant, comme il aurait pu aider Abel! Je mange beaucoup de poisson et ma mémoire est phosphorescente. Veux-tu que je te dise le conte de la fuite de Judith? Abel ne l'écoutait pas, trop préoccupé par ce qu'il écrivait, courbé sur ses feuilles et remontant régulièrement sur son nez ses lunettes qui glissaient fâcheusement. Pollux, n'ayant rien d'autre à faire, ferma les yeux. Derrière ses paupières, le film de la fin de Judith se mit à se dérouler, d'une lenteur toute comateuse qui finirait par l'endormir. Quand cela s'était-il passé? Il y a un mois peut-être que je ne mange plus les retailles de steak que Judith, assise devant le comptoir de la cuisine, me lançait par terre pour ma joie. Un mois, ça doit faire le compte. Je pourrais préciser davantage si ma Mère Castor était là. Mais étant là, elle me chiperait goulument mes retailles de steak! Je vais me passer d'elle qui, de toute manière, n'était pas dans la maison quand Judith a quitté Abel. Sur l'écran derrière mes paupières, je vois qu'il pleut, que les rideaux de la cuisine sont tirés, de même que ceux de toutes les autres pièces. Pour le moment Judith dort dans le grand lit de la chambre du Sud, ses deux mains croisées sur son ventre comme s'il lui fallait protéger le bébé. Moi, je joue avec la pelote de laine dans le corridor. Moi, j'attends aussi le retour d'Ulysse et l'imagine marchant quelque part dans son vaste monde intérieur, à rebours de l'hôpital où il est allé se faire délester de ses invisibles démons. Sa main dans mes poils, les doigts fourrageant, les lunettes graisseuses et l'eau pleuvant de sa tête... pauvre Abel, anéanti au pied du lit de la chambre du Sud, abandonné de Judith! (Et sans Judith, que devenait le pays? Que devenait le livre? Que devenait la vie? Cette image floue et quoi donc encore! Cette instabilité qui disait bien que rien ne serait jamais certain, qu'on irait toujours dans le vague, tordu et faux car dans l'inauthentique on avait versé, et toujours l'on continuerait ainsi, las et pervers, ne pouvant rien contre cette désintégration qui vous

86

menaçait, qui ne venait pas seulement de vous mais de tout ce désespoir que l'on remarquait dans le paysage.) Que quelqu'un m'aide! Que quelqu'un m'aide! pleurait Abel, serrant les poings, anéanti au pied du lit de la chambre du Sud, abandonné de Judith. Pour quelle faute? Se peut-il que je me paraisse à moi-même si démuni? À la queue leu leu mes rêves prennent le bord. Toi Pollux, tu ne peux pas me comprendre. Moi-même, le puis-je? Je croyais par l'écriture arriver au silence mais le silence même n'est encore qu'un peu de mots nauséabonds. Viens Pollux, couche-toi sur mes genoux, dors pour deux. Et que Dieu pénisse notre maison! Il n'y aurait plus que de la verroterie dans le verbe. Ainsi écrivait Abel, et je suis un chien fou devant mes feuilles et, la queue entre les jambes, j'attends de me dire ce qui ne viendra plus jamais de moi. Eaux mortes. Pertes blanches de mes phrases. Je t'en prie, Pollux, sors-moi de là!

Pollux ouvrit les yeux, sortit puis rentra ses griffes, bâilla. Qu'avait-il commencé à dire au sujet de Judith? Ne bouge pas tant, dit Abel. Je suis pourtant immobile, ce sont tes caisses d'oranges qui gigotent, entraînées par le mouvement de ton stylo feutre. Moi, pour écrire, je n'ai pas besoin d'encre. Je pense: «Judith se lève», et je la vois tout de suite s'étirer, sa poitrine sur laquelle je suis couché se soulève, et je tombe à côté, sur le pouf humide de nuit. Que dit Judith? Tu l'ignores encore, Abel, mais moi je sais que son idée est déjà toute faite. Et je la vois encore s'asseoir dans le lit, balbutiant je ne sais quoi sur Jos, pestant contre ton père où elle devine que tu es allé après que tu fus congédié de l'hôpital. Il y avait trop de menterie dans ta voix et puis Julien l'avait prévenue contre toi, arrivant au milieu de la nuit, s'assoyant sur le divan, ses grandes jambes écartées, l'oeil torve, lui demandant ce qui se passait, et Judith pour toute réponse se jetant dans ses bras, hurlant comme une folle:

«Abel se meurt! Abel est malade! Sa vie, toute embrouillée dans le grand brancard! Et je ne peux rien pour lui! Il ne veut pas que j'entre dans sa mort! Julien! Julien! Suis-je allée trop loin?»

Il la tenait contre lui, la caressant pour lui faire oublier, que voulait-il qu'elle oublie? Ce voyage secret que la veille il avait organisé pour eux deux dans la lointaine Floride?

«Il faut que tu te reposes. Que restera-t-il de ta vie quand pour l'avoir trop sucée Abel te laissera tomber? Ne crains pas pour lui. Sous son jeu, il n'y a rien que ta perte. Ne crains pas pour lui, Judith! Seul, il est déjà bien trop entouré. Fuis avec moi. Remémore-toi l'été dernier: je ne t'ai connue heureuse qu'à Miami quand sur le pneumatique je te halais vers le soleil. Aimons-nous et oublions le reste. Car moi je voudrais être toute ta vie.»

Oui, console-toi, ô Judith, et ne crois plus qu'Abel est à l'article de sa mort! Je sais où il est maintenant et je vois tout ce gin qu'avec Jos il boit, recroquevillé dans la vieille ambulance noire terrée comme un gros crapaud derrière le Ouique. Lui malade? Allons donc! Il n'est d'Abel que son roman. Je le sais, moi Pollux, pour avoir regardé trop de choses en Abel quand il écrit, et je vois tout ce qui ne peut être racheté et qui fait comme un remous noir dans sa tête.

Mais combien de temps Judith a-t-elle pleuré sur l'épaule de Julien? De cela, je ne pourrais jurer, ma Mère Castor me distrayant, voulant que je joue avec elle, que je la tète bien que j'aie appris à boire. Lapant le lait blanc dans la soucoupe. Où es-tu, ma Mère Castor? Serais-tu en train de courir dans la savane, me cherchant sous les feuilles un mulot que tu prendras dans ta gueule et que tu emmèneras dans la maison d'Abel pour que je m'amuse avec, le tenant bien serré entre mes dents, excité par cette frayeur grossissant les yeux du mulot, rendant rigide son corps. Et ces petits cris ridicules du mulot quand je le lâche, mais il demeure figé sur place, l'oeil fixé sur mes moustaches blanches, et je danse autour de lui, et je fais semblant de le griffer pour l'apeurer davantage et lui montrer que je sais être aussi dur que ma Mère Castor. Sors de ton roman, Abel, et regarde ce que, d'un simple coup de gueule, je puis défaire!

«Arrête de grouiller», dit Abel.

«Mais je ne bouge pas.»

«J'écris un passage compliqué et il me faut mes coudées franches. »

Des deux caisses d'oranges, je saute sur le lit. Je me cache sous le drap plein des odeurs de nuit d'Abel. C'est fauve, pas du tout comme avant quand Judith, vêtue que de son seul soutien-gorge, me tenait bien au chaud contre elle. Julien lui dit des mots doux dans le salon, il la console de ce qu'Abel n'est pas rentré de la nuit, courant on ne sait où sa galipotte, grand spectre jaune dans l'imperméable ample, notant sur des bouts de papier les couleurs délavées de Morial-Mort se mouillant les pieds dans l'averse. Que cherches-tu, Abel, devant la maison de ton père? Ignores-tu donc qu'il n'y est point, qu'à l'asile il se berce dans la chaise aux chanteaux feutrés (et il pense, ton père, que les cinquante lits faisant des taches blanches dans la noirceur, ne sont que le cortège silencieux de la petite mort calme)? Reviens vers Judith, Abel! Si tu attends trop, elle ne sera plus dans ta maison quand tu reviendras. Julien vient de la quitter. J'ignore ce qu'ils se sont dit sur le pas de la porte. Je n'ai remarqué que le long baiser, Judith s'abandonnant dans les bras de Julien, criant:

«Je le veux, oui, oui, je le veux tant! »

Reviens vers Judith, Abel! Ne laisse pas la patte d'ours mal léchée de Morial-Mort t'écraser dans la rue Monselet! Fuyez, ô fantômes d'Abel, en suivant le cours lâche de la Rivière des Prairies! Que jamais plus il ne soit question de Jos, ni du père, ni même de Steven! Reviens vers Judith, Abel! Dans son attente, la voilà lasse et toute molle, pleurant dans le grand lit de la chambre du Sud, songeant au bébé, ne le désirant plus, songeant même aux moyens de l'expulser pour que tout entre vous avorte enfin, tombe dans le néant, et le rêve de Julien l'habite, elle qui ne procède plus de toi. Abel! Pourquoi mets-tu tant de temps à avaler l'oeuf jaune dans ton assiette, *Chez Jeanne*, rue Saint-Vital? Si tu tiens tant que ça à voir ton père, pourquoi n'entres-tu pas dans sa maison pour l'y attendre en feuilletant l'album de vieilles photos? Moi, je ne suis qu'un chat. Moi-même, je me meurs de faim.

Pollux sortit sa tête du drap. Quelle fureur Abel mettait à

écrire! Son petit doigt gauche bleu d'encre. Et les ratures, les gros traits du stylo feutre pour effacer les mots chutant dérisoirement après trop de déformations, de contorsions et de grimaces. On ne disait jamais que l'inessentiel puisque, au-delà du secret, il n'y avait encore et toujours que le secret. Celui de la fuite de Judith qu'il essayait d'éventrer gardait toute sa cuirasse. Je ne te mérite pas dans ta vérité, ô livre-amour de mon roman! Et il froissait la feuille, la lançait sur le lit, attrapant Pollux à la tête. Je m'amuse avec tes mots muets, regarde-les quand je mets ma griffe dessus, ils se tordent et se précipitent hors de la feuille et font une traînée jaunâtre sur la patte du lit. Abel jurait. Qu'est-ce qui ne marchait pas dans l'épisode de la fin de la fuite de Judith? Tout le reste de son grand roman d'amour était terminé et il n'y avait de blanches que ces seize feuilles, au beau milieu du récit. Dix heures, dit le vieux ouestcloque. Abel haussa les épaules. Melville, qui allait bien, pourrait bien attendre une journée encore. Pour l'instant, rien ne comptait que Judith. Aide-moi, dit-il à Pollux. Sinon de ta Mère Castor jamais plus nous n'entendrons parler. C'est ça, lèche ta fourrure et reviens te coucher devant moi, chat-fétiche, chat-totem. Tes yeux sont pleins de la lumière de Judith. Et crache stylo feutre! Crache!

12

Peut-être, finalement, l'épisode était-il trop simple à narrer. Tout était si fragile ce matin-là, comme si de la nuit on n'avait gardé de soi que son ombre, et moins encore: que la pureté de l'événement duquel Judith et Abel n'étaient séparés que par la porte du bungalow de Terrebonne. Où avait-il passé la nuit? Était-ce dans la chaleur de la négresse Johanne rencontrée dans le rue Saint-Denis en sortant de son bureau, et dont il ne convenait pas encore de parler vraiment pour ne point ameuter le récit qui pouvait bien, si Abel cédait à la tentation, se modifier de façon outrageante pour Judith, et cela ne devait pas arriver, on aurait plus tard tout le temps voulu pour s'y complaire. Il avait embrassé Johanne sur la joue, puis ils étaient allés boire un café au Mazot. Tu es bien la seule personne que je n'aurais pas voulu voir aujourd'hui. (Cette petite phrase creuse de trop avait-elle été alors qu'il jouait avec la fourchette, faisant des trous dans la nappe de papier, ne regardant pas Johanne, cette main noire se posant sur sa cuisse, et Johanne avait dit:

«Tu es un sorcier, tu m'as envoûtée. Depuis ce qui s'est passé l'autre jour dans ta baignoire, je n'appartiens plus à mon corps. Sans le savoir, je me suis donnée à toi. Pourquoi fais-tu si peu de cas de mon amour? Tu le sais bien que Judith ne t'aime plus et que je suis là, t'attendant dans ton rêve. Aimons-nous, Abel.»)

Il grimaça, conscient que cette fois-ci il ne s'en tirerait pas aussi facilement que les autres jours, par quelque parole sans conséquence, du genre: «Ne parlons plus de cela, Johanne. Tu sais tout comme moi ce qu'il y a d'impossible entre nous deux.» Non, Johanne n'avait pas fait le pied-de-

91

grue pour rien devant la maison d'éditions, les yeux tournés vers la porte.

«Il faut que tu me délivres du sort que tu m'as jeté. Crois-tu donc que j'ignore qu'à quatre heures de la nuit tu te réveilles, te lèves, t'enfermes dans la petite chambre rouge de ta maison où, dans la position du lotus, tu médites et m'envoies des messages ondulés? Ne me mens pas, Abel. Si tu te refuses à moi, que vais-je devenir? C'est déjà bien étrange que tu ne veuilles point venir dans ma chambre sortir les grands lapins blancs qui y sautent toute la journée!»

«Je ne comprends pas ton langage, Johanne, mais pourquoi me fascines-tu ainsi?»

Elle avait mis sa main sur la sienne. Je ne te quitterai jamais plus. Suis-moi dans ma chambre. Une folle, je n'attire que les folles. Je te le répète, c'était magnifique! Mais de quoi parles-tu, Johanne? Elle riait, ses grandes dents blanches brillaient dans sa bouche, et elle entraînait Abel derrière elle, le tenait par la cravate, hystérique, dansant le charleston dans la rue Saint-Denis, racontant toutes sortes d'histoires énormes et incompréhensibles. Comment moi Abel puis-je me laisser mener ainsi, par ma cravate! Pourquoi ne pas lui dire qu'il faut que je rentre à la maison où Judith a tout autant à m'offrir qu'elle? Il la regardait, caché derrière ses lunettes noires. N'essaie pas de m'hypnotiser par ce mouvement cadencé de tes fesses! Je n'y succomberai pas. Sur ton perron, je te quitterai pour un monde meilleur. Il se disait cela en courant derrière la noire Johanne mais savait déjà qu'il ne ferait rien de tout ceci. Puisque tu y tiens, récite-moi ta poésie. Ils étaient assis l'un à côté de l'autre sur le divan-lit. Les fleurs de la tapisserie sautaient dans les yeux d'Abel. L'appartement de la négresse Johanne sentait le lilas. Elle avait croisé ses jambes minces, battait dans ses mains, faisait revoler ses cheveux noirs en donnant de petits coups de tête, et des fossettes se creusaient dans ses joues quand son grand rire ébranlait Abel.

«Pourquoi ne me crois-tu pas? dit Johanne. Puisque je te

92

dis que nous avons fait l'amour tous les deux et durant toute la fin de semaine!»

«C'est impossible, Johanne, dit-il. Et je te l'ai dit hier au téléphone. J'ai passé le week-end à Saint-Gabriel-de-Brandon, sur un semblant de plage et les eaux stagnantes faisaient de grands nénuphars le long de la rive. Je ne pouvais être avec toi. Regarde dans ma main cette ampoule que je me suis faite en jouant aux fers. Les pines étaient à soixante pieds l'une de l'autre. Sur la digue de roches, les framboises rouges. Une poignée suffisait à vous ensanglanter la main.»

«Tu mens, tu essaies de me tromper, tu voudrais te débarrasser de moi. Quand donc alors m'ordonneras-tu de me tuer? J'ai déjà un bidon d'essence dans l'armoire et une pleine boîte d'allumettes. Tu me fais faire toutes sortes de Elle avait gloussé et mit sa tête sur l'épaule d'Abel. Je saigne dans mon silence blanc. Pourquoi avait-elle dit cela? Il faudrait que je m'en aille. Comprends, Johanne, que je ne puis pas te donner ce que tu me demandes. Fais-toi soigner, tu es très malade. Mais Abel ne disait rien, regardait la petite table de travail à l'autre bout de la pièce, et le mur sur lequel était épinglé un poster. Ce champ d'herbes hautes, ce grand cheval bai et la jeune fille nue qui courait devant, ses cheveux blonds faisant une comète de lumière entre elle et l'étalon. Elle l'avait retenu quand il avait voulu se lever, criant quelque autre parole désespérée. (Et moi je songeais à ce qui s'est passé l'autre jour, dans la petite chambre, dans celle où le bébé de Judith aurait poussé ses premiers cris mais où il n'y avait encore rien de lui, pas même le lit ni les langes, seulement ce tapis oriental et les lampes bleumauves et cette bicyclette au milieu de la petite chambre rouge, et je te vois y monter, je t'avais dit: «Pédaler toute nue et rester immobile, un livre de Broch entre les guidons, comme j'aimerais te voir faisant cela!» Tu m'as obligé à sortir de la chambre et quand tu m'as demandé d'y revenir, tu étais montée sur la machine, toute noire dans ta peau nue, et il n'était absolument pas nécessaire d'être un maniaque sexuel, avec un chromosome Y en plus, pour que déferle la vague du désir. Sais-tu, Johanne, qu'il existe des bicyclettes sur lesquelles une femme peut prendre son plaisir? Le mouvement du piston de caoutchouc entre les cuisses. Il ne faut plus que tu me provoques!)

Lâche Abel incapable de dire non à la noire folie de Johanne, restant avec elle dans son appartement de la rue Saint-Denis, pensant qu'en face, dans l'édifice de grosses pierres grises, son frère Steven et sa soeur Gabriella, assis par terre l'un à côté de l'autre, regardaient la télévision en mangeant une salade dont l'huile de tournesol leur coulait sur le menton. Moi seul ne sait plus quoi faire de ma vie. Johanne avait insisté pour qu'il dîne avec elle; il la voyait qui s'agitait dans la cuisinette, ce n'était pas une femme mais quelque fabuleuse bête dragonnante ou licornieuse, irréelle comme sa vie depuis quelque temps, fantômnale. O pays des Papinachois! dit-il en faisant vibrer sa voix. Puis il but une gorgée de gin. L'abeille bourdonnait toujours dans la cuisinette, mêlant ses chants au bruit des casseroles. La nuit descendait de la rue Sherbrooke, par petites mottes qui allaient s'aglultiner derrière les fenêtres, forçant Abel à allumer la lampe à côté de lui. (Et bientôt étendu à côté de Johanne, se laissant déshabiller par elle qui lui caressait le ventre; et elle aussi serait nue, disant:

«Je suis couchée sur l'autel de mes sacrifices et j'attends, ô sorcier, que tu m'immoles pour les dieux de ton écriture!»

Comment résister et pourquoi résister? Judith non plus n'était pas rentrée, Julien l'ayant encore entraînée à Blue Bonnets, au Club House où ils mangeaient en mettant au point leur plan d'évasion. Peut-être Judith avait-elle téléphoné mais de cela Abel n'était pas sûr. Il était maintenant allongé par-dessus la négresse Johanne, la pénétrant fébrilement, et les mains de la négresse Johanne se promenaient sur son corps, et elle n'arrêtait pas de chialer, lui disant:

«Il faut que tu me sauves, j'ai besoin de toi, j'ai tant besoin de toi, je ne veux pas mourir, comprends-le Abel, comprends-le et aime-moi!»

Et plus il allait creux en elle et plus il lui semblait qu'au lieu de lui donner de la vie, il la lui enlevait, l'aspirant par son sexe. Que de pitié! Mon Dieu, que de pitié! Il était resté longtemps en elle et c'était ainsi, l'emprisonnant dans ses bras, qu'elle s'était endormie, la bouche ouverte, ses cheveux tout ébouriffés, apaisée, rêvant sans doute avec tranquillité à la mer d'Haïti, aux petites maisons blanches de Port-au-Prince et à Aimé Césaire pour qui elle voulait écrire un livre. Abel avait fini par se dégager d'elle et, se rhabillant, il voyait sa poitrine qui se soulevait et s'abaissait et il se fit violence pour ne pas retourner auprès de la négresse Johanne et pleurer à son tour sur l'épaule noire. Que t'ai-je donné? Qu'ai-je perdu à jamais en couchant avec toi? Toi, si belle! Et tout ceci pour rien! Et maintenant, je dois aller retrouver Judith. Que comprendra-t-elle de tout ceci?)

Il n'avait mis ses souliers qu'une fois dans l'escalier. Johanne ne s'était pas éveillée. Peut-être devrais-je lui laisser un petit mot sous la porte. Mais quoi? Il ne trouva rien à écrire qui eût été simple et qui n'aurait pas risqué de tout empirer entre elle et lui. Il s'en alla donc. La rue Saint-Denis était déserte mais à peine plus noire que le jour. Que dirait Steven si j'appuyais sur le bouton doré à sa porte? M'ouvrirait-il, à moi qui suis sans espoir au bas du long escalier? (Et je me meurs, et il n'y a personne d'autre que moi-même pour me l'écrire alors que seul dans le bungalow de Terrebonne je me défais dans ma vie, ne voulant pas la voir filer tout à fait entre les doigts de ma main!)

Il était monté dans la Renault, il mit du temps à démarrer. Oh non! Rien ne m'est facile depuis que Judith!... Sans doute n'était-ce pas Jos qui était fou. C'est moi qui me suis déguisé en vampire, roulant de nuit dans Morial-Mort au volant d'une vieille ambulance noire, faisant peur au monde. Moi, triste fou. Moi, décalcomaniaque reproduisant tout mais n'étant jamais! Les cuisses de la noire Johanne bien ouvertes sur le divan-lit, cuisses-pinces broyant toute ma vie passée. N'y verse plus de larmes, Abel! Et ne roule pas si vite!

Ce gros soleil rouge montant derrière les maisons, abolissant la nuit, ouvrant le jour au bungalow de Terrebonne devant la porte duquel tu te tiens immobile comme un i, attendant que Judith se lève et vienne vers toi, ses mains sur son ventre comme pour protéger le bébé qui y grandit dans toute l'innocence foetale. «Judith! Réponds-moi, Judith! Ouvre-moi ta porte pour l'amour de Dieu!» Mais elle, insensible à ton silence implorant, que fait-elle? Tous les tiroirs de la commode entrouverts, le linge débordant d'eux comme de la pâte à tarte, et ses deux valises rouges sur le divan dans le salon! Tu pars tout le temps, Judith. Bientôt je ne serai plus capable de l'accepter et mon amour pour toi ne sera plus qu'une lamentable commisération, qu'une pitié. (C'était Miami qui recommençait, sans doute tapait-il dérisoirement ce roman dans la petite chambre du Brodmoor Hotel alors que Judith, qui avait trop bu, bouclait ses malles, ses deux grands frères veules et Julien l'attendant dans le corridor, discutant à voix basse entre eux et, dans la porte entrebâillée, Abel voyait le chandail bigarré de Jim, ses longues cuisses brunes, et il écrivait furieusement, sentant bien que tout lui échappait, que bientôt il serait mort et oublié, à peine bon à faire pousser les pissenlits jaunes six pieds par-dessus lui.) Si jeune et si seul! «Ouvre Judith! Ouvre, bon Dieu!» Il avait fini par trouver le trousseau de clés au fond de sa poche, sous la vieille pipe cabossée, le paquet de tabac et les cartons d'allumettes qu'il avait achetés avant de monter dans sa voiture, tache verte sur le terrain de stationnement. La serrure lui donna du mal. Il fallait que ça se passe ainsi, il fallait qu'il laisse tout son temps à Judith puisqu'il était écrit qu'il ne pénétrerait dans la maison qu'une fois l'irréparable commis. Il vit tout de suite les deux valises rouges dans le vestibule, il cria:

«Judith! Judith! Est-ce que tu es là?»

Et comme il n'entendit pas de réponse, il se précipita dans le corridor, butant contre les valises dont l'une s'ouvrit. Cette photo de lui-même alors qu'il avait toute son assurance, le regard narquois et l'écran de fumée, pourquoi Judith qui ne voulait plus de lui l'apportait-elle avec elle et Julien?

Elle était assise dans la cuisine, devant le poster de Goulatromba, buvant son café, la cigarette tachée de rouge éteinte dans le cendrier. Elle ne le regarda pas. Ses yeux faisaient des éclairs sur le mur, ses yeux détruisaient Goulatromba, annulaient tout ce qu'il y avait encore de chaud et de vivant en Abel. Seul Pollux vint à sa rencontre, fit le gros dos contre sa jambe. Ce fut la première fois que les papillons emplirent brusquement les yeux d'Abel et il dut prendre appui au dossier d'une chaise pour ne pas tomber, et il balbutia:

«Pourquoi Judith? Pourquoi?»

Elle ne le regarda pas davantage, se leva, son corps effleurant celui d'Abel quand elle passa devant lui, courant dans le corridor, mettant ses mains sur la poignée de ses deux valises rouges, et disant alors qu'elle regardait la sonnerie de la porte:

«Je m'en vais, Abel. Je ne reviendrai plus jamais. Essaie d'être heureux. Je ne peux rien pour toi, je ne peux rien pour toi, mon si pauvre Abel!»

Et ses yeux étaient pleins de larmes quand elle hurlait cela, sa voix chevrotante, sa voix blessée à mort par cette nuit passée seule tandis que pour lui la négresse Johanne faisait un battement de cils de ses noires jambes. Elle avait donc empoigné ses valises, donné un coup de pied dans la porte. Je te vois encore et tu t'enfuis dans la rue Kennedy et bientôt Julien te fera monter dans la Thunderbird chromée (tes seins bruns écrasés contre mon corps, ô ma Judith!) et, toute la journée, je resterai immobile devant la porte, gémissant, incapable de me préparer à la nuit et n'entretenant que la folie en moi, cette écriture cassée, boiteuse, claudicante, panier de crabes de mes intentions, sac à malices périmé dont il n'y a plus rien à espérer. O mégalomanie! Je ne veux pas mourir, te sachant heureuse avec ce Julien! Les mouches occupaient le paysage, le menaçaient dans leur silence, attendaient qu'il tombe pour se jeter sur lui et pomper, de leurs petits dards noirs, tout le sang qu'il y avait dans ses veines. Le facteur était passé mais Abel n'avait pas répondu à son salut et n'avait pas davantage allongé la main pour prendre cette lettre qui lui était offerte. Toute ma vie devenue artifice, même plus de courage, même plus de désir, seulement debout dans la porte et regardant la rue Kennedy, fausse comme un décor de théâtre, fausse comme un décor de cinéma, fausse, fausse! Il n'allait plus jamais sentir sa faim. Et je songe à Judith, me demandant de quoi sera fait son amour avec Julien. O ma beauté! Je ne verrai pas l'enfant, le gros docteur moustachu a installé la pompe entre les jambes de Judith, ça suce, ça suce Docteur, je suis inquiète, je ne veux perdre que l'enfant, Julien!, Julien!, reste à mon côté, mets ta main sur mon front, ça suce trop fort, je ne pourrai résister. Dans l'incinérateur! Des milliers de petites choses informes ainsi jetées dans la bouche vorace. Ce trou puant. Ce lieu de nos ignominies. Et notre enfant jamais ne saura qui nous fûmes ni tout ce qu'il y a eu d'impossible et de désespéré dans notre amour. (Allongé à côté de toi, je rêvais mal l'autre jour, je regardais ton ventre bientôt déformé et je sais que si tout a été mal entre nous deux, c'est de ma faute, c'est à cause de ce que j'ai pensé à ton sujet et au sujet de l'enfant. Je te voyais, te délivrant de lui. Petite tête sanguignolente apparaissant entre tes cuisses alors que tu hurles et mords ma main, et... Oh non! Quelle formidable faute ai-je commise? Dis-moi Judith que ce n'est pas vrai que j'ai pris l'enfant par ses petites jambes et que je l'ai tué en lui frappant la tête sur la commode!)

Pollux miaula. Silence, dit Abel. Laisse-moi terminer mon chapitre. Pollux insista. Je ne peux pas être plus inquiet pour ma Mère Castor. Abel, du bout du doigt, caressa Pollux sous la mâchoire. Il faut d'abord que j'en finisse avec mon roman d'amour. Pollux sauta sur les genoux d'Abel puis se laissa tomber sur le tapis. Dans ce cas, je m'en vais moi-même me rendre compte du sort que s'est fait ma Mère Castor. Abel haussa les épaules. Que peut bien me faire ta Mère Castor quand j'ai des milliers de mots à écrire encore sur Judith, sur

Jos, sur Père, sur mon frère Steven, sur Johanne noire, sur Abraham Sturgeon! Va, Pollux. Va à la recherche de ta Mère Castor. Tu fais bien. Abel entra ses pieds sous la caisse d'oranges. Et dans un long bâillement il avala tout ce qu'il avait déjà écrit dans le premier chapitre de son roman d'amour.

13

Il ne comprit pas comment cela vint en lui, quelle poche d'eaux usées creva brutalement dans sa tête alors que les mots se brouillèrent sur la page devant lui. Sa main gauche tremblait. Depuis qu'il avait été atteint par la poliomyélite, il ne pouvait plus rien écrire après une heure, sa main zigzaguant sur le papier, dessinant des monstres bleus. Je devrais apprendre à écrire de la dextre, pensa-t-il. Ou taper à la machine. Mais dactylographier un texte n'a rien à voir avec l'écriture! Je ne suis pas un traducteur, encore moins un journaliste à la Abraham Sturgeon! Il massait son poignet. Quel tic ridicule, bon Dieu! Rien à faire. Et ce n'est pas seulement à cause de ma main. Cela vient de plus loin que ça. (Les oiseaux chantaient dehors, cachés dans les cèdres, et le vent entrant par la fenêtre sentait bon, était plein d'odeurs résineuses. Le chien des Smith jappait, le petit Jonathan des Cardinal devait pédaler comme un enragé sur son tricycle. Mes roses se fanent toutes seules dans le jardin. Les radis ont monté en graines.)

«Mon si pauvre Abel, avait dit Judith. Tu n'as pas trente ans et déjà tu me parais bien vieux. Regarde ton dos, courbé, courbé mon si pauvre Abel! J'ai tant de pitié pour toi. Pourquoi la vie ne te suffit-elle pas? Des livres! Ta peau jaunit comme les vieux romans que tu achètes, que tu entres en fraude dans la maison, dans de grands sacs bruns, comme s'il s'agissait d'épiceries. Mon amour pour toi est devenu une plainte. Oh non! Tu n'aurais jamais dû commencer tout cela! Regarde ta maison, Abel, vois ce qu'elle est devenue depuis que je n'y suis plus. Tu la gruges, les cloisons éclatent, et ces lézardes sur les murs! On dirait que tu vis dans un mot obscène et triste. Mon si pauvre Abel! Viens avec Jim et moi à Miami! Ta peau cuivrée te rendra imperméable à tous ces mots misérables. Ne fais pas l'enfant, Abel!»

La page qu'il venait d'écrire était tout à fait illisible. Tout ce que je mets de moi et que les mots adoucissent. Désamorce-toi, ô ma douleur! Je n'arriverai à rien avec ce roman. Je ne peux pas m'atteindre dans ce que j'ai de plus pénible ni dans ce que j'ai de plus pur. Toujours dans l'entre-deux. C'est le voyage de cette nuit qui m'a épuisé. De la lumière! M'éblouir dans le jaune de tes yeux. Il ne saurait plus n'y avoir que de l'absence, même quand j'écris ainsi, en dépit de ma main tremblante faisant ses barbots schizophréniques sur le papier. C'est par ma main et c'est par mon oeil que je me brûle. Où es-tu, Pollux?

Abel se leva au même moment que la sonnerie du vieux ouestcloque se faisait entendre. Onze heures et je piétine. Il prit un autre crouton de pain dans le frigidaire, mordit dedans. La vitre de la fenêtre de la chambre du Sud était sale; la lumière s'y décomposait par cônes, faisait des taches brunâtres sur le rideau de jute. De vieux poumons étampés sur le mur. Du foie de veau pourrissant. Il grimaça, conscient tout à coup qu'il avait mal au coeur. Il mit sa main sur sa poitrine, écouta les battements affolés. Je devrais dormir un peu, m'étendre, m'allonger, me déplier dans tous mes morceaux, fermer mon oeil de cyclope et, pendant des jours, ne dans le lit aux seize matelas de plumes d'oie et le Prince, après avoir fait son chemin jusques à toi, coupaillant de son qui est arrivé, veux-tu que je te le dise? Tu dormais, étendue dans le lit aux douze matelas de plumes d'oie et le Prince, après avoir fait son chemin jusques à toi, coupaillant de son épée dans la fardoche, a éternué à cause des toiles d'araignées décorant ton baldaquin. Il s'est extasié sur ta beauté, tapant dans ses mains comme un enfant, faisant revoler la poussière de ses grands pieds bottés dont les éperons jetaient du feu aux quatre coins de ton sommeil. Son hystérie épanchée, le Prince a enlevé ses gants pour mieux caresser le bout de ton pied. Puis il t'a remonté ta robe sur les hanches. Quel bon Dieu de beau pubis! a-t-il crié. Quelle belle bête avenante dans le creux de ton ventre! Il s'est déboutonné, sortant son gros sexe humide de son pantalon et, s'allongeant sur toi, te mordant le nez, déchirant ta robe pour s'emplir les yeux et la bouche de tes seins aux aréoles d'or, il t'a prise alors que tu dormais toujours, soumise à la loi du Prince déversant en toi le trop-plein de sa solitude. Le i grec moustachu de tes jambes écartées. Je ne comprends pas pourquoi le Prince ne t'a pas ensuite tourné sur le ventre pour voir tes splendides fesses roses. Sans doute était-il chrétien. Sans doute aussi n'enculait-on pas les jeunes femmes en ce temps des contes. Et voilà maintenant le Prince qui tire une chaise dans l'obscurité et s'assied à côté de toi, glissant une main dans sa poche, en sortant une blague de tabac, une pipe et un briquet d'argent. Il bourre sa pipe, l'allume et se met à fumer. Il ne fait rien d'autre que tirer sur sa pipe et te regarder. Il sait que tu t'appelles Judith, il t'aime dans son silence et, les jambes croisées, songeant vaguement à ses douloureux testicules, il attend, ignorant encore que dans neuf mois tu accoucheras d'un enfant dans la profondeur de ton sommeil.

Il avait mal aux dents, à cause de la pierre grise du crouton de pain qu'il lança à l'autre bout de la chambre du Sud, atteignant Mao à l'oeil.

«Pollux! Où es-tu, Pollux?»

«Je cours dans les bois, à la recherche de ma Mère Castor. Espèce de sans-coeur! N'as-tu pas honte de rester dans ta chambre alors que peut-être ma Mère est mourante dans les buissons? Quel grand pays que ce bois, Abel! Je n'y arriverai jamais tout seul. Pourquoi ne viens-tu pas m'aider?»

«J'ai trop de travail ici qui, si je ne le faisais pas, m'égarerait de façon autrement plus efficace que ne le sera jamais ta Mère Castor. Je partirai à sa recherche au beau milieu de l'après-midi si d'ici là nous n'avons pas de nouvelle d'elle. Maintenant, laisse-moi en paix car je suis débordé dans mes mots. J'ai déjà une demi-heure de retard sur mon horaire.»

Soliloquant ainsi, Abel entra dans la chambre de bains, fit couler l'eau de la baignoire, ouvrit la bouteille de mousse liquide. Ces bulles blanches qui pétillent. Tire le rideau opaque de la fenêtre car l'eau agit mieux dans le noir. La négresse Johanne quand elle mit son pied sur mon sexe, jouant avec, glousant parce que je raidissais vertigineusement. Pourquoi ne lui ai-je pas téléphoné ce matin? Ce serait un hommage pour moi, ô Maître, que d'aller vous décrotter dans votre caverne! Un mot de vous et j'arrive avec mon seau, mes torchons et mon Comet. Son cul lorsqu'à quatre pattes elle lavera à grands coups de brosse le plancher du corridor. Ressemblerait-elle à ma Mère? (Ses vieux bas de nylon ravalés sur ses genoux, les grosses jambes malades qui bientôt se mettraient à enfler, et Mère marchera quelque temps à l'aide d'une canne avant d'être confinée à son lit où, souffrante, je suis allé si peu souvent la voir. Je ne saurais demeurer stoïque face à votre infinie douleur, ô ma Mère! Cette fois où m'assoyant sur la chaise à côté de son lit, je ne la regardais pas, je ne voulais pas voir ces plaques galeuses qui lui mangeaient tout un côté du visage, détruisant du même coup toute image apaisante que je pouvais encore avoir d'elle, de ces temps lointains où jeune elle m'emmenait à l'église avec elle, si belle, si belle étais-tu ma Mère dans tes endimanchements, et tu me tenais par la main, et tu tenais les Trois-Pistoles dans ta main, les hommes te sifflaient, toi souriante, toi si belle. Ta gorge rouge brûlée par le soleil. Ta main potelée retenant la mienne. Que me disais-tu, ce matin-là?

«Quand tu es seul, Abel, il faut toujours que tu marches à l'extrême gauche du trottoir, par respect pour ton ange gardien qui, lui, se tient à ta droite.»

Et je disais:

«Mais le fait que je sois gaucher ne change-t-il pas quelque chose à tout ceci, Mère?»

Et elle disait:

«Non, Abel, puisque les règles sont les règles.»

Et je disais:

«Mais si je suis à gauche et que je marche devant le soleil, l'ombre de mon corps ne nuit-elle pas à l'ange?»

Et elle disait:

«L'ombre est une illusion, seul l'ange est vrai. N'aie donc pas peur des manifestations de ton ombre.»

C'était à cela que je pensais alors qu'assis à côté de ma Mère souffrante, je n'osais la regarder, encore moins lui parler, me méfiant de ma voix. Ne meurs pas, Mère! Cette seule phrase que j'aurais pu lui dire, que je taisais toutefois pour ne pas apeurer ce qui restait encore de vie en elle. Et lentement, elle a tiré son bras nu de dessous la couverture, sa main s'est emparée de la mienne et, ouvrant les yeux, elle a dit:

«Oh, pourquoi ne m'embrasses-tu pas, Abel?»

Elle tendait la joue, je voyais la plaie purulente et comment mes lèvres auraient-elles pu se poser là-dessus, sur tout ce qui se mourait rapidement en elle et qu'elle ne pouvait plus endurer dans sa solitude alors que le monde, autour d'elle, bougeait d'une vie multiple? J'ai essayé, j'aurais tant voulu lui accorder cette dernière joie avant qu'elle s'en aille mais c'était au-dessus de mes forces et je me suis levé précipitamment, m'enfuyant dans le corridor où je butai sur Père. Les yeux d'Abel pleins de larmes.

«Que se passe-t-il, Abel? Que se passe-t-il?»

Comme un fou, son père était allé retrouver Mathilde qui pleurait elle aussi, balbutiant:

«Je vais mourir, je suis devenue épouvantable même pour mes enfants. Laide, si affreusement laide! Pourquoi faut-il que je parte sans ma beauté?»

Son père assis sur la petite chaise à côté d'elle qui sanglotait sans fin, emportée par le mouvement infiniment triste de sa douleur. Il allait finir par se lever, désespéré et soupçonnant que c'était à cause d'Abel que Mathilde sanglotait.

«De quelle absence de courage dois-je t'accuser? Et pourquoi tout ce mal, Abel? Qu'ai-je fait pour subir tout ceci?»

104

Son père affolé comme un enfant devant lui qui ne savait que dire et faisait tinter les pièces d'argent dans sa poche. Depuis que Mathilde était malade, le poster de la pin-up nue épinglé sur le mur avait été enlevé, remplacé par une image pieuse, cette sainte Cécile identique en tous points à celle qu'il y avait dans la chambre de sa mère.

«Dis-moi quelque chose, Abel. Je t'en prie, parle!»

Lui et son père s'étaient assis sur le bord du lit, il y en avait trois autres comme celui-là dans la pièce, alignés l'un à côté de l'autre, décorés de courtepointes faites des guenilles ramassées par la mère. Le pesant silence que ni le père ni Abel n'arrivaient à briser.

«Nous n'avons pas encore envoyé ce télégramme à Paris pour demander à Steven de revenir avant qu'il ne soit trop tard.»

Il avait mis sa main sur l'épaule de son père, il lui donnait de petites tapes dans le dos, empêtré dans son silence, furieux contre ce cancer qui allait leur enlever la Mère. Muets resterons-nous à jamais, le nez plein des mauvaises odeurs de la fin de Mère. Père, faisons comme l'oncle Phil: allons dans la cuisine et jouons aux cartes. On ne peut plus rien contre ce qui se passe dans cette maison. On lui a rivé son clou.)

L'eau refroidissait dans la baignoire. Les bulles mousseuses avaient toutes éclatées, ne laissant qu'un épais cerne le long de la baignoire. Abel sortit de l'eau. Ruisselant je suis. Du bout du pied, j'enlève le bouchon. Je bâille, puis je cours dans le corridor. Nu. Je tombe dans le lit de la chambre du Sud, me roule dans les couvertures comme faisait Judith toutes les fois qu'elle prenait un bain.

«S'essuyer, c'est trop long et ça demande trop de serviettes. Lèche ma peau mouillée. Suce les poils de mes aisselles. Si tu savais tout le désir que j'ai accumulé en moi et qui, maintenant, éclate dans ma tête comme une décharge électrique. Abel, que ferons-nous de nos corps quand nous ne serons plus ensemble?»

Il ne lui avait pas répondu, allongé à côté d'elle, tirant sur sa grosse pipe, songeant guère à Judith, encore plein de tous ces mots qu'il n'avait pas eu le temps d'écrire encore, qu'il ne coucherait jamais sur du papier sans doute à défaut de loisir pour le faire, se disant même que sa vie était trop sévèrement hypothéquée depuis que la poliomyélite lui avait enlevé le meilleur de ses énergies, faisant de lui un infirme, je monte dix marches et je suis à bout de souffle, j'aurai toujours peur du vent désormais et l'hiver, je m'encabannerai pour échapper à la mort, ce ne sera pas une vie pour toi Judith, il vaudrait mieux que l'on se quitte, toi toute entière encore, pleine de vie et si belle dans ta peau nue!

Abel sommeillait dans le lit de la chambre du Sud. Il n'avait plus rien à opposer à son épuisement. Depuis que mon monde s'est rétréci comme une peau de chagrin, je n'ai qu'à me parler à moi-même, transformé en spirale odieuse faiseuse d'images courtes. O Judith d'antan! O tous mes rêves! Faudra-t-il que je boive encore dix onces de gin pour que la courageuse écriture me revienne, pour que je retrouve la force de sortir de ce lit et d'aller au salon où m'attend le deuxième chapitre de mon livre, tout entier voué à la grandeur de Steven?

Son corps était dans le lit de la chambre du Sud mais son esprit courait ailleurs. Abel se vit se levant, marchant dans le corridor, sautillant même comme un codingue, les lèvres serrées sur son harmonica, ce petit curieux instrument dont il n'avait jamais su jouer mais que tout le monde chez lui manoeuvrait avec une extrême facilité, dans les énormes fêtes du jour de l'an alors qu'il n'était pas rare qu'on vît toute la tribu assemblée autour du Père et de l'oncle Phil crachant toute la gamme des vieux reels tandis que la Mère, un peu en retrait, portant son violon sur l'épaule, les accompagnait. Laissait-elle l'archet et renversait-elle la tête en arrière que l'on voyait ses belles dents blanches qui luisaient dans la ténèbre. Mais comment pourrais-je danser puisque je te sais morte, ô ma Mère! Abel ne sautillait plus dans le corridor, il boitillait, il claudiquait, navré de n'être que seul, à moitié fou et craignant comme la peste la nuit qui viendrait bientôt et qui, celle-là, serait sans recours, l'emprisonnant dans ses griffes pour l'emmener bien loin dans sa fin. La nuit noire autour de nous rôde de son ombre creuse. Pourquoi ne vais-je pas ouvrir les rideaux? Pourquoi ne laissé-je pas la lumière violenter cette maison, ce petit et pitoyable bungalow perché comme une dinde malade dans l'arbre de Terrebonne? Quelqu'un, aidez-moi! Ne me laissez pas mourir ici. Donnez-moi à manger. Où es-tu, vieux fou à Malcomm? Tu ne connais donc pas mon numéro de téléphone? Viens sonner à ma porte et, montant avec toi sur le dos de Goulatromba, nous chevaucherons toute la journée s'il le faut pour trouver un hôtel à notre goût. Devant de grosses bières, nous radoterons toute la nuit pour éloigner de nous les épais oiseaux de notre mort. Goulatromba! Cela aussi n'existe plus, Abel! Enterré, ton Goulatromba! Pourrissant sous le plancher de ciment du souterrain dans ton bungalow de Terrebonne! Ouvre les yeux, bon Dieu! Prends tes jambes à ton cou et sauve qui peut! Ton travail de lecteur de manuscrits t'attend à la maison d'éditions de la rue Saint-Denis. Maudit tricheur! Vieille bête puante allongée dans le lit de la chambre du Sud, les deux mains sur la poitrine et essayant de réprimer les battements de ton coeur! Allons, Abel! Lève-toi. Steven t'attend dans le salon et tu n'as pas encore écrit deux lignes à son sujet. Crois-tu donc qu'il suffit d'y penser pour que le roman s'écrive de lui-même? Et la Mère Castor perdue dans la savane, aux trousses de laquelle court le petit Pollux, bien inutilement car il est trop jeune encore pour comprendre les grands mystères du sang! Le laisseras-tu tomber lui aussi? Et Abraham Sturgeon, ne faudrait-il pas que tu prépares sa venue à lui aussi? Que de travail devant toi, Abel, et quelle complaisance mets-tu dans ta paresse!

«Tu as raison, dit Abel. J'accumule trop de lâcheté en moi. Il est midi, donc grand temps que je m'en aille au salon veiller mon frère Steven.»

Il se leva, prit sur la commode le bocal de poudre Baby Zone, s'en mit sur tout le corps, soigneusement. Il fallait observer un rite pour toute chose que l'on faisait et comment aurait-il pu paraître devant Steven le corps couvert d'écailles? Le roman de Steven, il devait l'écrire nu et blanc de poudre des pieds à la tête. Même la bouteille de gin, il avait dû, avec de la gouache, la blanchir pour que son inspiration ne se mette pas à dérailler et, par cela même, lui cacher toute vérité. Trois pas encore et je suis devant vous, ô mon frère Steven!

14

Aux deux caisses d'oranges constituant son pupitre, Abel en avait ajouté deux autres. Il ne l'avait pas fait de gaité de coeur parce qu'il devient de plus en plus difficile de trouver ces bonnes vieilles caisses en bois remplacées aujourd'hui par les contenants de carton inutilisables après le long voyage Califournie-Morial. Pour tout dire, il lui avait fallu trois semaines pour dégotter ces deux caisses chez un antiquaire, et qu'il avait payées quinze dollars... le prix d'un vieil encadrement (une femme assise entre les colonnes d'un temple grec et jouant du violon entourée d'un grand garçon et d'une petite fille grimpée sur une table à trois pieds de bouc) qu'il avait dû acheter pour obtenir les deux caisses d'oranges. Quelle folie! Que n'aurait-il pas fait pour oublier le départ de Judith, pour se délivrer du monde de ses odeurs, pour ne plus jamais penser à ses petits seins ni à l'enfant qui devait être né maintenant, ou sur le point de l'être, petite chose rouge entre les jambes de Judith, hurlante et désespérée!

Nu et blanc de toute cette poudre Baby Zone qu'il s'était mise sur le corps, il se laisserait tomber sur la chaise devant les deux caisses d'oranges, tenant de la main droite la bouteille de gin sucré dont bientôt, une fois bien installé, il boirait sauvagement trois ou quatre gorgées à même le goulot. À chaque jour suffit sa pinte de Veuve Sévéry! Évidemment, Steven ne serait pas d'accord avec ce que je dis. Mon frère Steven n'est plus jamais d'accord avec moi! Où est mon stylo feutre? Où ai-je mis les multiples pages déjà écrites au sujet de Steven, mon frère bien-aimé, celui que Mère préférait entre nous tous, n'ayant pour lui qu'un grand et authentique amour, débarrassé de toute pitié, et voilà pourquoi Jos aguit tellement Steven car lui, si Mère l'aimait, c'était parce qu'il est triste et absolument dérisoire, tout tourné vers les forces obscures du Mal schizophrène, et velléitaire, se prenant pour Méphisto, laissant pousser ses moustaches lucifériennes, se mettant des poids sur les seins pour marcher davantage courbé — et délirant à tout moment, défonçant la porte de l'appartement de la rue Monselet, ivre, ses gros yeux globuleux pleins d'une douleur énorme, criant et pleurant, accusant Mère et Père de ne pas être aimé par eux, d'être écarté, tenu à distance de la tribu et sans personne pour l'appuyer, et c'est pourquoi, disait Jos, je laisse ma folie m'envahir, parce que personne ne m'aime, parce que personne ne me comprend, parce que personne ne veut écouter ce que j'ai à dire, toute cette grandeur que j'ai en moi et qui n'a rien à voir avec la facilité des poèmes de Steven. Si je voulais, je serais moi aussi un grand poète... Extrême donc est cette grâce que j'implore (aie pitié de ton frère!).

C'était donc à cela que songeait Abel, immobile devant ses deux caisses d'oranges, s'inquiétant facticement pour son stylo feutre et pour ces pages soi-disant rédigées alors qu'il savait bien que pas une ligne de la vie de Steven n'avait été écrite pour la bonne et seule raison qu'il ne croyait pas en avoir le droit. Indigne d'écrire ce livre autrement que par le silence. D'ailleurs, s'il avait acheté ces deux caisses d'oranges supplémentaires, c'était pour y mettre tout ce qui concernait Steven, c'est-à-dire ces quelque quinze cents lettres que son frère, quotidiennement depuis cinq ans, lui faisait parvenir dans de petites enveloppes bleues qu'adressait maintenant Gabriella, et cela était ainsi depuis dix-huit mois alors qu'elle était allée habiter avec Steven dans son petit appartement de la rue Saint-Denis. (Je n'y suis jamais allé, se dit Abel. Je ne les ai jamais vus ensemble, lui assis devant son petit pupitre d'écolier, écrivant de sa belle écriture, comme un moine du Moyen Âge, l'étrange discours de son amour pour Gabriella. Et elle se tenant debout derrière lui, lisant par-dessus son épaule, heureuse des mots souples qu'il faisait apparaître sur le papier, se remémorant le passé récent alors qu'elle était

110

allée à Paris le sauver de sa mort, l'embrassant sur le front pour combattre sa fièvre, et disant:

«Je t'aime, Steven! Je t'aime! Il ne faut pas que tu meures. Que deviendrais-je sans ta beauté?»)

Abel haussa les épaules. Je suis tellement habitué à mentir que même lorsque je dis la vérité, je ne fais que tricher davantage. Comment me guérir de mon triste état? Comment faire pour que s'entrouvent étonnées les grandes bouches de la demeure de Gabriella et de Steven? Pourquoi ne pas avouer que mettant au point ma ruse je suis entré chez eux sans y avoir été invité et sans qu'ils le sachent? Ce jour-là, il avait laissé bien plus tôt que d'habitude son travail de lecteur de manuscrits à la maison d'éditions de la rue Saint-Denis. Et, parce qu'il savait que la négresse Johanne, assise dans les marches, attendait qu'il sorte, il avait fui par derrière, utilisant la petite porte, glissant comme un colis sur le convoyeur où il s'était allongé sur un carton grâce à la complicité d'un employé rieur. Rendu dehors, il avait mis ses lunettes noires et s'était précipité dans la ruelle Émery, débouchant brusquement sur le soleil et la flopée d'étudiants auxquels il s'était mêlé, guettant pendant un temps la négresse Johanne immobile sur la dernière marche, vierge noire qui s'offenserait bientôt dans son grand manteau noir comme sa peau. C'est en courant et tout essoufflé qu'il était entré dans la maison de rapport, sonnant le concierge, lui disant qu'il voulait louer un appartement, que son frère Steven habitait cette maison et lui avait conseillé d'y venir aussi, ajoutant même que si le concierge voulait, il lui accordait la permission de voir comment cela était chez lui.

«Ah, vous êtes le frère de Monsieur Steven, avait dit le concierge. Est-ce que vous ne seriez pas par hasard Monsieur Abel, celui qui écrit des romans et dont Madame Steven me parle souvent?»

Cela avait été si simple! Il était monté avec le concierge agitant dans sa main le trousseau de clés, caquetant comme une vieille poule, répétant les mêmes choses qu'Abel n'écoutait pas, trop anxieux de voir l'appartement de Gabriella et de

111

Steven. Et me repaître de la chaleur de leur intimité, ouvrir grand la bouche et les yeux pour leur voler un peu de leurs émotions. Ce petit univers clos, à leur mesure. Ce curieux petit appartement ingénieusement découpé en labyrinthe, tout en minuscules couloirs, avec les portes noires s'ouvrant sur la chambre de bains, la chambre qui sentait l'encens, et le matelas jeté sur le plancher, les draps rouges, l'*Ulysse* ouvert sur la taie d'oreiller, à la page 446, sur ces mots soulignés en rouge: «Si l'accusé pouvait parler, le conte qu'il nous ferait serait l'un des plus étranges qui aient jamais figuré sur les pages d'un livre. Lui-même, monsieur le président, n'est physiquement qu'une ruine, il a la tuberculose des savetiers. Sa principale excuse est qu'il est d'origine mongole et irresponsable de ses gestes. En réalité, il n'y est pas du tout.» Et, en marge de cette phrase, ces mots de Steven: «Écrire ceci dans ma prochaine lettre à Abel.»

Au bout du corridor était le bureau de Steven. Abel y vit le tas d'enveloppes bleues déjà adressées à son nom de la main de Gabriella, de même que le paquet de feuilles quadrillées. Si je m'avançais encore, je pourrais lire cette lettre pour moi que Steven n'a pas fini d'écrire et que je recevrai dans deux jours, de cela je pourrais jurer. Mais harcelé par le concierge, il avait dû revenir dans la cuisine toute blanche, avec la lampe téfani au-dessus de la table, un vieux meuble que Gabriella décapait à temps perdu. Deux pattes noires et les deux autres de couleur bai. Un seul dessin sur le mur, celui du cheval Goulatromba qu'Abel avait envoyé à Steven par la poste, il y avait bien trois ans de cela. Et encore, songea Abel, je n'avais rien écrit avec ce poster, pas un mot. Peut-être Steven ignore-t-il qu'il vient de moi et que c'est la chose la plus précieuse de moi que je lui ai fait parvenir dans mon anonymat.

«Comme vous voyez, avait dit le concierge, il s'agit d'appartements très confortables. On y est et on n'a pas envie d'en sortir.»

Allusion à peine voilée à quitter les lieux, ce qu'Abel

112

avait fait en éteignant la lumière. Mauve dans tes rideaux, ô mon frère Steven!

Assis face au mur de papier teint dans le salon, le coude allongé sur la caisse d'oranges, Abel faisait un curieux dessin sur la page blanche. Perdant ainsi mon temps au lieu d'écrire le deuxième chapitre de mon roman, celui qui, en principe, devrait me donner le moins de mal étant donné les quelque quinze cents lettres de Steven entassées dans les deux caisses d'oranges achetées chez cet antiquaire de la rue Notre-Dame, lettres dont l'ensemble suffirait à composer tout un livre, je n'aurais qu'à les ouvrir pour que tout le monde de Steven me saute aux yeux, me préservant ainsi de moi-même, m'empêchant ainsi de couler à pic dans ma niaiserie, je brûle, c'est par mon cerveau que je brûle et que je m'en vais bien loin au centre de ma mort multiple, toujours faussée et jamais atteinte, comme si je devais comprendre que désormais il ne me sera plus guère possible de vivre que dans l'écartèlement de mes possibilités et de mes dons, impuissant à choisir. Rien jamais de définitif. Assis entre deux chaises. Mais peut-être seulement seul finalement.

Plusieurs questions restaient encore à être posées. Pourquoi Abel n'avait-il lu aucune des lettres que lui avait envoyées son frère Steven depuis son voyage à Paris, il y avait maintenant plus de cinq ans de cela? (Habitant l'Hôtel du Panthéon, en face de la Bibliothèque Sainte-Geneviève où, peut-être, James Joyce venait encore, mais de nuit, compulser d'énormes documents sur la vieille Irlande.) Et pourquoi Steven, à qui Abel n'avait jamais répondu, avait-il continué de lui écrire aussi régulièrement, aussi désespérément? Quel sens mystérieux Abel devait-il donner à cette continuité? À toutes ces lettres silencieuses qu'il avait conservées, sauf pour les timbres (du temps que Steven était à Paris) qu'il remettait presque religieusement à sa pauvre soeur Colette qu'il fallait faire interner six mois sur douze (à cause de la paralysie de sa jambe droite, elle aussi victime de la poliomyélite, portant cette bottine orthopédique odieuse, et s'appuyant sur une canne, pauvre, pauvre Colette neurasthénique et se tailladant les poignets dans la chambre de bains, ou voulant se noyer dans la Rivière des Prairies, debout sur le parapet, brandissant ta canne dans le vide, hurlant tandis que les policiers bloquent la circulation aux deux extrémités du Pont Pie IX, empêchant les gens d'approcher mais me laissant passer, moi qu'on a fait venir parce que Père, trop triste pour te parler, s'est effondré dans les bras de Freddy et pleure comme une vieille femme)? Sans doute était-ce quelque chose de profondément déprimant qui se cachait sous tout cela, sous ces milliers de mots, sous cet entêtement exemplaire, sous cette folie quotidienne! Un jour, il faudra bien que je m'explique avec Steven. C'est insensé! Tout aussi insensé que le fait que travaillant dans cette maison d'éditions de la rue Saint-Denis, je suis à quelques centaines de pieds seulement de l'appartement de Steven! En trois ans, ils ne s'étaient pas croisés une seule fois dans la rue, ni rencontrés par hasard au Saint-Malo, au Mazot ou à la Picholette (où ils allaient tous deux pourtant, cela Abel le savait, Jos le lui ayant dit un après-midi qu'il était venu à la maison d'éditions, sortant de chez Steven où il était allé boire une bière et discuté de choses qui ne te concernent pas encore, sacré petit-bourgeois dont le fauteuil roule et qui ne voit même pas que la plante derrière toi est à la veille de tomber en morceaux, faute d'eau!), ni vus au cinéma Saint-Denis où, avec la noire Johanne, je vais parfois voir un film de monstres, prétexte même pas subtil à mettre ma main entre ses jambes. Et Abel, gribouillant son dessin sur la page blanche, pensait:

«Tout se passe comme s'il fallait absolument ce silence entre Steven et moi. Que provoquerais-je si j'y mettais fin? Quelle male mort? Steven doit bien savoir que je ne lis pas ses lettres. Peut-être est-ce pour cette raison d'ailleurs qu'il m'écrit tous les jours, pour tenir loin d'étranges et malicieux démons, pour les emprisonner, pour montrer, pour prouver, pour faire admettre douloureusement que l'un de nous deux est mort, gène l'autre, lui vole sa vie. Quand cela est-il survenu? Quand, bon Dieu? Je voudrais ne pas avoir à me le dire, bien que le sachant. Nous partons de bon matin du Rang Rallonge, nous avons presque deux milles à faire pour aller à l'enterrement de Grand-Mère (le petit cimetière derrière l'église de Saint-Jean-de-Dieu), il pleut, il fait froid, c'est l'automne, et Steven regarde droit devant lui, les mains dans ses poches, et moi je siffle, je me moque de lui, de sa tristesse, mais il ne me dit rien, court plutôt que de me répondre. Grand-Mère dans le cercueil que je vois descendre dans le trou alors que Steven, de l'autre côté en face de moi, retient ses larmes, se mord les lèvres. Qu'ai-je donc fait ce matin-là? Pourquoi ce pied-de-nez, cette malfaisante grimace, cette obscénité adressée à Steven qui perd la tête et se met à sangloter, la main de Mère posée sur son épaule? Lui ai-je fait tant de mal ce matin-là? Et je riais quand nous revenions à la maison, serrés comme des sardines dans la vieille Dodge, et j'étais le seul qui n'avait pas la triste figure au point que, m'attirant la colère de Père, j'ai dû nettoyer les cochons tout l'hiver en guise de pénitence. Je sais bien que tout s'explique ainsi. Que même si je répondais aux lettres de Steven, je ne ferais qu'accumuler plus de silence entre lui et moi. De toute façon, il est trop tard pour que nous nous en sortions, nous nous sommes laissés avaler par le temps et je ne serai bientôt plus là pour répondre à ses lettres. Déménagé sans laisser d'adresse. *Tisse tisseur de vent.* Voilà ce qu'on lui écrira sur les enveloppes qui lui seront retournées. O réalité spongieuse! Je te détestais, Steven, car je voyais bien que tu es meilleur que moi et grand comme je ne deviendrai jamais, toi authentiquement poète, croyant encore à des choses que je récuse, que j'ai tuées en moi, bêtement, pour souffrir, t'enlevant même Judith pour voler en toi ce que tu avais de plus beau, et c'est pourquoi elle m'a quitté, après s'être rendu compte de ce que j'étais. Mais trop tard pour elle aussi! Je ne pouvais que la détruire! Que la débaucher! Et c'est pourquoi aujourd'hui elle vole, désespérée, vers la Floride, meurtrie, son ventre se gonflant de cet enfant que je lui ai fait, abandonnés tous deux de moi, mettant tous leurs espoirs en Julien qui ne désire rien d'autre d'elle que sa beauté et que les grands yeux rieurs que tu lui as donnés. Cette mauvaise conscience que tu... Ces quinze cents lettres accusatrices. Ne m'écris plus, Steven. Je sais déjà tout ce que tu as à me dire. Et je n'ai plus de courage. Et comment trouverais-je une autre caisse d'oranges pour y mettre les nouvelles lettres que tu m'enverrais encore?... Oh, vivre parmi les cohabitations de Faust lui-même, parmi la lithage et l'yathe et l'hyacinthe et les perles. Toi seul savait et sait toujours que je suis incapable de tout cela, que j'ai gardé de moi seulement ce qui est vulnérable. Combien dérisoire me faudra-t-il devenir!»

Au centre de la page blanche, le dessin était maintenant terminé. Une espèce de monstre, presque seulement un nez, avec les deux serpents qui lui sortaient des yeux. Des petites pattes d'oiseau. Bois un bon coup et ton chagrin s'envolera! Il ouvrit la bouteille de gin et en but une grande gorgée. Tout ce feu dans son estomac. Il prit les lunettes noires sur la pile de livres et les mit par-dessus celles qu'il portait déjà. Comme elles ne tenaient pas, il trouva un élastique sur la caisse d'oranges, qu'il coupa en deux parties égales et avec lesquels il attacha ensemble les deux paires de lunettes. Tout ce qu'il voyait était flou, absolument déformé. Son sexe était vert et ne ressemblait à rien entre ses jambes. Il y avait quelques semaines à peine, cela l'aurait intrigué, ameuté, affolé, mais maintenant il regardait même sa queue avec indifférence, n'éprouvant guère de désir, même quand à la sortie de la maison d'éditions il tombait sur la négresse Johanne pourtant capable d'exciter une momie!... Il n'avait trompé Judith qu'une seule fois et s'il avait pu le faire, c'était parce que Judith l'attendait à la maison, rongeant ses ongles, buvant tout un silex de café, manquant de cigarettes et téléphonant à Jim pour qu'il lui en emporte un paquet. Mais Judith partie, mon sexe l'a suivie, combien de fois faudra-t-il que je te le répète, Johanne? (Ils étaient assis sur le matelas dans la chambre, Johanne était nue, ses mains jointes, et quelle prière récitait-elle, à quel exorcisme se livrait-elle, disant:

«Délivre-moi de mon démon, défais le sortilège, je ne veux plus que l'appartement se remplisse de lapins le matin et

116

que tu refuses de m'aider à les faire sortir. Je ne veux plus, non plus, qu'à quatre heures du matin tu te lèves et t'en ailles méditer dans la petite chambre rouge, assis sur le tapis oriental, dans la position du lotus, face à cet affreux Bouddha de plâtre!»

Il l'écoutait dire cela, il rest.. silencieux, songeant à ce roman qu'il avait écrit, que la négresse Johanne avait trop lu, finissant par se prendre pour l'un de ses personnages... Tout était tellement fou! Et faux! Pourquoi ne fais-je venir vers moi que des fous et des folles? Quelles vibrations schizophrènes envoyé-je dans l'espace? Ma pauvre Johanne! Elle pleurait. Toutes les fois qu'il la voyait, cela se terminait ainsi, par cette crise de larmes qui ne faisait que l'éloigner davantage d'elle. Il s'adossait au mur et regardait les larmes couler sur les joues de Johanne, ne disant rien qui eût pu la consoler, pensant trop à Gabriella et à Steven, pensant toujours à eux quand il était avec Johanne, se disant:

«Je n'aurais qu'à traverser la rue pour entrer dans leur monde et rire de la tête que Steven ferait en me voyant... Courbé sur le petit pupitre, buvant un verre de jus de pomme et m'écrivant cette longue lettre que je n'ouvrirai même pas! Et Gabriella, debout à son côté, comme un ange, touchant ses cheveux pour lui dire jusqu'à quel point elle l'aime!»)

Lorsque l'effet de la gorgée de gin fut passé, Abel en avala une autre lampée. Il n'allait faire que cela tout l'après-midi, oubliant ainsi qu'il n'irait pas très avant dans son travail, oubliant même les quinze cents lettres de Steven entassées dans les deux caisses d'oranges, qu'il ne voulait pas ouvrir pour n'avoir pas à se sentir plus seul encore, donc obligé à boire davantage et peut-être même à rajouter une autre paire de lunettes noires sur les deux qui lui meurtrissaient déjà le nez. Il ricana. Malgré les rideaux épais, le soleil entrait quand même dans le salon, chauffant le dos nu d'Abel qui tenait d'une main sa bouteille de gin et, de l'autre, se curait le nez. C'est d'ailleurs sur cette description que se fit entendre la sonnerie de la porte, un ding! ding! irritant qui fit sauter Abel sur sa chaise.

«J'avais complètement oublié Abraham!» dit-il tout haut avant de se lever, de pousser la chaise entre les caisses d'oranges, d'enlever les lunettes noires en coupant avec la lame de rasoir les bouts d'élastique qui les liaient à l'autre paire. Ding! Ding! hurla une deuxième fois la sonnerie de la porte. J'enfile un pantalon et je suis à vous, mon cher Abraham!

«Ce n'est pas trop tôt», lui fut-il répondu de derrière la porte.

15

«Tu n'avais qu'à entrer, dit Abel. Je ne ferme jamais à clé. Mais fais vite! Sinon je n'en finirai plus de courir dans la maison avec la tapette pour tuer tous ces papillons et tous ces serpents ailés que tu cautionnes en restant immobile dans la porte!»

Abraham Sturgeon fit un pas, prit la main d'Abel qu'il serra énergiquement dans la sienne. Tout chez Abraham Sturgeon était si mélodramatique qu'Abel, toutes les fois qu'il le voyait, devait être sur ses gardes pour ne pas éclater d'un grand rire imbécile. Il y avait d'abord ces habitudes vestimentaires qui étaient pour le moins étranges et qui disaient bien qu'en Abraham Sturgeon, on avait affaire à un curieux personnage, tout en fluidité et mélanges, et dont les changements de personnalité, rapides comme l'arbre de transmission d'une corvette, avaient de quoi décontenancer. Si je me rappelais comment c'était la première fois qu'on s'est rencontrés, Abraham? Si je me remémorais tout cela alors que tu jettes un coup d'oeil à mes livres, déguisé en espion ou en homme de main de la pègre, avec ce grand chapeau trop vaste pour ta petite tête, ces lunettes noires et cet imperméable beige sale, sans parler de la chemise noire et de la cravate blanche retenue à ton linge de corps par cette épingle où le faux diamant brille de tous ses feux trompeurs?

«Je veux bien, dit Abraham Sturgeon. Du moment que ça ne sera pas trop long. Je ne pourrai rester aussi longtemps que je le voudrais aujourd'hui.»

Abraham sortit un kleenex de sa poche et se moucha avec violence. Ensuite, il déboutonna son imperméable pour qu'Abel vit, à sa ceinture, l'étui de colt 45 qu'il traînait partout avec lui. Pourquoi seulement l'étui?

«C'est bien suffisant pour effrayer les populations laborieuses, le contenant ayant plus de poids que le contenu, avait dit Abraham Sturgeon. Tout cela est d'ailleurs bien connu, mon cher Abel.»

Abraham ricana encore une fois, montrant ses grandes dents blanches. Puis Abel l'invita à passer dans la petite pièce, celle dans laquelle il y avait la couchette du bébé, le coffre à jouets blanc et rouge et la minuscule commode devant la fenêtre. Sur le tapis oriental, un grand nombre de coussins. Et, dans l'angle des deux murs, entre la couchette et la commode, le Bouddha de plâtre dont son frère Jos lui avait fait cadeau (pour te dédommager des troubles que tu as eus à me déménager). Abel et Abraham s'assirent sur les deux tabourets devant le coffre à jouets, ne disant rien l'un et l'autre, se regardant, s'épiant, guettant les ours qui finiraient par leur sortir des yeux au moment opportun. Abraham songeait: «Comment expliquer tant de folie chez un homme aussi banal?» Chaque fois qu'il voyait Abel, il n'en revenait pas. Et pourtant, je suis détective, se disait-il, je vois un homme une fois et je sais définitivement à qui j'ai affaire. Mais ce damné Abel n'a jamais le même visage! changeant dans sa peau comme un caméléon. La semaine passée, il était rouge comme une tomate et maintenant le voilà pâle comme un diable diurne. Quant à Abel, il ne pensait à rien, satisfait de l'épaisse fumée que crachait sa grosse pipe. Il faisait comme si Abraham Sturgeon n'avait pas été là encore, les yeux fixés sur la couchette du bébé qui n'avait jamais servi, sauf le soir où saoul, il s'y était couché en chien de fusil et tétant son pouce.

«Tu te remémores ou pas?» dit Abraham Sturgeon qui s'agitait sur son tabouret.

«J'avais oublié», dit Abel.

Il se leva pour aller baisser le store de la fenêtre.

«Toujours tes yeux?» dit Abraham.

Il ne comprit pas pourquoi il venait de poser cette question, d'autant moins que jamais à sa connaissance Abel n'avait eu de problèmes avec ses yeux. Mais c'était toujours ainsi quand il entrait dans ce maudit bungalow de Terrebonne, la réalité se rétrécissant brusquement, grugée par le rêve, par tout ce qu'il pouvait y avoir de faux dans le monde, d'hystérique aussi aurait-il pu ajouter quand il songeait à lui-même au moment de partir, plein d'agressivité, les nerfs noués curieusement, de sorte qu'il conduisait sa voiture comme un fou, en hurlant et gesticulant pour se débarrasser de cette inqualifiable tension qui lui venait des deux heures qu'il venait de passer en la compagnie d'Abel. Heureusement, Abel ne répondit pas à sa question. Il pleurait, les deux mains dans son visage, hoquetant:

«Je n'en peux plus, je suis à bout! À bout, comprends-le, Abraham!»

Alors Abraham se leva à son tour, traversa le corridor. Il savait que la bouteille de gin était quelque part dans le salon, sur les caisses d'oranges. Quand il la vit, il dévissa la capsule et but une grande gorgée. Sans ça, je ne pourrai pas tenir le coup, c'est sûr. Après s'être essuyé les lèvres du revers de la main, il retourna dans la petite chambre rouge, tenant entre l'index et le majeur la bouteille de gin.

«Tiens, bois», dit-il.

Mais Abel ne pleurait déjà plus. Yeux secs, large sourire. Essayez de comprendre quelque chose à tout ça! pensa Abraham. J'ai beau investiger mais quand même! Et je parierais mon étui de colt 45 que ce vieux singe d'Abel m'a joué le même tour que l'autre jour, se frottant les yeux avec une rondelle d'oignon. Mais pourquoi, bon Dieu? Il haussa les épaules, mit dans la main d'Abel la bouteille de gin et alla s'asseoir sur le tabouret.

«Qu'est-ce qui se passe?» demanda Abraham.

«Rien, bien moins que rien. Sinon que je suis en train de mourir.»

«Mais voyons donc! Tu as besoin de vacances, ce n'est

pas la même chose. Tu es fatigué, je te regarde et à la place je vois un tigre qui montre les dents. Pourquoi ne te paies-tu pas un billet d'avion pour Miami?»

Un nom que je n'aurais pas dû prononcer, se dit Abraham qui vit le visage d'Abel se modifier, devenir une formidable grimace qui l'aurait apeurée s'il n'avait mis la main sur l'étui de son colt 45 pour se protéger. Miami, Miami! disait Abel. Je vais détruire cette ville, je vais lui faire pousser un volcan sous son aisselle gauche et boum! tout cela va sauter. Statues pétrifiées. Momies américaines dévorées par les crocodiles et les requins ailés. Ne me parle plus jamais de Miami. Sans doute Judith y est-elle encore et regarde-t-elle l'eau écumeuse dans les bras de Julien. Et moi, je me meurs, je me déboudine, ma maison se remplit de mots incohérents et grotesques comme des crapottes humides. Ma chute dans ce bungalow de Terrebonne! N'ajoute rien, Abraham, sinon je te sors dehors, cul par-dessus tête!

Abraham sortit un autre kleenex de sa poche et se moucha violemment. Les gadgets dans la doublure de son vieil imperméable marchaient très bien, notamment le minuscule magnétophone japonais grâce auquel il allait enregistrer la conversation d'Abel dont il comptait se servir dans son prochain roman. Son métier de détective n'était qu'une ruse, une manière de cheval de Troie qui lui permettait d'entrer dans le ventre du bungalow de Terrebonne pour y espionner à son aise le monde d'Abel. Une semaine plus tôt, muni d'un stylo feutre (c'était en fait un ingénieux instrument de photographie), il avait pris des images de toutes les pièces, accordant une attention particulière à la chambre du Sud (à cause de la cuisinière électrique et du frigidaire) et à la chambre-bureau dans le souterrain, ce repaire où le Minautore, toutes les nuits, avait des crises nerveuses de plus en plus épiques. Abraham était tout spécialement fier du fait qu'Abel ne semblait rien soupçonner, qu'au contraire il lui disait beaucoup de choses sur Judith, Julien, Jim, Jos et la négresse Johanne qu'il connaissait d'ailleurs, qu'il voyait tous les vendredis, qu'il soudoyait, question de coucher avec elle pour lui tirer les vers du nez et lui acheter les poèmes qu'elle écrivait sur Abel, d'authentiques pièces d'anthologie qui simplifieraient la tâche d'Abraham quand il rédigerait enfin son fameux roman.

«À part cela, dit Abraham, quoi de neuf?»

«A part cela quoi?» dit Abel.

«Eh bien, tout! Toute la chibagne!»

Abel tourna la tête. Il était dans une heure creuse. Depuis qu'il avait laissé son travail de lecteur de manuscrits dans cette maison d'éditions de la rue Saint-Denis, rien ne fonctionnait pour lui l'après-midi. Je me joue à moi-même le tour de me jouer des tours. Je reçois ce pauvre type d'Abraham Sturgeon qui s'imagine m'être bien utile alors que je sais déjà tout ce qu'il a à me dire, c'est-à-dire rien. Et il croit que j'ignore son truc du magnétophone et celui du stylo photographique. Quel imbécile!

Il but deux autres gorgées de gin, après quoi il se sentit dans un bel état d'euphorie. Capable en tout cas de se remémorer sa première rencontre avec Abraham. Cela avait d'abord commencé par un appel téléphonique, Abraham l'appelant à la maison d'éditions pour lui signifier qu'il était l'auteur d'un génial recueil de poésies qu'il comptait bien voir publié pour le troisième anniversaire de son mariage avec Dame Angélica Amabilia d'Ambleside dont le bouquet était d'être princesse du Cachemire. Un autre fou, avait pensé Abel en raccrochant, après avoir donné rendez-vous à Abraham. À cette époque où il était lecteur de manuscrits, il se passionnait bien fort pour tous ces schizophrènes qu'il recevait dans son bureau: chauffeurs de taxi qui lui faisaient des confidences sur le Cardinal Léger, entremetteuses ivres cherchant un nègre pour écrire leurs Mémoires scabreuses, étudiants barbus en voyage et venant quêter du papier et un crayon, Mongols échappés d'asile, amis de Gaston Gallimard où ils publiaient tous les ans sous différents pseudonymes, racistes, antisémites, livreurs de pizza, hydrocéphales spécialisées en sexologie lui racontant leurs découvertes, du genre de: «Peut-être l'ignorez-vous, mais les mères mettent au monde par l'anus, et c'est pourquoi, cher Monsieur, l'anus maternel, et celui-là seulement, est rétractile, pour permettre la poussée hors du sein du bébé.» Sans compter les maniaques, les mystiques, les saints et les défroqués! Une véritable galerie que vint compléter Abraham Sturgeon arrivant un après-midi dans son bureau, vêtu comme un plombier, sa grande salopette toute maculée de peinture rouge. Un coffret à outils dans la main. Cadenassé, le coffret. Cela Abel s'en rendit compte tout de suite quand Abraham le déposa devant lui, sur la page raturée du manuscrit qu'il était en train d'écrire.

«Me voilà», avait dit Abraham Sturgeon, debout à côté du bureau, au garde-à-vous, les yeux inquiets, les mains entrées bien profondément dans sa salopette bleue.

«Que puis-je pour vous, ami?» avait dit Abel.

«C'est au sujet de ma poésie. Je voudrais qu'elle soit publiée la semaine prochaine. C'est bien sûr possible, n'est-ce pas?»

«Faudrait quand même voir avant.»

«Tout est là, dans le coffre. Vous avez qu'à lire.»

«Mais il y a ce cadenas.»

«Ma confiance, puis-je la mettre en vous? Vraiment?»

«Pourquoi pas?»

«Trois éditeurs m'ont déjà volé mes manuscrits.»

Abel n'avait rien répondu à cela. Il regardait le coffret du plombier sur la table, se demandant ce qui allait bien sortir de là-dedans quand ça s'ouvrirait. Pendant ce temps, Abraham Sturgeon avait été fermer les deux portes du bureau d'Abel et, son doigt à la verticale sur ses lèvres, il s'était approché de la fenêtre, avait dit:

«Pourriez-vous oblitérer le rideau? Sinon, j'aurais peur qu'on me voie vous donnant ce manuscrit.»

«Vous n'avez qu'à tirer la ficelle, juste à côté de vous.»

La chose faite, Abraham Sturgeon avait longuement fouillé ses poches avant de trouver un trousseau imposant de clés (il y avait même l'une de ces anciennes clés, grosse et rouillée, qu'on devait utiliser autrefois pour les églises ou les banques, ce qui intrigua Abel et lui fit se poser quelques questions pertinentes sur la folie d'Abraham) qu'il se mit à regarder l'une après l'autre en balbutiant pour chacune d'elles des paroles absolument inintelligibles. Cela dura peut-être un quart d'heure, après quoi Abraham se mit à sauter dans le bureau, tout à coup fort excentrique, hurlant et bavant:

«Je l'ai! J'ai la clé! J'avais tellement peur de l'oublier au *Sélect*!»

«Venons-en au fait, voulez-vous!» dit Abel.

Et le maboule avait tourné le coffret vers lui, glissé la clé dans la serrure du cadenas, la langue entre les dents, trop absorbé par son travail pour remarquer qu'Abel lui regardait les mains, trop blanches pour être celles d'un véritable plombier. Mais Abel n'eut pas le temps d'en faire réflexion à Abraham qui, maintenant que le coffret était ouvert, devint excessivement fébrile, au point qu'il échappa le coffret par terre et que seize petits calepins noirs en sortirent, et sur lesquels il se précipita avec une rage qui ne pouvait être complètement feinte. Abel comprit qu'il devenait urgent de venir en aide à Abraham. Aussi se leva-t-il, faisant pirouetter sa chaise, sa pipe à la main. Quand il voulut toucher à l'un des seize calepins noirs dont le titre (*Les pantalons meurent aussi*) était écrit à la gouache blanche sur la couverture, Abraham fit un saut périlleux, prit le calepin dans la main d'Abel et le serra sur son coeur.

«Pas toucher, méchant chien! Pas toucher, méchant chien!»

«S'il vous plaît, Monsieur Abraham!»

«Que ceux qui ont des yeux pour voir, voient!»

«Bien sûr, bien sûr, Monsieur Abraham!»

«Et ces seize recueils de poésies sont ma propriété, dûment enregistrée à Tawa! Vous n'avez donc pas le droit de mes les subtiliser, utilisant pour ce faire des subterfuges démoniaques!»

«Tout à fait d'accord, Monsieur Abraham. C'est pourquoi je ne voulais que vous aider à les ramasser afin de pouvoir les lire plus rapidement.»

«Dans ce cas, c'est différent. Je comprends votre empressement. Comme disait saint Benoit du Lac: dans les petits pots, les meilleurs onguents.»

«Et ce à quoi Jacques Maritain eût répondu: Visse, queue, si humide.»

«Ah ça, je ne sais pas. Je ne connais point ce Monsieur Samaritain.»

Une demi-heure au moins avait été nécessaire pour épuiser, chez Abel comme chez Abraham Sturgeon, cette bordée de calembours, calembredaines et contrepetteries dont peu de critiques eussent consenti à faire leur bonheur. C'est pour cette raison d'ailleurs que ni l'un ni l'autre ne les gardèrent en mémoire, pas plus qu'ils ne songèrent, une fois arrivé chacun chez soi, à les noter sur des fiches pour en parsemer leur oeuvre future. Mais cette demi-heure permit toutefois à Abel de mieux comprendre quel personnage fabuleux il tenait là, entre les quatre murs blancs de son bureau. Il signa donc un reçu, comme quoi il avait bien en sa possession seize calepins de poésies appartenant à Monsieur Abraham Sturgeon, et pour lesquels il s'engageait à donner réponse quant à une publication éventuelle «dans au plus une semaine». Abraham signa aussi le reçu, puis ajouta au-dessous de son nom son adresse, de même que son numéro de téléphone. Ensuite, il dit:

«En sortant de votre bureau, savez-vous où je m'en vais?»

«Comment le saurais-je?» dit Abel.

«En effet, ça serait plutôt étonnant puisque vous n'êtes pas devin. J'ai un ami notaire et c'est là que je m'en vais courir. Rue Bleury, vous connaissez?»

«Comme tout le monde.»

«Il faut que je testamentonne, c'est important. Si j'allais mourir, que deviendraient mes poésies, hein? Ça fait trois jours que je suis poursuivi par les hommes de main de

126

Cotroni. J'ai rien fait, moi! Est-ce ma faute à moi si j'ai eu le malheur d'être assis en face de Monsieur Cotroni dans le métro? Bien sûr, c'est pas ma faute, mais ça ne change rien au fait qu'il veuille maintenant ma peau parce que je l'ai reconnu. Un gros coup qu'il devait se préparer à faire, Monsieur Cotroni. Je l'ai vu tout de suite, ça. J'ai le bon oeil, moi! Faudrait que je sorte par en arrière, je suis sûr que les trois gangsters m'attendent sur le trottoir, une arme hautement meurtrière dissimulée sous leur imperméable pliée sous le bras.»

«Et le notaire dans tout ça?»

«Justement, faut que je lègue mes poésies à quelqu'un si je dois mourir. À vous par exemple, qui êtes si compréhensif.»

Quel délire! pensait Abel allumant sa pipe derrière son bureau. Estomaquant!

«À vous et à quelques-uns de mes amis. Tous les droits sur le premier calepin iront à Monsieur Jean Drapeau même si je n'aime pas son chien qui m'a mordu à un poignet l'autre jour. L'argent fait avec le deuxième calepin (c'est ce que j'ai écrit de meilleur, ça devrait se vendre à au moins un million d'exemplaires seulement au Québec), ce sera pour soeur Marie-Rose de Saint-Jean-de-Dieu, la seule religieuse que je connaisse qui soit inodore... Mais il faut que je parte maintenant, je vois que votre chapitre tire à sa fin.»

Et Abraham Sturgeon avait salué militairement, faisant claquer les talons de ses souliers. Abel était tellement abasourdi que ce n'est qu'une fois Abraham sorti de son bureau qu'il se rendit compte que le plombier avait repris son coffret et les seize calepins de poésies. Il ne s'en formalisa pas plus que cela, satisfait d'avoir passé un après-midi moins banal qu'à l'accoutumée. Et, baissant les yeux, il se mit à lire le manuscrit d'un cleptomane de l'Abitibi: «J'ai mis du temps à comprendre que je n'étais attiré que par le linge féminin, et pas n'importe lequel: le linge de corps, le seul qui touche à la peau. Les petites culottes surtout m'attirent. Mais bon Dieu! Pourquoi faut-il que toutes les fois que j'arrive à la maison, il soit nécessaire que je m'autogratifie devant le miroir de la chambre de bains et essuie les fruits de mon autogratification avec le linge que je dérobe?»

Question fondamentale, songea Abel. De quoi dérégler à jamais les trois critères formels du beau de saint Thomas d'Aquin. Et il bourra sa pipe avant de continuer plus avant dans sa lecture et de passer au prochain chapitre, seizième de son roman.

16

Deux jours plus tard, Abel ne songeait plus du tout à Abraham Sturgeon. D'autres fous étaient venus qui lui avaient fait oublier celui-là. Aussi lorsque la secrétaire sonnat-elle dans son bureau pour l'aviser qu'un Monsieur Sturgeon demandait à le voir, il répondit qu'il était absent, parti depuis trois semaines à Tombouctou ou aux îles Galapagos où, paraît-il, une tortue savante écrivait une nouvelle version de *Love Story*. La secrétaire sonna une deuxième fois pour lui dire que Monsieur Sturgeon insistait, que c'était même à son avis une question de vie ou de mort. Abel comprit enfin que c'était son curieux personnage qui refaisait surface et répondit à la secrétaire qu'il recevait tout de suite Monsieur Sturgeon, allant même jusqu'à ajouter que tant que Monsieur Sturgeon serait dans son bureau, elle devrait bloquer tous ses appels.

Ce jour-là, Abraham Sturgeon n'était plus plombier. Plutôt jeune homme de bonne famille à ce qu'il parut à Abel étonné de voir son personnage habillé fort correctement d'un complet bleu sombre, d'une chemise blanche et d'une cravate à pois. Ses cheveux lissés sur ses tempes, séparés au milieu d'une raie profonde. Seul le monocle sur l'oeil droit détonait un peu, de même que les gants de chevreau jaunes. Intrigué, Abel demanda à Abraham Sturgeon de s'asseoir.

«Que puis-je faire pour vous, ami?» demanda-t-il.

«Je voulais d'abord m'excuser auprès de vous de l'extrême mauvaise plaisanterie que je vous ai faite il y a quelque temps en venant ici déguisé en plombier, auteur de seize recueils de poésies. Ma réalité est toute autre, cher Monsieur, et je ne me sentais pas le droit de vous la cacher plus longtemps. Voilà pourquoi je suis ici aujourd'hui, pour me tirer moi-même au clair vis à vis de vous. Croyez que je ne le fais pas de coeur joyeux et que ma démarche me pèse. »

« Venons-en au fait, voulez-vous? »

« Eh bien, la chose est claire: je n'écris pas de poésies. Je crois que la poésie est morte, Monsieur. De même que le roman et beaucoup d'autres écritures. Pour dire vrai, je ne sais plus très bien ce que je crois. Je suis plein d'ombres dans ma vie et j'ignore où je suis emmené, pieds et poings liés à ma folie. Ma folie! De cela aussi je ne suis guère sûr, me convainquant à elle par défaut de me bien connaître. Au fond, je n'ai de moi-même aucune idée qui me paraisse satisfaisante. D'où ma supercherie de l'autre jour, si dérisoire me semble-t-elle aujourd'hui. Sur le moment, c'était le seul discours que j'étais en mesure de vous faire. Mais depuis les choses ont bien changé, à commencer par ces choses que je vois tout au fond de moi-même et qui disent bien que l'internement auquel on m'a obligé pourrait bien, l'un de ces quatre matins, porter ses fruits. Les pépins n'expliquent pas tout, Monsieur, et je viens vers vous comme vers un père miséricordieux, ne vous demandant, finalement, que de répondre à cette interrogation: souffrirais-je toute ma vie de l'ignorance de ce qui fait que je suis moi et pas un autre? Je n'exige pas une réponse immédiate. J'espère seulement que vous aurez le courage de me juger sur le manuscrit que je suis venu vous livrer, sortant ainsi très loin de moi-même, exactement comme un criminel, malgré ses deux chromosomes Y en plus, se rend à sa police. »

Abel avait écouté le long monologue en fumant sa grosse pipe. Il grimaçait parfois mais ce n'était pas à cause des paroles d'Abraham: il y avait bien longtemps qu'il n'avait pas nettoyé sa pipe et le tuyau se remplissait désagréablement de jus qu'il suçait, trop inconséquent pour la nettoyer. De toute façon, il se méfiait maintenant d'Abraham. Tout cela n'était-il pas encore un tour que cet énergumène à monocle, comme sorti tout droit d'un roman de Jim Thompson, essayait de lui jouer? Pourtant, je ne suis pas encore saoul, songeait Abel, il n'est pas onze heures et je ne boirai pas ma première bouteille avant midi. Qu'est-ce que tout ça signifie, bon Dieu? Il sortit un mouchoir à carreaux de sa poche et s'épongea le front. Il faisait bien chaud dans le petit bureau, toute la sécheresse de la rue Saint-Denis semblait s'être réfugiée dans l'édifice, tu vis ici une heure et tu as le cerveau sérieusement amolli, au point que tu t'intéresses même à cet obsédé alors que tu ne devrais songer qu'à Judith, ne serait-ce que pour rattraper le temps perdu et pour voir ce qui pourrait encore être fait pour que tout, entre vous deux, ne soit pas irrémédiablement défait comme tu sens bien que cela est en train de se produire parce que tu n'as pas ce courage de quitter ta vieille peau et de lui dire que tu l'aimes.

«Que pourrais-je pour vous alors que je ne puis rien pour moi-même?» dit finalement Abel en faisant un geste vague de la main (qui montrait bien qu'il ne s'adressait pas du tout à Abraham mais seulement à lui-même). Et voyant tout ce qui s'accumule sur mon pupitre, ces dizaines de lettres auxquelles je n'ai pas répondues, ces épais manuscrits qu'il faudra bien que je lise un jour, ne serait-ce que pour les remplacer par d'autres, ces coupures de journaux et tout ce travail jeté pêle mêle sur la table à côté de moi et qui risque de devenir poussière si je ne m'en occupe pas. Dites-moi, Abraham Sturgeon, pourquoi faudrait-il que je perde du temps à vous écouter élucubrer?

Abraham, avançant sa chaise plus près encore du pupitre d'Abel, répondit:

«Peut-être est-ce cela l'important, Monsieur : en m'aidant n'est-il pas possible qu'au fond ce soit vous que j'aide?»

«Comment cela?»

«Je vous devine préoccupé, et je sais ce qui ne va pas en vous.»

«Et qu'est-ce donc?»

«J'aimerais mieux discuter de cela ailleurs. Accepteriez-vous d'en parler avec moi devant une bouteille de vin?»

Cette répartie avait désarçonné Abel. Pas longtemps toutefois car, en crachant un épais jet de fumée blanche, il avait dit:

«Mes repas du midi n'appartiennent qu'à moi seul et je ne pourrais souffrir de m'en priver pour quelque motif que ce soit. Voyez-vous, il me devient presque impossible d'écrire si je ne mastique pas. Je suis le premier à le regretter, croyez-le, ami.»

«Je vois», avait simplement dit Abraham se levant, ôtant son monocle et le glissant dans la poche de son gilet. Le blanc de son oeil était rouge. Comme lorsque Judith a trop pleuré alors que, dans le fauteuil, les jambes repliées sous elle, écoutant les guitares électriques de Jimi Hendrix, elle n'en finit pas de m'attendre, s'imaginant que je suis avec la négresse Johanne à la tromper. C'est faire trop d'honneur à mon sexe. Je ne suis qu'en train de boire un toujours dernier verre qui, curieusement, ne se désemplit pas. Qu'ai-je fait de nos amours, de nos premiers temps quand tout était si simple et que nous nous caressions follement dans la sciure, sur le plancher du salon, dans ce petit bungalow de Terrebonne où rien de ce que nous étions tous les deux n'existait encore, sinon ces projections imagées que nous nous faisions de notre amour? Pauvre Abraham debout devant Abel, la main sur sa serviette, hésitant à l'ouvrir, son oeil rouge fixé sur la grosse pipe! Toute son angoisse lui sortait par l'oeil, rendant encore plus insupportable la chaleur qu'il faisait dans le bureau. Et cette immobilité de grand oiseau, cette attitude de rapace, comment mettre fin à tout ça? Abel n'avait trouvé rien de mieux que de se rasseoir sur son fauteuil pivotant et, les jambes croisées, il regardait Abraham, se demandant: combien de temps tiendra-t-il encore dans son mutisme et sa rigidité cadavérique? Peu de temps, je le vois déjà qui s'effondre, faisant culbuter la chaise, se frappant la tête sur le bord du pupitre parce qu'il croit que le sang, en pareille circonstance, dira plus que la plus désespérée de ses paroles. Il vous reste encore beaucoup de choses à apprendre, mon cher Abraham, ne comptez pas sur moi pour vous y initier.

132

L'homme ne se reconnaît qu'à son poignet. L'araignée qui tisse sa toile au-dessus de votre tête constitue le démenti le plus extravagant à cette folie auquelle vous prétendez mais qui n'est pas votre lot. C'est l'araignée qui est folle de tisser tant de vent à six pouces de vos cheveux frisottants.

«Mais, dit Abraham Sturgeon, me permettez-vous, en dépit de votre refus de dîner avec moi, de vous laisser un manuscrit dont j'aimerais que vous me disiez ce que vous en pensez, si, toutefois, il faille en penser quelque chose?»

«Porte-t-il encore, c'est le cas de le dire, ce titre burlesque: *Les pantalons meurent aussi*?»

«Ne me rappelez pas, je vous prie, ce que je n'ai pu réussir en un temps où je ne m'appartenais guère, où j'errais en moi comme dans un labyrinthe, cherchant mon fil d'Ariane et ne trouvant que des simulacres de ma mort. Si je dois être tué, je veux maintenant savoir par qui et de quelle arme. La mafia n'est pas tout. J'ai même appris depuis ma première visite ici que Monsieur Cotroni n'est finalement pas un mauvais diable, ne jouant pas toujours avec des dés pipés, ni même ne marchant sur une jambe de bouc. De ce côté-là, je ne crains plus rien. Il n'y a pas grand-chose qu'on ne peut vaincre quand cela existe à l'extérieur de soi et ne vit pas de votre vie. Je suis plus inquiet par ce qui agite mes eaux d'intérieur et sans doute est-ce pour cela que j'ai écrit ce recueil de nouvelles fantastiques qui m'a épuisé à un tel point que je n'ai pu lui trouver un titre, me contentant de l'intituler *Quatre, cinq, six, sept*, ce qui, je l'avoue, signifie peu, mais qu'y puis-je? Je souhaite seulement que vous serez en mesure, m'ayant lu, de m'aider d'une façon ou d'une autre. Du moins est-ce dans cette attitude que j'attendrai la complaisance de votre jugement.»

Et ce disant, Abraham sortit de sa serviette noire un mince manuscrit qu'il remit à Abel, ajoutant tout de suite:

«Ne vous fiez pas à l'épaisseur, elle vous induirait en tentation d'erreur: j'aime écrire sur du papier pelure d'oignon. Pour de nombreuses raisons, notamment parce que les boulettes sont plus aisées à faire et se lancent plus facilement

133

dans un panier. J'ai bien le plaisir de vous dire au revoir, cher Monsieur. »

Abraham Sturgeon réajusta le monocle sur son oeil rouge, enfila ses gants de chevreau jaunes, fit claquer ses talons et sortit du bureau d'Abel. *Quatre, cinq, six, sept.* Le titre, évidemment, ne prouvait rien. Abel vida sa pipe dans le cendrier, la bourra de tabac frais, alluma, la tête appuyée contre le dossier de son fauteuil. Il s'agit de respirer deux ou trois fois profondément pour oublier toute cette histoire aberrante. De toute façon, j'ai faim et l'on serait bien fou de lire des manuscrits le ventre vide. Il se leva donc, enfila sa veste, prit le manuscrit, le soupesa. Ça ne fait pas lourd, je serais mieux d'apporter aussi autre chose. Il reluqua l'exemplaire de *Moby Dick* sur sa table de travail, le téléphone sonna mais il ne répondit pas, toutes ses pensées errant dans l'énorme ventre de la baleine blanche. Sur l'étagère, entre ses trente-huitième et trente-neuvième côtes, les deux gros tomes de *Don Quichotte*, reliés plein cuir, attendaient patiemment qu'il prît le temps de les lire. Finalement, devant l'insistance du téléphone, il haussa les épaules et s'en fut, le dos courbé, boucanant comme un bon, manger dans ce restaurant suisse qu'il y avait devant la maison d'éditions. Il but sa première bière rapidement, pour oublier qu'il avait mal aux jambes, comme si la moelle, la substantifique moelle de ses os s'était asséchée depuis qu'il faisait si chaud (bien qu'il sût avec pertinence que c'était là l'une des séquelles que la poliomyélite avait laissées en lui, contre laquelle il n'y avait rien à faire et qui allait en s'aggravant, au point qu'en fin de journée il lui arrivait de perdre l'équilibre. La chaise roulante bientôt, les béquilles, la canne et quoi encore! Il n'y avait pas que Judith qui allait mal chez lui, il y avait aussi cet effondrement physique vers quoi il glissait inexorablement). À la deuxième bière, il y eut une certaine amélioration dans ses genoux. Il put croiser ses jambes sous la table et, dans l'attente de son potage cultivateur, il ouvrit la première page du manuscrit d'Abraham. Une longue liste des parutions prochaines de l'auteur, qu'Abel sauta sans la lire. La page suivante était celle de la dédicace. «Avenir, mon fol amour.» Il n'y avait que cela d'écrit, d'une petite écriture moulante dans le haut de la feuille, à droite. Abel tourna encore une page. Le titre de la première nouvelle, raturé trop de fois, était illisible. Une page encore. Blanche. Et une autre, et une autre... Seulement des pages blanches, par groupe de seize, puis c'était un autre titre, une tache noire et rouge plutôt, au beau milieu du papier pelure d'oignon. J'aurais dû me douter de tout cela, pensa Abel. Et je n'ai pas apporté mon *Moby Dick*!

Il plongea tête première dans son potage cultivateur, commanda une troisième bière, bien résolu à ne pas lever le nez de sa table, dans une vague tentative pour se punir de n'avoir pas prévu le coup d'Abraham. De temps en temps, il mettait la main dans la poche de son gilet, tâtant des doigts la carte postale que Judith lui avait envoyée la veille de Miami et qu'il n'avait pas lu, sachant à l'avance quels étaient les mots écrits sur le carton. Les palmiers royaux ne m'entrent pas dans la tête, pas plus que tes deux grands frères veules, pas plus que cet effronté de Julien qui doit te huiler le corps de ses longues mains fines. Et tu crois que j'ignore qu'il est allé te retrouver au Brodmoor Hôtel? Un fou dans une poche! J'ai appelé à sa pharmacie. «Monsieur Julien Kaufman est actuellement en voyage, Monsieur.» La belle affaire! Et tu te dévergondes dans son corps et tu ignores que j'ai mal aux jambes et que bientôt je serai cul-de-jatte! À traîner dans une brouette. À accrocher à la patère dans le salon du petit bungalow de Terrebonne. Mon Dieu, ô mon Dieu!

«Je peux m'asseoir avec vous?»

Il n'eut pas besoin de regarder pour comprendre qu'Abraham, phénomène hallucinatoire, était de nouveau réapparu. Mais avec ces trois bières qu'il venait d'ingurgiter, cela ne lui faisait ni chaud ni froid que l'énergumène fût ou non en face de lui. Il allongea la main pour qu'Abraham mît enfin ses fesses sur la chaise. Il dit:

«Cessez de sourire comme un imbécile et ouvrez grand vos grandes oreilles!»

Il allait ajouter autre chose quand, levant les yeux de son potage cultivateur, il vit le nouvel Abraham Sturgeon qui lui souriait de toutes ses longues dents de vampire. Le monocle avait disparu, laissant sa place à une épaisse paire de lunettes noires. Plus de gants de chevreau jaunes. Deux grosses bagues brillaient à l'index et au majeur de chacune de ses mains. La chemise blanche et la cravate à pois, disparues elles aussi! Une chemise noire et une cravate blanche leur avaient succédé. Un énorme chapeau noir et un imperméable beige complétaient l'accoutrement d'Abraham. De la schizophrénie galopante! Lui mettre mon pied au cul. Abel avala ce qui restait de bière dans son verre et commanda une autre bouteille, imité en cela par Abraham. Une seule gorgée de bière le rendit hilare; il se mit à hurler un boniment extravagant sur les rapaces qui lui volaient son oeuvre, la pillaient et la massacraient, de sorte qu'il n'osait plus rien soumettre qui ne fût pas ambigu, préférant ne pas voir ses manuscrits publiés plutôt que de vivre dans la crainte d'être kidnappé dans ses mots, et voilà pourquoi je viens dans ce monde déguisé, tantôt en plombier, tantôt en gentleman, tantôt en homme d'affaires, tantôt en livreur de pizza, tantôt en faux frère et maintenant en gangster.

«Mais que puis-je dans tout ça?» demanda Abel.

«Rien, tant que je ne vous aurai pas dit toute la vérité. Ce qui se passe vraiment, c'est, je le crains, d'être bloqué dans mon imaginaire. Je ne peux plus écrire deux lignes quand je songe à l'épouvantable responsabilité qui est la mienne. Je suis catastrophé, l'encre gèle au bout de mon stylo, mes feuilles tournent au papyrus. Déplorable! Insoutenable! Je suis venu pour que vous me sortiez de là. Au fond, c'est détective que j'aurais voulu être. Je m'endure jamais très longtemps le plombier qui est en moi, pas plus d'ailleurs que le gentleman, l'homme d'affaires, le livreur de pizza ou le faux frère. Gangster! Trafiquant! Mercenaire! Espion! Détective! Ça c'est rose!... Ça, c'est la vie!»

Abel suçait son os de poulet, l'esprit en alerte à cause de la folie d'Abraham. Si je l'envoyais à Miami, peut-être saurait-il enfin me dire vraiment ce qui se passe avec Judith. Mais je ne veux pas le savoir, j'en ai déjà trop deviné à ce sujet. Une autre idée, Abel! Dépêche-toi! Voilà déjà le dessert et tu ignores toujours comment te débarrasser de cette teigne maladive! Un deuxième effort, s'il te plaît. Il s'essuya les lèvres avec la serviette de table, se dit qu'il ne sentait plus le mal dans ses jambes. Même l'image de Judith se troublait insidieusement en lui, comme si tout le monde s'était amenuisé, devenant transparent, ombres chinoises, décor mobile, pour qu'il ne perdît pas un seul geste ou une seule parole d'Abraham. Il avança la tête et redit:

«Ami, cessez, je vous prie, de sourire comme un imbécile et ouvrez grand vos grandes oreilles!»

Puis, à voix basse, il lui tint un étonnant discours, heureux de prendre Abraham Sturgeon à son propre piège. Tandis qu'il parlait, le fou en face de lui tapait des mains, poussait des gloussements de vieille poule déplumée et bavait presque en béguéyant: «Tout à fait d'accord! Tout à fait d'accord!» Lorsqu'Abel se tut, Abraham lui prit les mains et les serra dans les siennes, renversant sur la nappe rouge la tasse de café à laquelle il n'avait pas touché, se perdant en excuses et en remerciements, ce dont Abel se lassa très tôt, disant:

«Un peu de tenue, détective Sturgeon!»

Abraham enfonça comme il faut son chapeau sur sa tête, se leva, bomba le torse, enfouit ses mains bien creux dans les poches de son imperméable. Et Abel sortit derrière lui, un cure-dents dans la bouche. Il n'osait pas rire encore.

17

«Où en sommes-nous dans cette enquête?» demanda Abel après avoir ingurgité une autre bonne rasade de gin. Sa remémoration terminée, il se sentait maintenant tout à fait dans l'état qu'il convenait pour entendre Abraham lui faire son rapport hebdomadaire. La première fois, il n'avait pas bu de gin en l'écoutant. Cela avait été une erreur, l'euphorie étant une qualité essentielle si l'on voulait ne rien perdre des propos d'Abraham qui répondit à la question d'Abel par cette phrase passe-partout:

«L'enquête avance.»

«Je vous ai déjà connu plus volubile.»

«C'est ce tabouret sur lequel je suis assis qui me fatigue les fesses.»

«Nous avons déjà parlé de ce problème. Faites votre rapport.»

Abraham Sturgeon tira de sa poche un calepin noir. Tout ce qu'il avait écrit dedans était faux et s'ajoutait aux quinze autres cahiers qu'il avait remplis depuis qu'Abel l'avait chargé de faire cette enquête absurde: comment filer un individu qui ne fume pas, ne boit pas davantage, n'entre ni se sort de chez lui, ne voit personne et sur qui la police n'a pas de fichier? Abraham sourit. On lui demandait l'impossible: faire la vérité sur un personnage qui n'existait que dans la tête d'Abel. Il n'avait rien compris à cette histoire de Géronimo qui, devant des témoins dont on avait perdu la trace, avait déclaré vouloir tuer Abel pour se venger sur lui d'on ne savait trop quelle perfidie littéraire. Enfin, tout cela était fort obscur et Abraham n'avait pas eu le courage d'entrer plus avant dans l'histoire, se contentant de retenir le signalement du meurtrier

138

futur qui devait fréquenter les cabarets de seconde zone vêtu d'un grand chapeau noir, d'une cape mêmement noire et d'une canne taillée dans un bout de tige de palmier royal. Et le dénommé Géronimo (le nom de l'individu avait déjà paru bien suspect à Abraham qui ne se souvenait pas qu'aucun membre de sa tribu eût porté un pareil titre), toujours aux dires d'Abel, se promènerait monté sur des bottes de cow-boy et tenant sous le bras une petite caisse noire dans laquelle un revolver... Mon Dieu! On était mieux d'oublier tout cela et de repartir à zéro. Mais pour cela, il aurait fallu convaincre Abel, ce qui parut bientôt impossible à Abraham qui, en fin renard, ne mit pas de temps à comprendre tout ce qu'il pourrait tirer de cette aventure loufoque. Notamment un bon roman à la Jim Thompson, son auteur de série noire préféré. Et, sous le prétexte d'en savoir davantage sur Géronimo, il avait fait parler Abel, astucieusement, en mettant en pratique les enseignements d'O'Connel et de Söderman sur la psychologie, l'interrogatoire, le sommeil, les rêves et les effets de l'éclairage au sodium sur les couleurs. À partir de toutes ces données, il avait constitué un dossier, inutile pour un détective mais essentiel pour un homme comme lui, triste écrivain chômeur par manque d'imagination. Bien sûr, il n'avait fait aucune recherche sur Géronimo, pas plus d'ailleurs que sur n'importe qui d'autre. Sacré Abel! pensait Abraham. Quel mythomane légèrement paranoïaque! Il me paie cinquante dollars par semaine pour que je l'écoute parler et pour entendre ses propres balivernes dès que j'ouvre la bouche. De quoi me plaindrais-je? Il pensait surtout à la négresse Johanne qui n'était sans doute qu'une putain aux formidables cuisses, n'en déplaisent à ses appétits poétiques, folichons comme tout ce qu'elle disait, sauf en ce qui concernait Abel de qui elle était tombée amoureuse après l'avoir rencontré dans un cocktail où, les jambes à l'air, les seins libres sous le chemisier, elle avait éclaboussé Abel de bière, s'accrochant par la suite à lui, l'invitant chez elle et ne le faisant partir que très tard dans la nuit, après une orgie homérique. Autant qu'Abraham pouvait en juger, c'était

139

ainsi que tout avait commencé, par cette aventure dont les conséquences, aux dires de la négresse, avaient été catastrophiques, Judith quittant Abel, s'enfuyant avec Julien à Miami, demandant le divorce et songeant même à se débarrasser de l'enfant qu'il y avait dans son ventre. Dans un premier temps, Abel s'était mis à boire. Dans un deuxième, il avait continué. Dans un troisième, il n'était guère plus qu'un ivrogne dont les hallucinations obsessionnelles ne passaient plus dans les romans qu'il écrivait: il se complaisait à les vivre, terrorisé par la présence en lui de tous ces doubles dont il avait cru s'être débarrassé en composant sur eux, ce qui n'avait fait que déchaîner son imagination. Avec le résultat qu'Abel parlait maintenant de ses fictions comme si elles eussent été authentiques. Son mal d'yeux, par exemple. Cette niaiserie de déménager la cuisinière électrique et le frigidaire dans la chambre du Sud. Sa démission comme lecteur de manuscrits à la maison d'éditions de la rue Saint-Denis. La fixation de ses pensées sur la négresse Johanne, seul réel qu'il refusait pourtant, l'investissant de sombres pouvoirs imaginaires (par exemple, cette invention qui faisait d'elle une amie de Judith!). Que restait-il à la fin? Ce petit bungalow de Terrebonne où il se confinait (et encore n'était-il pas certain de pouvoir y demeurer longtemps car il y avait cet agent d'immeubles qui n'arrêtait pas de le montrer à des flopées d'acheteurs hypothétiques — demain, il serait peut-être obligé de s'en aller et que ferait-il alors? Je ne suis quand même pas pour l'héberger chez moi, songeait Abraham. Ma femme en a peur. Et la chambre inoccupée le sera bientôt par Giacomo, ce bébé que Joyce attend. Non, je ne vois pas d'issue à tout ça. Sinon celle de toujours mentir davantage, de mentir jusqu'à l'impossibilité, de faire en sorte qu'Abel lui-même ne devienne plus qu'une possibilité entre mille d'écriture. S'il ne fait pas ce roman, il est fichu. Je le vois, assis sur son tabouret, je lui parle de ce damné Géronimo, il m'écoute, il m'écoute et il boit, se tape sur les cuisses, rit sans que je sache vraiment s'il rit, et pleure. Vieux crocodile! Combien de temps penses-tu pouvoir tenir le coup encore! Avalé par mes monstres, je me laisse dévorer, attendant que je sois devenu charogne pour m'expulser de tout ceci.)

«Je t'entends mal, dit Abel. Pour un détective, ta voix est fluette en diable.»

«C'est que ma réflexion se faisait avant tout dans ma tête.»

«C'est un tort puisque c'est moi qui paies... Parle-moi de Géronimo!»

«J'y arrivais justement, content de vous donner à son sujet d'excellentes nouvelles, du moins de mon point de vue à moi. J'ai appris beaucoup de choses depuis la semaine dernière. Notamment un fait important: il a perdu la petite caisse noire que, sous son bras, il transportait toujours avec lui. J'avoue être assez fier de ma prouesse. Voici comment cela s'est passé. Dès que je l'ai vu sortir de son appartement, je l'ai filé. C'était il y a deux jours, à 21 h 34 précisément. Il a pris le métro à la station Sherbrooke pour descendre au terminus Henri-Bourassa. De là, l'autobus l'a transporté jusqu'à Montréal-Nord, à l'arrêt de la rue Saint-Vital que Géronimo...»

«Comment était-il vêtu?»

«Attendez un peu, j'ai ça écrit quelque part dans mon seizième calepin. J'y suis. J'y suis. À l'item *Description du suspect*, notes écrites dans l'autobus 69 alors que caché derrière mon journal je zieute malicieusement le dénommé Géronimo. Une manière de cape noire rapiécée sur le devant...»

«De quelle façon? Ce détail pourrait être important.»

«Bien sûr, je l'ai noté aussi. Je connais mon métier. Je disais donc: une manière de cape noire rapiécée sur le devant d'un morceau de tissu qui, de l'endroit où je suis, me semble ressembler fort à ce qu'on utilise pour la fabrication des kilts irlandais.»

«Écossais, Abraham. Écossais comme les breeches sont britanniques. Mais tu ne peux pas tout savoir. Continue donc, je te prie.»

«En sus de sa cape noire, le suspect porte un chapeau noir à larges bords. Un mince bandeau rouge, blanc et vert ceinture pour ainsi dire le chef du suspect. Quant à ses mains, je ne puis vous les décrire, dissimulées qu'elles sont sous une paire de gants blancs, des gants trois-quart puisqu'ils lui recouvrent jusqu'aux coudes. Des bottes à talons hauts dans les pieds. Poussiéreuses. Le suspect croise les jambes. Un morceau de scoth tape est collé sous la semelle de sa botte, la gauche. Je dois changer de place, voyant mal le suspect que me cache presque totalement une grosse femme qui vient s'asseoir entre lui et moi. Je prends place devant la grosse femme. Le suspect se cure les dents avec le bout d'un ticket de métro. Dans ses lunettes noires, on peut voir le dos du chauffeur d'autobus, sans doute un quadragénaire.»

«Foin de ces détails inutiles, Abraham Sturgeon! Je ne te paie pas pour me débiter un paquet de niaiseries. Reprends l'enquête là où tu l'as laissée, soit...»

«... À l'arrêt de la rue Saint-Vital que Géronimo a descendu jusqu'à la rue Monselet, de ce pas alerte qu'ont les gens marchant vite pour ne pas arriver en retard à un rendez-vous. Du moins est-ce ce que j'ai écrit sur la trente-septième page de mon seizième carnet.»

«Pressons l'allure, je vous prie.»

«Le suspect s'arrête au restaurant *Chez Jeanne*. J'entre derrière lui, ai le temps de noter qu'il achète du chewing-gum et un paquet de cigarettes.»

«Quelle marque?»

«Des Menthols.»

«C'est exactement ce que j'avais prévu!... Continuez. Et que vengeresses, sur les seuils siègent les déesses!»

«Plaît-il?»

«Rien, je ne me parle à moi-même que tout haut. Revenons à notre propos.»

«Sorti de *Chez Jeanne*, le suspect...»

«Géronimo, vous voulez dire?»

«Géronimo, le suspect, s'engage dans la rue Monselet. Il regarde du côté nord de la rue et semble compter les maisons.

Quand il voit la quincaillerie *H. Ravary & Frères*, il traverse la rue, au mépris des automobiles qui manquent le renverser. Il me paraît bien fiévreux, Géronimo le suspect. Mais il passe tout droit devant le magasin de fer (c'est écrit au-dessus de la porte, dans la grande vitrine éclairée d'un néon) et s'arrête devant la montre de la pâtisserie. Voudrait-il acheter un gâteau de fête, des choux à la crème ou une tarte à la farlouche? Peu importe puisque la pâtisserie, eh bien! sa porte est close. Géronimo sort alors le paquet de Menthols de sa poche et s'allume une cigarette. Le petit nuage de fumée faisant une auréole éphémère au-dessus de sa tête. Si je m'attarde là-dessus, c'est pour laisser le temps à un autre personnage de tirer la porte qu'il y a entre la pâtisserie et la quincaillerie. Cela se passe juste au moment où Géronimo, cigarette mollement suspendue à sa lèvre inférieure, pèse sur le bouton de la sonnette illuminante. L'autre personnage sortant de la maison arrive droit sur lui et fait un saut. Puis s'excuse. Je note son signalement: un vieux bonhomme gris dont les lunettes argentées et rondes lui pendent sur le bout du nez. Dessous, un pinche hitlérien. D'assez fortes oreilles, un pantalon tout froissé, une chemise blanche dont les manchettes sont roulées jusqu'aux coudes. Une cravate de bazar. Et, sous le bras, un gilet gris fer. Et, dans une main, une boîte à lunch. Je note à la volée des bribes de conversation. »

« Curieux que Géronimo soit allé chez mon père. Dans quel dessein? À cette heure, Père devait se rendre à son travail. Que disaient-ils, Abraham? »

« Géronimo s'est d'abord présenté à l'autre personnage. Votre père, à ce qu'il paraît. Puis il lui a demandé si Jos était à la maison. Votre père a répondu que non, il a même ajouté que Jos avait disparu dès les funérailles de Mathilde accomplies. Je mets un point d'interrogation à côté du nom de Mathilde que je ne connais pas et sur qui je compte, la semaine prochaine, enquêter. Cela fait, je note les paroles de votre père disant à Géronimo: «Je crois que Jos vit maintenant à Vancouver. Du moins est-ce là la rumeur qui circule dans la tribu.» Géronimo répond: «Vous vous trompez, Monsieur Beauchemin, j'ai vu votre fils pas plus tard qu'hier. Et dans Montréal-Nord même.» Voilà ce qu'affirme Géronimo.»

«Qu'a alors dit mon père?»

«Il a haussé les épaules, a descendu les trois marches de l'escalier, suivi par Géronimo qui lui a mis la main sur l'épaule, affirmant une fois de plus: «De cela je vous assure, Monsieur Beauchemin: votre fils Jos est dans cette ville.» Ce à quoi votre père a rétorqué: «Trop de gens le prétendent pour que je vous crois plus qu'eux. Maintenant, vous allez m'excuser mais il faut que je m'en aille travailler. Nous reparlerons de tout cela un autre jour. Retirez votre souciance de nous autres, Monsieur.» Et votre père, dos légèrement courbé, s'est mis à marcher sur le trottoir, en direction du boulevard Pie IX, ne voulant plus rien entendre de Géronimo qui essayait par tous les moyens de lui faire comprendre la vérité. «Assez! Assez!» disait seulement votre père. Je ne les perdais pas de vue, marchant à une dizaine de pas d'eux. Rendu au boulevard Pie IX, votre père a donné la main au suspect Géronimo qui a alors dit: «Bientôt je vous prouverai ce que je vous ai dit au sujet de votre fils Jos. Je vous apprendrai aussi beaucoup d'autres choses.»

«Les mots gèlent dans ta bouche et tu ferais de la gelée jusque sur le mont Royal.»

«Je n'en finirai jamais avec mon rapport si vous m'interrompez tout le temps pour le seul plaisir de vous donner à entendre un bon mot.»

Abel haussa les épaules, ingurgita un peu de gin. Il n'arrivait jamais à écouter quelqu'un très longtemps. Et encore moins Abraham affligé d'un extravagant tic de la mâchoire (cette dernière allait de dextre à senestre, follement, faisant voir les dents longues — et l'image d'un vieux sciotte, celui qu'il avait pris pour couper le cèdre mort devant le bungalow, ne quittait pas l'esprit d'Abel). Heureusement que le gin vous faisait oublier bien des choses! Notamment votre propre folie. Pollux! Où es-tu, mon pauvre petit Pollux?

Laisse ta Mère Castor à ses belles amours! Viens te blottir dans le creux de ma main! Aide-moi à me débarrasser de ce faux détective qui croise et décroise ses jambes devant moi. Le poil noir entre la chaussette et le pantalon. Accours vers moi, Pollux ô mon chat, et parlons enfin de Judith! Que donnerai-je pour ne plus entendre ce fou s'immiscant dans la vie privée de Géronimo et ignorant que je sais déjà tout ce qu'il croit m'apprendre? Rostres accrochées aux carènes de ma vie, aurait dit l'antique Virgile. Le connais-tu seulement, Abraham?

«Que ta langue venimeuse éclate dans le ciel de Terrebonne! Termine ta narration avant que j'aie trouvé le fond de ma bouteille, ami.»

«Page cinquante-sept de mon seizième calepin. Le suspect Géronimo vient d'entrer au *Café du Nord*. Il va directement au bar et dit quelques mots à la barmaid. Dans la position où elle est, je vois très bien la grosseur satisfaisante de ses seins. Malheureusement, je n'entends pas ce que disent la barmaid et le suspect Géronimo. J'imagine qu'il devait être question de Jos. Quoi qu'il en soit, Géronimo va bientôt s'asseoir à une petite table qu'il a dû choisir avec soin: derrière, c'est le mur, sur le côté droit une colonne et en face la piste de danse surélevée. Je prends place à une autre table qui me permet de le guetter tout à mon aise, assis sur le bout de mon banc. Le suspect Géronimo a mis la petite caisse noire sur la table et, par-dessus, son chapeau noir à larges bords. Les mains sous le menton, il regarde la stripteaseuse sur l'estrade. Une belle grande fille trop grimée que je connais un peu pour l'avoir aperçue la semaine passée au *Blue Nose* alors que je m'occupais d'une autre affaire. Sa seule originalité est de se raser le pubis, sans doute pour que les clients s'extasient davantage sur le renflement de ses lèvres. Je passe rapidement là-dessus, bien que ce n'est pas le temps qui me manque, le suspect Géronimo me semblant collé sur sa chaise, commandant bière après bière. Il les avale goulûment, en tétant le verre proprement quand il a fini. Curieusement, il ne boit jamais deux bouteilles de suite de la même marque.

Superstitieux, c'est du moins ce que je note sur mon calepin, toujours le seizième. La soirée passe. Je n'ai pas vu la stripteaseuse quitter l'estrade, occupé à mon guet. Jusqu'à maintenant, Géronimo a bu neuf bières. Quelle vessie! Je ne suis donc pas étonné lorsqu'enfin il se lève. Je sais qu'il s'en va aux toilettes. Je ne comprends pas pourquoi il a laissé son chapeau à larges bords sur la table. Dessous est la petite caisse noire. Je décide de m'en emparer, servi pour mon dessein par l'emplacement de la table. Doublement servi dirais-je puisque les clients nombreux ont beaucoup trop de choses à se dire et à boire pour s'inquiéter d'une malheureuse petite caisse noire oubliée sur une table... Et hop! D'un seul coup, me voilà en possession de l'icelle boîte et du chapeau. Et hop! Me voici dehors où je m'enfuis dans la ruelle, les pattes à mon cou comme le héron de la fable. Protégé par une muraille de poubelles, à proximité du *Café du Nord*, je saute à pieds joints sur la caisse noire pour l'éventrer. Extraordinaires sont mes bottines cloutées! Et énergiques mes coups de pied! J'aurai tôt fait d'en venir à bout!... Bout de Christ! Savez-vous, mon cher Abel, qu'il est passé la demie de trois heures?»

«Que veux-tu que ça me fasse? Que veux-tu que ça me fasse alors que je suis tout à fait imprégné de l'image de mes extrêmes?»

De la main, Abel invita Abraham à continuer son discours. Mais le détective avait déjà remis son calepin dans la poche intérieure de son gilet. En vitesse, il avait boutonné l'imperméable rempli de gadgets et s'était levé malgré les objections d'Abel. Il courait maintenant dans le corridor. La porte claqua derrière lui. Abel but ce qu'il restait de gin dans la bouteille, trop obsédé par la caisse noire de Géronimo pour partir à la poursuite d'Abraham. Quand il y pensa, il hocha la tête, s'amusant à faire tourner la bouteille de gin vide avec ses pieds. Ce n'était pas nouveau. On le laissait toujours tomber quand quelque chose était en train de se passer! Lassé dans son jeu car rien n'est plus monotone qu'une bouteille de gin qui virevolte sur le plancher, il quitta son tabouret. Puisqu'il n'y a rien à faire, aussi bien suivre le conseil de Pollux et me mettre à la recherche de la Mère Castor. Il fit tomber une pile de livres dans le corridor, essayant de retrouver, sous les oeuvres complètes de Flaubert, le casque d'explorateur qu'il mettait toutes les fois qu'il allait se promener dans la savane derrière le bungalow. J'ai dû le mettre ailleurs! Heureusement que la machette est sous le paillasson dans le vestibule. Maudit Abraham! Il soliloquait ainsi quand, poussant l'épais rideau du salon, il vit Abraham Sturgeon qui pédalait comme un fou sur une bicyclette inamovible, à côté de sa Renault 16, en plein sur le trottoir. Bon Dieu, quel fou! Les paumes retournées vers le ciel! Les yeux dans la graisse de rôti! Voit-il lui aussi les serpents et les papillons blancs mangeant mon espace? Il ouvrit la porte du bungalow, ses mains cachant ses yeux pour chasser les serpents et les papillons blancs, et il cria:

«Un tour de pédales de plus, et je te congédie, Abraham! Ton bicycle va te transporter au-delà de l'enquête et de mon amitié!»

Abraham regardait droit devant lui, la langue entre les dents, le front plein de sueurs. J'aurais dû mettre des culottes courtes pour montrer à ce triste Abel la formidable musculature de mes mollets! Et debout sur sa machine, s'appuyant de ses mains aux guidons pour ne pas perdre l'équilibre, il fit un dernier sprint, la gorge et les poumons en feu. De l'autre côté de la rue, les Tremblay étaient sortis sur le perron pour regarder ce fou déchaîné sur la bicyclette inamovible. Cela dura bien cinq minutes encore. Quand une sonnerie se fit entendre, Abraham arrêta brutalement de pédaler, sauta à terre, prit à bras le corps la bicyclette et l'alla déposer dans le coffre arrière de sa Renault 16. Après quoi, il se cracha dans les mains et revint vers le bungalow, disant à Abel:

«Il me faut mes quinze minutes d'exercices quotidiens. Sinon je me rouille par en dedans. Très mauvais pour un détective.»

Il s'épongea le front, haletant comme un chien, de

nouveau assis sur son tabouret, en face d'Abel qui se tapait dans les mains et murmurait de joyeuses obscénités.

«Maintenant, dit Abraham, il m'est loisible de continuer mon rapport et, si nécessaire, de l'achever. Mais je boirais volontiers une gorgée de gin, le temps de permettre au lecteur de souffler un peu.»

«Tout à fait d'accord. Je cours chercher une bouteille, tu en cales la moitié et tu repars en grande. Il le faut puisque le temps passe et qu'il y a déjà beaucoup de mort en moi et que la nuit bientôt me sautera dessus.»

Abel dégringola de son haut tabouret et disparut dans le corridor. La bouteille de gin était dans le bahut, avec encore six autres de ses pareilles. Une fois qu'il les aurait toutes bues, il pourrait disparaître dans le trou noir où Malcomm, sa mère et quelques autres énergumènes à tête de mort se préparaient à lui tirer la révérence de bienvenue.

«Tenez, mon cher Abraham. Buvez et qu'on en termine de cette maudite enquête.»

Tandis qu'Abraham buvait, il lui tapait gentiment sur l'épaule. Puis il ingurgita à son tour une bonne once de gin avant d'aller se jucher de nouveau sur le tabouret. Il y arriva à temps: Abraham avait sorti de la poche de son imperméable le fameux calepin et continuait sa lecture. Sa voix sifflait au-dessus de la tête d'Abel. Sa voix roula le fleuve de ses eaux dans la petite chambre rouge. Le nounoursse était tombé en transes dans la couchette. Cela, Abel eut le temps de le remarquer avant d'écouter ce que disait Abraham. Voici donc.

18

«Pour ne pas me répéter, dit Abraham, je me résume. J'avais profité du fait que le suspect Géronimo, pour soulager sa vessie, avait dû s'exiler dans les toilettes pour m'emparer de sa mystérieuse caisse noire et filer, ni vu ni connu, dans la ruelle où, avant de mettre les ciseaux dans mon rapport, question de m'esbaudir sur ma machine...»

«Au fait, je vous prie. Nous n'en sortirons jamais!»

«Comme vous voudrez. La boîte éventrée, je l'ai ramassée, curieux tout comme vous de savoir ce qu'il y avait à l'intérieur. Je me doutais bien que j'avais affaire à un sacré farceur! Dans la caisse noire du suspect Géronimo, il n'y avait rien d'autre qu'un bien méchant pistolet à eau!»

«Incroyable!»

«Mais vrai. J'ai d'ailleurs apporté le justificatif. Le voici. Une vulgaire composition de plastique actionnée par un ressort tout aussi commun. À désespérer tout enquêteur digne de ce nom!»

Abel regarda attentivement le pistolet que lui mit dans la main Abraham. Il était atterré, exaspéré, dégoûté. Il n'y avait définitivement plus rien à faire si ses personnages se comportaient comme de tristes imbéciles! Et s'ils se mettaient à faire dans leur pantalon avant même que d'avoir commencé! Quel sens donnerai-je à tout ça? Je me précipite au fond de mon silence, je fais la marmotte bienheureuse, il est trop tard, tout me glisse entre les doigts depuis que tu t'en es allée, ô ma Judith! Tu te venges de moi au travers de mes personnages. Même le gin, même les six bouteilles de gin qu'il me reste à boire ne prévaudront pas contre toi. Fini, brûlé, carbonisé, je veux qu'on colle, qu'on cloue mes cendres sur la croix de ma défaite. Et qu'on n'en parle plus. Adieu Père! Adieu Jos! Adieu Steven! Adieu Jim! Adieu Abraham! Adieu tous tant que vous êtes! Je sombre, déchirant en tous lieux le chagrin, en tous lieux l'angoisse et de la mort l'image innombrable!

Abraham n'arrêtait pas de parler. De sorte que malgré sa grande lassitude, Abel dut de nouveau prêter l'oreille. Abraham disait:

«Le pistolet à eau ne m'a donc pas étonné. J'aurais mal vu un suspect comme Géronimo se promener avec une arme meurtrière dans une petite boîte noire sous son bras. Votre connaissance des hommes, mon cher Abel, est tout simplement et carrément médiocre. Pour Géronimo, la boîte n'était qu'un artifice, qu'un objet dérisoire lui servant tout à la fois de compensation et de simulacre. Je crains qu'il y ait longtemps que vous ayiez vu le suspect Géronimo. Mon idée est qu'il a autant le dessein de vous assassiner que moi celui d'occire votre femme. Les faits que j'ai recueillis, vers la fin de mon seizième calepin, me le confirment.»

«Je ne vous crois pas.»

«Je n'ai pas à vous convaincre. Moi, je ne suis qu'un enquêteur. Pas un prédicateur. Ma tâche est de vous raconter ce que j'ai oui et zieuté. Le reste ne me regarde pas. Je souhaitais tout simplement que mon travail puisse vous sortir du pétrin dans lequel vous vous êtes fourré, mon cher Abel.»

«Nul besoin de parler de moi dans cette affaire. Je ne fais qu'obéir aux singes du destin.»

«Des mots. Des mots. Quand donc apprendras-tu à t'en libérer? Quand donc accepteras-tu de voir la réalité en face?»

«Des mots. Des mots, Abraham! Des maudits mots qui nous conduisent dans l'en-deçà de notre mort!»

«La mort! Qu'est-ce qu'on peut y faire si l'on meurt tout le temps et dès que l'on est né? Ces choses dont on ne peut parler, qui vous restent pris dans la gorge, qui vous font des glaucomes dans l'oeil et des champignons vénéneux dans la verge, qui bossifient votre dos et vous font pousser des boules sous les aisselles... Mon pauvre Abel! Mieux vaut revenir à l'enquête!»

150

«Comme je m'ennuie de Judith! Comme je m'ennuie de l'enfant qui devrait être né maintenant, à moins que Judith ait mis sa menace à exécution. Je n'ai reçu qu'un pauvre petit mot d'elle depuis qu'elle est partie. Une carte postale de la mer de Floride: «J'espère, mon si pauvre Abel, que tout va bien pour toi et que tu as enfin trouvé à vendre le bungalow. Judith x x x.» Cela seulement dans l'éternité de ma lassitude. Veux-tu téter encore une fois à même la bouteille de gin, ami?»

Abraham fit signe que non de la tête. Il n'aimait pas voir Abel pleurer. Cela me rappelle trop mon père que je vois assis dans la chaise berçante de la cuisine alors que je reviens de l'école, j'avais peut-être dix ans en ce temps-là, et mon père, oh il y avait des mois qu'il chômait maintenant, et nous étions huit à la maison. La maison! Un trou de siffleux dans la Basse-Ville de Québec. Durant l'hiver, mon père avait abattu les cloisons de la maison pour chauffer le poêle. Même le piano y était passé! Et il restait de longues journées sans parler, à jongler dans sa chaise berçante et à pleurer. O mes peuples hostiles! Abraham était debout devant Abel, il lui tapait discrètement sur l'épaule, il lui disait:

«Tu bois définitivement trop, Abel. Or, le seul moyen que tu as de te sortir de toute cette marde, c'est de te prendre en mains et de replonger tête première dans ton Oeuvre. Elle seule doit compter, Abel. Tiens: mouche-toi et laisse-moi finir mon rapport. Dans dix minutes, il me faudra être rendu déjà loin de ton bungalow.»

Abel ferma les yeux. Comme je joue bien la comédie, pensa-t-il. Ce triste Abraham Sturgeon en aura des choses à raconter sur mon compte! Continuons le jeu. Rions désormais. Préoccupons-nous de Géronimo, enthousiasmons-nous pour lui afin de tromper davantage le détective. Il fit claquer ses doigts, bomba le torse, frappa sa poitrine de grands coups de poing, et dit:

«Racontez-moi ce que vous avez écrit dans les dernières pages de votre seizième calepin, mon cher Abraham.»

«Je ne pouvais rester dans la ruelle derrière le *Café du*

Nord toute la nuit. Il me paraissait en outre important d'entrer de nouveau dans le cabaret pour y continuer mon guet. J'ai donc enlevé mes lunettes noires remplacées dessus mon nez par les plus conventionnelles berniques de ma collection. Je me suis défait de mon imperméable et me suis viré à l'envers dans mon gilet réversible, arrachant ma cravate et m'ouvrant du col. J'étais prêt. La chance également puisque ma table était inoccupée. Le suspect Géronimo fumait maintenant un cigare, dans un joyeux état d'hilarité. Devant lui, à la même table, je remarquai tout de suite votre frère Jos. »

« Vous êtes certain de cela? »

« Absolument. J'avais déjà son signalement, que vous aviez eu la gentillesse de me fournir. Grand chapeau lui aussi, cape noire et une canne qui m'a semblé être taillée à même une branche d'arbre. »

« Du merisier sans doute. »

« Cela, je ne pourrais le jurer. Me souvenant que vous m'aviez dit que votre frère Jos conduisait une vieille ambulance noire, je suis sorti encore une fois, question d'aller vérifier l'hypothèse au terrain de stationnement devant le *Café du Nord*. J'y ai bien vu l'ambulance dont il m'a à peu près été impossible de voir à l'intérieur, par rapport aux rideaux qu'il y a dans les vitres. Bien sûr, le parebrise avant, lui, m'a quand même permis d'apercevoir sur la banquette une petite caisse noire, en tous points identiques à celle que portait sous le bras le suspect Géronimo, mais dont les dimensions étaient d'au moins le double de celles que j'avais éventrée. J'ai sondé les portières, espérant qu'elles ne fussent pas barrées. Hélas, elles l'étaient toutes. Je suis vraiment désolé de ne pas pouvoir vous mieux renseigner sur cette caisse. »

« Le mal n'est pas grand. Je sais ce que contient la caisse noire que mon frère Jos trimbale dans son ambulance. »

« Dans ce cas, vous devriez me le dire pour que je mette mon dossier à jour. »

«La caisse noire est l'outil indispensable, au même titre que l'ambulance, du travail que, dans l'ombre, mon frère Jos est en train d'accomplir. Il s'agit en vérité d'un kit à maquillage à double fond. »

«Et qu'y a-t-il dans ce double fond? »

«Tout un assortiment de dents de vampire. »

«Comment savez-vous cela? »

«Il y a des années que mon frère Jos me parle de ces sacrées dents! Tout ce qui m'étonne et m'inquiète (cela, je l'avoue volontiers), c'est que maintenant il en parle à d'autres. Je ne serais pas le moins du monde surpris qu'il ait mis Géronimo au courant de ses projets. »

«J'allais justement m'en ouvrir à vous. »

«Mais pour le moment, il m'intéresserait davantage de savoir comment Jos et Géronimo se sont connus. À ma connaissance, vous n'avez pas été extrêmement disert sur ce point. Pourquoi? »

«De cela aussi, j'allais justement m'en ouvrir à vous. »

«Faites-le, alors! »

«C'est hier seulement que j'ai appris cet important détail. Votre frère Jos n'a-t-il pas suivi, en 1963-64, des cours d'art dramatique? »

«D'art dramatique et de bien d'autres disciplines: piano mécanique, boxe, hockey, hold-up, mathématiques modernes, hébreu, grec, sanscrit, babylonéen, construction des cathédrales, alchimie, franc-maçonnerie, chevalerie de Colomb, chevalerie de Saint-Louis, agriculture et astronomie. »

«Mais je suis sûr que vous ignorez que votre frère est aussi un Maître. »

«C'est-à-dire? »

«Il est le grand Maître de la secte secrète des Porteurs d'Eau. »

«J'avais oublié cela en effet. D'où tenez-vous ce renseignement? »

«De Dame Angélica Amabilia d'Ambleside, ma femme, qui la semaine prochaine, y sera initiée. C'est par elle que j'ai

153

appris l'existence souterraine des Porteurs d'Eau. N'est-il pas vrai que l'hiver dernier, votre frère Jos, au cours de réunions clandestines, promulgait son enseignement, notamment sur le symbolisme des cathédrales du Moyen Âge? Dame Angélica Amabilia d'Ambleside assistait à ces conférences en sa qualité de néophyte. Ils étaient une dizaine dans les débuts. Aujourd'hui, la secte des Porteurs d'Eau compterait une centaine de membres. »

« Ça ne m'explique toujours pas comment Jos et Géronimo se sont connus. »

« À un meeting du Parti québécois dans le comté de Bourassa dont le chef-lieu est Montréal-Nord. Votre frère Jos songeait à la politique dans ce temps-là. J'ai d'ailleurs réussi à mettre la main sur le discours qu'il devait prononcer ce soir-là... »

« Mais qu'il n'a pas hurlé, écoeuré au dernier moment par les manigances de coulisses. Aussi n'a-t-il révélé que cette phrase dérisoire, debout sur une chaise: *N'oubliez pas de dire qu'il fait si froid durant l'hiver que les sermons vont se geler sur les murs de nos églises, pour dégeler au printemps!* Fantastique! »

« Et le suspect Géronimo qui assistait à l'assemblée (je pense qu'il était alors ouéteur au *Robot*) est allé serrer la main de votre frère Jos, enthousiasmé par sa déclaration folichonne et anarchique. Après quoi les deux compères sont allé s'enivrer dans une taverne. Toute l'histoire commence là. Le suspect Géronimo est vite devenu l'homme de main de votre frère Jos. Une manière d'adjoint au grand Maître des Porteurs d'Eau. Ceci étant dit, j'aimerais bien avant que de m'en aller car le temps me presse, vous raconter la conversation du suspect Géronimo et de votre frère Jos. Pour le faire toutefois, une goutte de gin ne serait pas de trop. »

« Tout à fait d'accord, mon cher Abraham. Désaltérez-vous. »

« Voilà... Voilà... Le tout a duré une demi-heure. C'est relativement long. Le suspect Géronimo et votre frère Jos ont surtout parlé de l'organisation matérielle de la secte secrète

154

des Porteurs d'Eau. Pour le spirituel, il semble que tout soit O.K. Il s'agit d'un ordre monastique, du genre de celui de saint Benoit, mais de complexion mixte et pourtant unisexe: les robes sont identiques pour les moines et pour les moinesses. Le credo est clair: le Québec constitue le dépotoir de l'humanité, un formidable bouillon de culture, la matrice d'une nouvelle civilisation. Le premier but des Porteurs d'Eau est avant tout celui d'être les chevaliers de l'Apocalypse, les anges trompettant le jugement dernier du vieux monde. Parallèlement à cette première fonction, il en est une autre: l'Apocalypse venue, des hommes doivent sortir de la ténèbre pour fonder l'ordre définitif du monde québécois transmuté. C'est la deuxième et la plus importante tâche de l'Ordre que compte, qu'a déjà mis au monde votre frère Jos. Un naturopathe avancerait, semble-t-il, les fonds pour l'achat d'un vaste domaine où s'établirait la communauté. Comparé à tout ceci, l'histoire de l'ambulance, auquelle s'ajoute celle d'un Jos vampire effrayant les enfants comme un vulgaire Bonhomme Sept-Heures, n'est qu'une infâme plaisanterie. La vérité est toute autre. Mille fois plus subtile et plus audacieuse. C'est une équipe de savants que veut former votre frère Jos. Un nouvel art de vivre global. Une révolution spirituelle. Je m'étonne que vous n'en soyez pas plus informé. Vous devriez revoir votre frère Jos au lieu de boire comme vous le faites tout ce mauvais gin. Ainsi ne songeriez-vous plus à votre mort graveleuse et factice et sortiriez-vous enfin de ce damné bungalow où vous vous acharnez à vivre avec des choses périmées. Quant à moi, je considère mon enquête terminée et je vous remets ma démission. J'ai beaucoup appris et...»

«Et quoi donc, mon ami?»

«Il me faut rentrer chez moi où j'ai désormais mon roman à écrire.»

«Dans ce cas, bonne chance», dit Abel laissant son tabouret pour aller serrer la main à Abraham Sturgeon. «Et ce roman, de quoi parlera-t-il?»

«Je crois que le suspect Géronimo et votre frère Jos constitueraient d'excellents personnages.»

«Ce serait oublier qu'ils m'appartiennent!»

«Que je sache, il n'y a pas de droits d'auteur sur les idées. Avez-vous déjà oublié cette maxime de William Burroughs que vous citiez jadis dans tous vos articles, à l'effet que l'écrivain est un être foncièrement amoral, un pilleur sans vergogne qui prend son bien où il le trouve? Je vous remercie quand même de m'avoir donné la chance de trouver ce sujet extraordinaire de roman. Peut-être même vous dédicacerai-je mon livre, avec la mention «Pour services rendus». Croyez que j'ai été heureux de travailler pour vous. À bientôt, mon cher Abel.»

Abraham Sturgeon se mit au garde-à-vous, claqua ses talons ferrés l'un contre l'autre et sortit de la petite chambre rouge dignement comme un grand seigneur. Abel ne songea même pas à le reconduire à la porte. Il allait d'abord se saouler comme un cochon puis, quittant à son tour la petite chambre rouge, il s'en irait dans la cuisine où, vêtu d'une longue robe jaune, il écrirait le roman de Géronimo et de son frère Jos, poussant son stylo feutre à un train d'enfer pour terminer l'histoire rapidement et l'aller soumettre à son éditeur avant que le sinistre Abraham n'ait eu le temps d'écrire un premier chapitre. Ainsi par cet acte oublierait-il Judith et forcerait-il la main à son imaginaire. Il trouva l'idée séduisante, fourmillante de promesses. Du coup, les papillons blancs et les serpents s'enfuirent loin de Terrebonne quand il releva le store pour regarder dans la fenêtre en direction de la savane.

19

Rien depuis longtemps ne lui avait été aussi facile que de commencer le roman de Géronimo et de son frère Jos. Un flux d'images assaillait Abel, remplissait sa tête d'éclairs fourchus. Il n'était plus rien d'autre qu'un gigantesque projet, qu'une manière de dire en devenir, qu'un acte créateur abolissant toute réalité en lui et hors de lui. Il n'était plus dans le petit bungalow de Terrebonne, il ne savait plus qui étaient Pollux et la Mère Castor, et pas davantage ce que pouvaient bien signifier la négresse Johanne et sa femme Judith. Tout cela était brusquement tombé de lui comme des écailles de poisson, son esprit fumait comme une bouse de vache pensat-il en rotant, investi par l'impérieux pouvoir de son imagination. Sur la table devant lui, une montagne de livres, ceux-là même que Jos avait lus, et dans lesquels il puiserait abondamment au moment voulu. Pour l'instant, il s'agissait de rédiger le premier plan de l'Oeuvre afin de perdre le moins de temps possible et de n'être jamais pris à court de mots, le genre même du livre l'exigeant. Une interruption d'une heure et tout sautait en l'air! Impossible d'éprouver deux fois une telle fièvre et une telle démangeaison dans la main gauche! «À tribord toute!» hurla Abel en décapuchonnant son stylo feutre. Et courbé au-dessus de la feuille, trois bouteilles de gin sur la chaise à côté de lui, il s'enfonça dans son roman comme dans un ventre maternel. Dieu que cela était bon que de lâcher son fou tout au haut de la page blanche!

Il écrivit ainsi pendant une bonne heure, ne faisant guère de pauses, sinon pour boire un peu de gin. Même quand Pollux arriva, sautant sur la table et miaulant son désarroi, il ne l'aperçut ni ne l'entendit. Il avait mis deux boules de cire dans ses oreilles pour mieux s'exclure de tout le réel l'entourant, le menaçant insidieusement. Un son et la sauce était gâchée! Ce n'est que lorsque Pollux excédé mordilla son stylo feutre qu'il se rendit vraiment compte de sa présence. Il repoussa le chat jusqu'à la montagne de livres et se remit à écrire. Mais Pollux revint à la charge, mit la patte sur le bout du stylo feutre. Le mot qu'écrivait Abel devint une longue flèche défigurant toute la page. L'Oeuvre serait donc toujours impossible, tout vous ramenait à votre point de départ et l'on aurait beau écrire des milliers de pages, il n'y aurait jamais de solution, tout se passant comme s'il fallait sans cesse mettre dans sa face de nouveaux masques, aussi insatisfaisants que ceux déjà utilisés et ne disant que l'extrême indigence dans laquelle il fallait bien se débattre, avec soi comme monstre à exorciser. Mais comment être tout à la fois saint Georges et le dragon sacré? Un chat gros comme une boule de quille quand il se pelotonnait brisait d'un coup de patte le miroir au-delà duquel on essayait de voir, enfin libéré de tout ce qui en soi n'était que soi-même et ne méritait pas un tel gaspillage d'énergie. Du coup, toute sa réalité fut rendue à Abel; les ombres dantesques de son père, de Steven et de Judith passèrent devant ses yeux. Il se sentit complètement dégrisé et désillusionné sur son projet. Les quelques pages écrites du roman de Géronimo et de Jos iraient dormir quelques années encore dans un tiroir. C'était tout le temps dont Abel avait besoin pour mourir.

«Je devrais t'assommer sur le mur!» dit-il à Pollux avant de boire.

«Sans doute, répondit le chat. Mais la vie de ma Mère Castor, jamais un roman, fût-il de toi, ne pourra représenter autant à mes yeux. Il y a toutes sortes de façons d'échapper à l'écriture, bien que j'en connaisse très peu qui vous permettent vraiment d'échapper à la mort. De toute façon, demain tu aurais compris que le roman que tu as entrepris est trop vaste pour toi et tu n'aurais pu que l'abandonner. Te le disant aujourd'hui, je te fais gagner du temps et te rappelle du même souffle à tes responsabilités. Ma Mère Castor...»

«Ça va, ça va, j'ai compris Pollux. Nous allons nous mettre à sa recherche dès que j'aurai suffisamment bu.»

«Je saurai bien patienter encore quelques minutes, ayant attendu toute la journée.»

Abel froissa les quatre feuilles manuscrites, les mit dans le cendrier sur la pile de livres, ouvrit la boîte d'allumettes. La flamme dansa dans les yeux de Pollux avant de s'emparer du papier. Des mots qui brûlent, ça sent le cochon ébouillanté! Père! Pourquoi m'as-tu donné toutes ces images dans lesquelles je tourne en rond et dont je ne sais plus quoi faire? Le cheval hennissait dans la grange, affolé par la fumée qui coulait des fentes du plafond comme de la lumière grise. Qui avait laissé tomber un mégot de cigarette sur le fenil, dans le vieux foin jaune pourri? Une carcasse d'étalon grillé comme un bar-b-q dans sa stalle, avec les petits gorets écrasés sous ses sabots... Bois, Abel! L'avantage du gin sur le feu, c'est qu'il ne boucane pas. Et maintenant, lève-toi, cours chercher ta machette, mets tes lunettes noires et ton casque d'explorateur, remplis ta gourde de gin et laisse-toi glisser le long de la fenêtre de la chambre du Sud pour éviter, en passant par la porte d'en avant, de te retrouver nez à nez avec le pompier Cardinal qui arrose sa pelouse. Tenant le boyau d'une main et de l'autre se grattant la fesse gauche. Les gros pieds sales dans le bran de scie. Fais en sorte qu'il ne te stoppe dans ta course, Abel! Disparais sous les arbres qui courent à ta rencontre, leurs vertes gueules ouvertes pour t'avaler. Attention au fil barbelé! Un bond et ça y est. Te voici à quatre pattes dans la savane, regardant entre les branches l'arrivée de Pollux. Caresse-le un peu entre les oreilles. Les chats ne boivent pas de gin, Abel.

Il remit la gourde à sa ceinture, bâilla, retenant d'une main Pollux impatient de partir à la recherche de sa Mère Castor. Encore une fois, il pensait à toute autre chose, à cette inqualifiable angoisse qui lui donnait mal à la tête toutes les fois qu'il mettait les pieds dans un bois. Avec Judith jadis, quelque part dans les Laurentides, à Sainte-Émilie-de-l'Énergie ou à Saint-Gabriel-de-Brandon, au plus chaud de leur mois de juillet et cherchant, sur la petite route en forme de lacet, un coin traquille ou s'arrêter (la poussive M.G. qu'il venait de repeindre au pinceau, stationnée sous les arbres, et Judith, il avait complètement déshabillé Judith, nue il la voyait étendue dans l'herbe, le soleil exagérant la blancheur maigre de son corps, ce vent faisant basculer les arbres par-dessus eux, et le membre d'Abel sorti du pantalon, dressé dans le champ, je m'avance vers toi, je vois la lumière sur les poils sombres de ton pubis, et c'est ainsi que je te prends, que je suis pris, les deux pieds appuyés à la souche déracinée — pendant ce temps, la peur morbide d'être abandonnés tous les deux, trop seuls et trop heureux dans le désert du monde, comme autrefois à Saint-Jean-de-Dieu, alors que le père, en bas de la côte raide, les avait fait descendre lui et Steven, les roues avant du camion plein de bidons de lait levaient de terre et eux, se tenant par la main, le voyait disparaître, pleuraient parce qu'ils pensaient qu'on les laisserait à jamais dans les bois de Saint-Jean-de-Dieu — que ferons-nous, mon Dieu qu'allons-nous devenir?). Avec Judith jadis, pataugeant tous les deux dans le ruisseau, lui son pantalon roulé jusqu'aux genoux, elle toute nue, tenant sa robe fleurie sous le bras, l'ombre de ses pieds dans l'eau (et quelle formidable tendresse dans ses fesses — joue-moi un air d'harmonica et, du milieu des eaux tièdes, je danserai pour toi, faisant passer les mouvements houleux du ruisseau dans mes hanches par lesquelles je retiendrai ton oeil et lui parlerai comme des bruits polis de cailloux. Danse Judith! Oh, mime-moi les obscènes dérèglements, ton ventre ondulant, ton ventre-fakir, tandis que devant toi, les jambes écartées et mon pantalon descendu sur les chevilles, je m'onanise lentement, ma chair durcie par les forces vivifiantes de ta danse. Le cri prodigieux! Le floc de ma semence tombant dans l'eau où les poissons la boiront, donnant des perchaudes à tête humaine, des crapets-soleil aux pattes douces, des truites velues, des brochets amphibiens glissant comme des serpents dans l'herbe, vers les lointains villages!) Avec Judith jadis, perdus dans les bois, ne retrouvant plus la vieille M.G., ni le chemin pierreux, amortis par le grand acte d'amour, mon coeur cogne dans la poitrine, Judith!, n'aie pas peur de ma peur, le ciel et la terre passeront mais non notre amour de nous deux. Plaisante pour effrayer ton effroi te sortant par les oreilles comme une envolée de noires corneilles! Immobile sur la butte, le bras tendu, le pouce en l'air, imaginant la route et les flots de voitures qui passent. Les marmottes siffleuses, tournées sur le ventre à côté des trous mousseux. Faisons-nous petits, Judith, et laissons-nous glisser dans les souterrains éternels. Ne pleure pas, ne pleure pas, voyons. La M.G. ne peut être loin. Et tard dans la nuit, tournant en rond dans les bois, mes jambes saignent et j'ai faim Abel et je ne veux pas mourir loin de notre affection — tombant droit sur la M.G., se blessant au genou. Les hiboux se balançaient pacifiquement dans les branches. Le moteur de la M.G. tournait et je te caressais les seins — ce soir, je mettrai de la vaseline sur tout ton corps pour que ta peau rouge ne pèle pas. Avec Judith jadis cela avait été ainsi.

«Grouillons-nous, dit Pollux. Les gros nuages que je vois ne me disent rien de bon. Battons le fer tandis qu'il est chaud et beau.»

Abel avait sorti la machette de la gaine. Pollux trottait devant lui. Le pompier Cardinal, accroupi devant ses plants de tomates, calculait le nombre de fleurs en buvant une bouteille de bière cachée dans le sac brun. Les grosses cuisses molles de sa femme allongée dans la chaise, la face dissimulée sous le chapeau de paille. La terre était humide dans la savane, le pied y enfonçait, et toutes ces mouches tourbillonnant au-dessus de ma tête. Le vent poussait la semence des pissenlits sur les branches des cèdres, ce qui rappela à Abel que les papillons étaient toujours là, changeant comme sa vie mais pourtant immobiles en dépit du foisonnement de leurs métamorphoses. Il hurla, pour se donner la force d'entrer plus avant dans le bois. Il est impossible de faire sortir de sa coquille un bigorneau non existant avec une épingle sans points. C'était là la citation préférée d'Abraham Sturgeon qui, toutes les fois qu'il la disait, ajoutait que jamais il n'arriverait à écrire rien de tel, rien d'aussi absolu. Pauvre fou! Et dire que maintenant il doit être en train de pianoter comme un malade sur sa machine à écrire, me volant l'histoire de Géronimo et de Jos, la réduisant à rien, à une multitude de mots discordants — Père annulé par une écriture simiesque! Ma tribu emportée par le vent de l'imaginaire des autres! Et alors que tout ceci se prépare, moi je coupe des branches d'arbres à coups de machette, à la recherche de la Mère Castor. Degré ultime de mon humiliation.

Il s'enfonçait dans la forêt, respirant les chaudes odeurs des végétaux, parlant à Pollux qui zigzaguait follement et poussait de petits miaulements de reconnaissance. Tous les arbres de Terrebonne fussent-ils transformés en Iroquois — les maringouins boivent le sang de mes jambes, Pollux. Arrêtons-nous et soufflons. Même le gin était chaud dans la gorge. Mauvais comme de la pisse de jument. Petit, j'imitais le taureau léchant l'urine des vaches et retroussant les babines. Peut-être par cet acte savait-il si elles étaient en chaleur ou non, s'il devait les grimper et les remplir de sa morve («défonce-là! criait le père. À l'os, c'est comme ça que ça se met une taure!»), et c'est pour connaître son secret que, seul dans l'étable, j'attendais que la vache pisse pour mouiller ma main et sucer mes doigts, ouvrant la bouche comme le taureau, gonflant les narines. Quel rapport entre l'Abel de ce temps et celui qui marche dans les broussailles, tétant du gin tiède, saoul comme une botte? Je serais incapable de voir la Mère Castor même si elle était grosse comme une ourse et me regardait venir vers elle debout sur ses pattes arrière.

«Cessons ce combat inutile, dit-il à Pollux. Rien ne sert de pourrir ainsi. La prochaine fois, je mettrai un fil à la patte de la Mère Castor et ainsi ferons-nous nos petits déjeuners de ses labyrinthes. Je devrais être à la maison. Peut-être Judith essaie-t-elle de m'atteindre au téléphone. La perte appréhendée de ta Mère Castor ne peut être qu'une goutte d'eau dans la tempête de mon verre.»

162

«Foin de ton déparlage et continuons! Si ce que je sens est vrai, nous serons bientôt au bout de notre chemin. Et ainsi pourras-tu retourner dans la chambre du Sud t'asseoir à côté de l'appareil téléphonique. De toute façon, les voix mettent du temps à franchir l'espace qui va de Miami à Terrebonne. Fais comme moi, espère.»

«L'espoir est ce qui reste quand il ne reste plus rien.»

«Abraham Sturgeon dixit.»

Abel était monté sur la grosse roche plate, une poignée de chiendents dans la main. Le tranchant de la machette brillait au soleil. Sa jambe gauche tremblait (il y aurait donc de l'orage bientôt, la douleur montant jusqu'au fémur, ce qui n'arrivait que rarement, à la veille d'un grand déchirement du temps, quand les forces souterraines de la terre s'alliaient à celles de l'air, plongeant le monde dans une apocalypse d'eau et de foudre lumineuse). Le bruit assourdi du tonnerre dans le lointain. Pour ne pas l'entendre, Abel prit une tige de chiendent, la mit entre ses deux paumes et souffla. Une musique affreuse, un chant de mort — les fabuleuses licornes devaient crier ainsi quand l'épée magique les transperçait de part en part.

«Assez de ce chiendent musical, dit Pollux. Tu m'écorches les oreilles.»

«Je suis perdu, Pollux, je ne sais même plus ce que nous cherchons et quel sens auront désormais nos actes dérisoires. Pauvre ta Mère Castor! Comment pourrais-je la sauver une deuxième fois de sa mort? Au-dessus de mes forces, Pollux. On ne se jette qu'une fois devant une automobile, au beau milieu de la rue Saint-Denis, pour récupérer un pauvre chat de gouttière dont le pelage n'est plus que tache d'huile. Cessons notre poursuite fatricide, Pollux, monte dans ma main et galopons vers nos écuries parfumées! Je suis devenu un homme triste, un homme vraiment triste, Pollux ô mon chat!»

Mais Pollux s'était bien vite lassé de ce discours. Il courait maintenant dans les herbes et un affreux sentiment de culpabilité terrassa Abel assis sur la grosse roche plate. Je suis un salaud et c'est pourquoi tout le monde me quitte pour me laisser seul dans ma maison. À peu de mots près, c'étaient là les paroles de son père après la mort de la Mère — et Gabriella était partie rejoindre Steven dans ce Paris infect où risquait de l'emporter une curieuse maladie nerveuse qui lui faisait voir des anges partout (sur le plafond de sa chambre d'Hôtel, entre les couvertures de *La Tour d'Écrou* d'Henry James, dans l'énigmatique personnage de Babo, ce roi africain étudiant à la Sorbonne, clé du roman de Steven, un chef-d'oeuvre de poésie baroque avait appris Abel, tant d'ailes d'anges, pourquoi Christ-Jésus, pourquoi?) — Et Jos se masquant et se démasquant, égaré dans le faux Vancouver de son rêve mégalomane — et Gisabella rencontrée par hasard en Gaspésie, étendue à côté de sa tente, lisant Sappho de Lesbos, une jeune femme fleurie lui massant les mollets, enfonçant sa tête dans le livre pour ne pas me voir, des années déjà qu'elle a renié le clan, comme nous tous d'ailleurs, mécréants enfants qui avons abandonné Père au sort de sa mort lente. Assis dans sa chaise berçante, attendant l'oncle Phil, faisant des simagrées avec ses bras pour chasser l'ennui, disant: «Des fois, je me demande», mais n'achevant pas sa phrase, pensant plutôt à ce qu'il aurait à raconter à Abel quand il accepterait enfin l'invitation à venir souper avec lui:

«Ma femme n'a pas eu besoin d'un cancer du ventre pour mourir dans d'infinies douleurs. Je te comprends, mon fils Abel. Que saurais-je attendre dans ma vie, moi qui n'ai su, par mon amour, l'exorciser de son mal? C'est dur de comprendre qu'on ne vit que dans les artifices de ce qui a été. Morne mort. Morne mort, Bouscotte. Et même pas de bavette à son poêle pour y allonger ses pieds. Nous partirons seuls, toi et moi mon fils Abel. Je tremble, ô douleur, ô misère! Et je serai bien trop vieux et ne comprendrai plus rien quand la porte de ma maison s'ouvrira pour te laisser entrer. Je ne vivrai plus. Toi, condamné tout comme moi à l'absence. Douze enfants et l'hospice de ma maison vide! Buvons, Bouscotte. C'est l'oncle Phil qui a raison.»

La gourde, il ne restait plus tellement de gin maintenant dedans. Et Abel, debout sur sa roche, sifflant comme un perdu. Il ne savait plus où il était et ce qu'il était venu faire dans cette forêt nauséabonde où les arbres iroquois venaient de se transformer en autant de cercueils noirs, tous semblables et innombrables, avec les couvercles arrachés. Judith! Judith! Il voyait le petit corps recroquevillé dans le fond du cercueil multiple, il voyait la peau séchée et, entre les cuisses, le bébé rigide. Je n'étais pas là pour couper le cordon ombilical. Qu'ai-je tué de nous deux dans tous mes mensonges littéraires? La gourde de nouveau attachée à sa ceinture, Abel sauta en bas de la grosse roche plate. Les cercueils se faisaient obsédants et il ne put s'empêcher de courir dans leur direction, en saisissant un à bras le corps, le traînant entre les chicots morts — et toujours Judith restait immobile dans la boîte noire, le visage défait par la souffrance, serrant entre ses jambes la petite chose charbonneuse qui eût pu devenir le seul véritable roman possible, un petit garçon blond courant entre les citrouilles derrière le petit bungalow de Terrebonne.

Pollux était revenu. Il regardait Abel et ne savait plus quoi penser. Transporter une souche carbonisée dans ses bras et parler à cette souche comme si elle eût été vivante, voilà quelque chose qui dépassait l'entendement moyen d'un chat. Abel buta sur un caillou et tomba par-dessus la souche. Il pensait qu'il venait de mourir lui aussi, qu'on avait refermé le couvercle sur sa folie — et le corps de Judith qu'il tenait contre lui était d'une dureté amère, froid et creux comme une vieille armure du Moyen Age.

«Quand tu auras fini tes singeries, dit Pollux, nous pourrons peut-être continuer notre recherche.»

Et Pollux s'assit dans les feuilles, se lécha la patte ensanglantée par une ronce. Il se dit qu'à son tour il commençait à désespérer de tout. Abel demeurait allongé sur la souche, murmurant de boiteuses phrases d'amour. Pourtant je ne vois ni Judith ni le bébé de Judith. Sans doute faut-il que je comprenne à toutes ces simagrées qu'il n'appartient qu'à moi de trouver ma Mère Castor.

165

Le sang ne coulait plus sur la patte de Pollux. Il se redressa, fit deux ou trois bonds capricieux, histoire d'éprouver la force de son muscle mutilé par la ronce. Satisfait, il disparut dans les broussailles, miaulant vers sa Mère Castor. Au-dessus des arbres, le ciel était tout noir. Mais personne n'avait encore remarqué que les oiseaux s'étaient tus dans la forêt.

20

Ce n'est pas la pluie qui réussit à sortir Abel de son épiphanie. Bouclé dans le cercueil, en compagnie de Judith et du bébé, le sang s'était épaissi dans ses artères, les faisant éclater. Sa peau était cuivrée comme celle de Judith et celle du bébé. Et froide. Seule une infime partie de son cerveau fonctionnait encore. Comme une tortue virée à l'envers et faisant aller ses pattes dans le vide. L'âme de Judith marchait dans la savane, attirée par la swâmpe où les grenouilles concertaient dans l'humidité de la nuit. L'âme de Judith était nue. C'était donc une vision antérieure à celle du cercueil dans lequel Abel avait été fait prisonnier. Si maigre es-tu, ô ma Judith! Il la voyait dans son aura de lumière éblouissante, je suis mort et je n'ai pas assez de mes deux yeux pour te regarder, tes pieds s'enfoncent dans la vase, quel rêve triste tu fais, les deux mains enveloppant tes seins, le bouleau de la rivière Mingan s'en souvient tout comme moi, tu t'accroupis dans la boue tandis que le soleil fait des zigzags dans le ciel, que s'embrasent les maisons de mon cauchemar! Étendue dans la boue et colmatant ton sexe de terre noire et criant:

«Je t'aime, si tu savais comme furent douces nos amours!»

Ta bouche maintenant close elle aussi, tes yeux bouchés, zombi de mes affections troubles! Et nous voici de nouveau dans le cercueil et notre immobilité cadavérique... Vroommmm! Le premier coup de tonnerre sema l'épouvante parmi les arbres de la savane. Le vent les coucha en joue, tira au hasard dans les feuilles. L'épaillement commençait. Abel releva la tête, vit la souche sous lui, la branche morte qui avait déchiré son pantalon et fait une longue zébrure rouge

167

sur la cuisse. Cette pluie froide! La savane noire s'illuminait brutalement quand les éclairs fourchus déchiraient les profondeurs d'en haut. Mon casque, pensa Abel. Je ne sais plus où j'ai perdu mon casque d'explorateur. Peut-être l'ai-je laissé sur la grosse roche plate. Pollux! Ce n'est pas ta Mère Castor qu'il faut chercher mais moi qui suis dans un état avancé de perdition. Ne fais pas le fou, Pollux! Reviens!

Il criait ainsi dans la forêt, les mains en porte-voix, courant de ci de là comme une bête traquée à la merci des démons déchaînés, son corps fiévreux, la chemise mouillée plaquée contre sa peau. Il finit par retrouver la machette plantée dans la terre et s'aventura plus avant dans les bois (du moins le crut-il dans sa folie), sa main droite tenant la machette et faisant de formidables moulinets au-dessus de sa tête. Les branches tombaient devant lui, la gourde battait contre sa hanche. On devait être à des milliers de milles du petit bungalow de Terrebonne, dans quelque marais pontais, à proximité de la Rivière des Prairies et de ses odeurs pourrissantes. Abel avançait dans la boue, il en avait jusqu'à mi-cuisses, il hurlait pour que Pollux revienne, un discours ébréché comme le fer de sa machette, où il était question de la queste du Saint-Graal et de boire dans la coupe d'or sacrée la goutte de vin rouge comme le sang de Judith. Mes jarrets noirs dénoncent l'imposture de ma requête! Plats sont mes pieds au fond de la vase! Tonne tonnerre machiavélique! Et que ma machette me paratonnerrise!

Au beau milieu de la mare, Abel s'arrêta pour boire une gorgée de gin. Pollux était de l'autre côté, petite boule boueuse se roulant dans les feuilles pour se nettoyer.

«Je suis tombé dans ce maudit puisard, dit-il. J'ai bien failli y laisser mes poils. Viens m'aider, Abel. Comment veux-tu que je coure avec un pouce de crasse sur tout mon corps?»

Abel monta sur le billot et traversa ce qui restait de la mare de boue.

«Quel temps de cochon, hein?» dit Pollux.

Abel ne répondit pas. Le temps parle pour moi. Il sortit un mouchoir, s'assit dans l'herbe et, le chat sur ses genoux, il

168

le bichonna avec tendresse, comme si c'eût été là l'âme nue de Judith, le poil de ses aisselles et de son mont de Vénus à purifier. L'homme pourrait-il être autre chose qu'une conscience mise à vif, désossée et putrescente? Je ne sais ce que deviendra votre oeuvre, Monsieur Beauchemin, mais je pense qu'elle vous mène tout droit, non pas seulement à la destruction du paysage, cela vous l'avez déjà accompli... — Le haut fonctionnaire des lettres le regardait, et moi-même, étonné de ses gros yeux de poisson, les regardais tandis qu'il me parlait. Des bribes que je saisissais, dans le feu du cocktail, verre de scotch dans la main, pipe entre les dents... — Le théâtre de la vie intérieure, votre théâtre Monsieur Beauchemin, tout décomposé... Me fait penser à un cimetière d'autos, ces banquettes qui pourrissent... Au travers du tissu, au travers de la cuirette poussent les ressorts rouillés, comme des champignons malicieux... Je crains qu'il n'y ait point d'avenir, rien de solide... Que la perpétuation de ce qui reste d'inusable en chacun de nous, cette petite étincelle de fausse vie... Comment va votre femme? Le bébé est-il enfin né? Appuyé au mur, bourrant sa pipe, Abel ne disait rien, faisait l'éponge. Tout comme maintenant alors qu'il nettoyait Pollux dans l'orage apocalyptique, et le chat miaulait, le chat narrait sa peur:

«Je crains que tu aies raison, Abel. J'ai été loin dans les bois et je n'ai su trouver que ce trou dans lequel je me suis fourré. Peut-être ma Mère Castor s'en est-elle allée comme Judith, entraînée dans une galipotte irrévérencieuse avec le matou des Smith. Que devons-nous faire, Abel, puisque la forêt n'a pas de secret à nous révéler?»

«Couchons-nous sur la terre et dormons.»

«Cela fera deux perdus de plus.»

«De toute façon, nous l'étions déjà avant que de venir dans ces lieux maudits. Tous nos bateaux ont coulé. Comment cela était-il dit dans ce roman irlandais?»

«Sur une Mayflower ridée...»

«...Afin d'explorer avec tact les mers de sa face de Braille.»

«Je n'ai jamais compris ce que ça voulait dire. Judith non plus ne comprenait pas d'ailleurs. Mais pourquoi l'as-tu laissé partir? Rien ne pouvait donc s'arranger entre vous deux? Je suis certain que si Judith était à la maison, ma Mère Castor, nous n'aurions pas besoin de la chercher bêtement et sans espoir comme nous le faisons. Ce présage...»

«Je sais tout cela, Pollux. Et le sachant, il s'agit désormais de faire comme si.»

«C'était bon quand même de me coucher entre ses seins pour y dormir dans les profondeurs de ma nuit lorsque j'étais tout petit.»

«La pluie tombe, Pollux, et je suis fatigué, et il n'y a plus une goutte de gin dans ma gourde. Le bungalow... Où crois-tu qu'est maintenant le bungalow?»

«Pas très loin derrière nous. J'entends le bruit que font les voitures dans la rue Kennedy. Tu fais le sourd. Tu tombes dans la follerie.»

Abel repoussa Pollux et se releva. Il était couvert de boue lui aussi, il ne voyait rien dans ses lunettes noires embuées d'eau, que des formes floues, lambeaux de couleurs mouillées. Il fit glisser ses lunettes sur son nez mais les remonta tout de suite quand il aperçut les tenaces papillons tourneboulant devant ses yeux. Au même moment, son coeur se mit à battre douloureusement, comme la nuit passée alors qu'il était tombé derrière sa table de travail, halluciné par toutes sortes d'images noires et sa mort imminente. Rien ne pourrait changer désormais — où que j'aille et quoi que je fasse, le mal me cerne, m'investit, s'inscrit dans tous les paysages. Il dut s'appuyer d'une main à un arbre mort pour ne pas perdre l'équilibre. De l'autre, il se donnait de grandes tapes sur la poitrine.

«Pollux! Pollux! cria-t-il. Où es-tu, Pollux?»

Pollux devait courir sous les arbres, dans un ultime effort pour retrouver sa Mère Castor. Il n'y avait rien à attendre de lui non plus. Abel ramassa une autre fois sa machette et se dit qu'il n'avait plus d'autre choix que celui de sortir le plus rapidement possible du bois. (Et s'il arrivait que Judith fût enfin de retour, l'attendant dans la grande chaise rouge du salon, fumant une cigarette, les deux pieds sur ses valises, et disant: «Je suis revenue pour ne plus jamais partir, ma vie est d'être à ton côté pour tenter, avec toi, de te sauver de ta mort et, par cela même, de me retrouver dans ma vie. J'ai rompu avec Julien, définitivement rompu, Abel. Je n'aimerai jamais que toi et l'enfant, je voudrais qu'il naisse beau et fort. Rebâtissons notre maison, Abel. Faisons en sorte que nos jeux nous rendent heureux. Je voudrais que tu te mettes enfin dans la terre la seizaine de rosiers que tu as achetés l'automne passé. Et que tu reprennes ton travail quand la maison d'éditions. Et que tu écrives enfin le grand roman de ton épanouissement. Je te soignerai, il ne faut pas que tu meures sans grandeur. Pardonne-moi, Abel. Embrasse-moi. Reconnaissons-nous. Je t'aime tellement!» — Et pourtant Judith ne pouvait attendre dans le petit bungalow, nul ne savait plus où était Judith, elle-même sans doute l'ignorait-elle tandis que dans sa petite voiture elle fuyait désespérément, quelque part en Amérique, les yeux brouillés derrière ses lunettes, et Julien, lui, dormait, épuisé par les vingt heures qu'il venait de passer à conduire, le pied solidement appuyé sur l'accélérateur, obsédé par l'idée qu'il fallait mettre le plus d'espace possible entre eux et la rue Kennedy. Peut-être Judith avait-elle dit, alors qu'elle mangeait un sandwich au Howard Johnson: «Me permettras-tu de lui téléphoner parfois, Julien?» Et Julien grimaçant avait répondu: «Ce qui est fini est fini, Judith. Il faut avoir ce courage de miner tous les ponts derrière soi, ne serait-ce que pour n'avoir que la possibilité de tout refaire. Abel serait d'accord avec moi là-dessus, je pense.»)

La douleur au coeur persistait. Abel avait laissé tomber la machette pour mieux tenir son sein gauche qu'agitait un inquiétant spasme. L'orée du bois devait être à quelques pas, il entendait la voix du pompier Cardinal qui criait à son fils de rentrer à la maison. L'orée du bois ne pouvait être qu'à quelques pas puisque l'orage avait brusquement cessé. Déguerpi quelque part dans l'espace, probablement pour se porter à la rencontre d'une autre tempête, celle des Grands Lacs. Abel buta sur une pierre et perdit pied. En voulant se protéger, sa main frappa avec force le sol. Il tâta la terre sous les feuilles et c'est ainsi qu'il trouva le crucifix de Jim — cette vieille chose défigurée, sale et mutilée que par deux fois il avait jeté dans la savane. Le sang coulait toujours dans les plaies des mains. Les deux pieds manquaient, de même qu'une bonne partie du torse. Abel sauta la clôture, le crucifix à la main. Le pompier Cardinal, debout devant la haie de spirée, le regardait faire, ses tenailles claquant dans le vide. Pour l'éviter, Abel se dirigea droit sur le potager où il arracha quelques carottes et des radis montés en graine. Le pompier Cardinal cria:

«Je t'ai volé deux roses tantôt. C'est la fête de ma femme aujourd'hui. Est-ce que ça te dérange?»

«Vous pouvez toutes les prendre si vous voulez.»

«Et la vente de la maison?»

«Rien de définitif encore, seulement des offres.»

«As-tu le temps de venir prendre une bière?»

«Malheureusement pas. J'ai beaucoup à faire. Merci quand même.»

«Viens donc regarder le baseball avec nous ce soir. Nous avons maintenant la télévision couleur. C'est assez beau.»

«Si je peux», dit Abel en passant sous la charmille du potager. Une fois de l'autre côté, il serait enfin à l'abri du pompier Cardinal et pourrait entrer chez lui et y boire en paix tout le gin qu'il voudrait. Il devait se préparer à la nuit qui n'allait pas tarder. Du moins, il y avait ces deux ampoules à remplacer dans le souterrain et sans doute aussi quelque énorme roman dont il ne se souvenait pas pour le moment à terminer. Sans compter ce maudit coeur qui n'arrêtait pas de battre la chamade. Sans oublier non plus la possibilité du retour de Judith lui tendant les bras dans la porte et disant: «Nulle part je ne manquerai et sain et sauf je t'amènerai aux seuils paternels.»

Arrivé devant le bungalow, il vit la corvette de Jim stationnée le long du trottoir. Jim lisait un journal. Aurai-je

172

la chance de disparaître avant qu'il ne m'aperçoive? Abel fit demi-tour, fouillant dans sa poche pour trouver la clé qui lui ouvrirait la porte d'à côté par laquelle on accédait directement au souterrain. Mais claqua la portière de la corvette de Jim et se fit entendre sa voix:

«Je t'ai vu, Abel. Ne fais pas l'enfant et reviens. Il faut que je te parle.»

«Je n'en ai pas envie», dit Abel.

La main de Jim se posa sur son épaule.

«Que se passe-t-il, vieux? Que t'ai-je fait? Et veux-tu bien me dire ce que tu manigances avec ce damné crucifix? T'as le visage égratigné comme si deux douzaines de chats t'avaient sauté dessus.»

Toujours la main sur mon épaule. Et je suis comme un enfant. Au fond, ça m'indiffère qu'il soit là. Je tâcherai de ne rien entendre de ce qu'il me dira. Sourd, muet et aveugle comme Ludivine Lachance, l'infirme des infirmes.

«Donne-moi ce crucifix, dit Jim. Tu m'agaces prodigieusement avec ça.»

Jim le lui enleva, ouvrit la portière de la corvette et le jeta sur le siège. La main gauche du Christ se détacha du poignet et roula sur l'asphalte. Jim la ramassa et, d'un formidable tir, la projetta par-dessus le bungalow. Elle dut s'écraser et se briser en miettes sur une pierre dans la savane.

«Je croyais, dit Jim, que ce crucifix avait été jeté aux ordures.»

«Je le conservais précieusement pour te rendre la monnaie de singe de ta pièce. Je comptais l'installer sur le capot de ta corvette qui serait ainsi devenu un authentique corbillard pour tapettes.»

«L'idée avait du bon. Je la refilerai à quelqu'un l'un de ces jours. Mais comment va ta tante?»

«Ma tante? Quelle tante?» dit Abel ne comprenant que sur le tard l'allusion moqueuse de Jim. Il ricana. Des choses extrêmement désobligeantes lui vinrent à l'esprit mais il se retint de les dire parce qu'il ne voulait pas provoquer pour rien Jim dont je n'arriverais plus à me débarrasser. Passons

173

l'éponge. Que le combat reste en l'air. Le temps file et seule la montre Opéra demeure.

«Que me veux-tu, Jim?» dit Abel.

«Entrons d'abord dans la maison», dit Jim.

«Je crois qu'elle est close, dit Abel. Mais le serait-elle même pour un gars comme toi?»

«Très malin, dit Jim. Mais c'est tout à fait inefficace comme jeu de mots. Pousse la porte, bon Dieu!»

Ils entrèrent. Jim, voyant le désordre dans le salon, dit:

«Ta femme de ménage n'est pas très efficace non plus à ce que je vois. Puis-je m'asseoir? Et m'offriras-tu un verre à la fin? Cette chaleur est tuante.»

«Je n'ai que du gin et pas de glaçon», dit Abel.

«Peu m'importe. Moi, je bois n'importe quoi», dit Jim.

Il mit sur la table les livres et les journaux qui encombraient le fauteuil et s'y laissa tomber. Il avait toujours trouvé Abel comique et il ne lui déplaisait pas d'être là, à le regarder marcher dans le corridor monté sur ses grands pieds plats (avec en plus, pensa-t-il, des fesses comme on en voit rarement, que j'ai même tapotées sans qu'il s'en rende compte dans ce petit motel d'Albany quand, en route pour la Floride, sa M.G. nous a claqué dans les mains à deux heures du matin et que nous avons dû coucher dans le même lit, flambant nus, lui gêné, me tournant le dos, s'endormant tout de suite bien que j'ai toujours cru qu'il faisait semblant. Le lit était petit et il n'y avait pas d'effort à faire pour que nos corps se touchent. Et puis, moi je ne peux pas m'endormir si je n'ai pas les deux mains sur mon sexe. De sorte que mes doigts effleuraient ses fesses et s'y posèrent même. L'animal! Il ne bougeait pas. Qu'est-ce que cela aurait changé si, comme par mégarde, nous nous étions enculés simplement? C'est quand même une chose que Judith n'aurait jamais pu lui donner).

«Voici votre verre, Pénélope. Et maintenant, tu vas me dire ce que tu me veux. J'ai quantité de choses à faire et peu de temps pour les accomplir. Déballe-toi dans le monde de ta valise, s'il te plaît.»

«Puis-je quand même boire une gorgée avant?»

174

Abel haussa les épaules, alla chercher la chaise devant les deux caisses d'oranges et s'assit devant Jim. Cette idée de se mettre un anneau doré dans l'oreille! Et de se grimer d'aussi effrontée façon! Et d'exhiber à la face du monde, et sans rougir, un nombril tout tatoué! Jim choqua son verre contre celui d'Abel, ils burent en même temps et poussèrent un énorme soupir de satisfaction en mettant leurs verres, l'un sur le bras du fauteuil et l'autre sur la chaise entre ses deux cuisses écartées.

«Voici pourquoi je suis venu», dit Jim en allumant un petit Havane, le temps de laisser à son valable interlocuteur le loisir de bourrer sa grosse pipe de John Cotton et de s'asseoir comme il faut sur sa chaise puisque la nouvelle qu'il avait à lui apprendre était d'importance. De quoi l'envoyer rouler sur le tapis, pensa Jim en se croisant les jambes.

21

«De quoi s'agit-il?» dit Abel.

«Je viens pour acheter ton bungalow. Je sais que tu trouves difficilement à le vendre, et comme malgré tout je suis un peu de la famille, je me suis dit que je pouvais te rendre ce service. Cela est-il si étonnant que cela?»

Abel ne dit pas un mot. Il ne regardait même pas Jim. Une idée farfelue venait de lui traverser le cerveau, si aberrante que finalement elle n'était peut-être pas sans fondement: Judith voulait sans doute revenir habiter le petit bungalow, haut-lieu de leurs premières amours, mais ce projet ne concernait plus Abel, il ne pouvait qu'être relié à Julien dont la pharmacie, boulevard des Seigneurs, était à deux minutes de marche de la rue Kennedy. Absurde! pensa aussitôt Abel. Impossible que Judith ait pensé à cela! Serait-ce donc Jim? On peut s'attendre à tout de cette face en lame de couteau! Il but encore, pour oublier tout cela et recommencer à neuf. Malgré tout, le soupçon était malaisé à étouffer. Il jaillissait inopportunément de quelque trou sombre de son cerveau et explosait dans son regard.

«Tu me prends pour un imbécile», dit Abel.

«Je ne comprends pas», dit Jim.

«Espèce de farfadet!» dit Abel.

«Tu devrais surveiller davantage tes moeurs langagières», dit Jim en crachant dans sa bouche un formidable nuage de fumée sur lequel Abel souffla furieusement. Je te vois Judith demandant à Julien d'apporter une caisse de bran de scie — vêtue de son petit tailleur comme dans notre premier temps et ses cheveux courts et regardant dans la fenêtre l'arrivée de Julien, allant au devant de lui, l'embrassant sur le

176

front (ainsi que je le faisais pour me montrer à elle dans toute la pureté de mes égards), lui aidant à porter la caisse de bran de scie. Mettons-la dans le salon. Qu'est-ce que tout ceci signifie, Judith? Me le diras-tu à la fin? Judith met son doigt sur la bouche de Julien. «Tut, tut, tut... Il ne faut pas que tu parles tout de suite, pas avant que tu aies étendu le bran de scie sur le plancher devant la fenêtre. Ensuite, nous nous assirons dedans, Julien» — et Abel les vit tous les deux, elle à moitié déshabillée, lui lui jetant des poignées de bran de scie entre les seins, qui coulaient sous sa jupe et finissaient par faire une petite montagne entre les jambes. De la pluie, de la pluie, de la pluie, cette pluie de bran de scie dont un autre s'amuse à mouiller ton corps pour abolir jusqu'à la dernière trace de ce qu'il y avait d'exclusivement nôtre, de sacré et... oh, je ne peux pas y croire, Judith! Dis-moi que je pense tout de travers et que Jim n'est l'éminence d'aucune turpitude! Abel mit sa main sur la cuisse de Jim et, le regardant droit dans les yeux, dit:

«Comme je me sens las dans mes absences! Tu ne peux pas comprendre cela, Jim, jamais tu ne pourras comprendre cela, tout doré que tu sois dans ta boucle d'oreille. Jamais, Jim, jamais!»

Jim ne répondit rien, retira son genou de la main d'Abel. À quoi bon ces gestes sans vérité qui vous condamnent à rester sans cesse dans un en-deçà de vos émotions, frustré et agressif, pensait Jim revoyant Abel qui se déshabillait dans la chambre du Howard Johnson à Albany tandis que lui, déjà couché, se caressait discrètement le sexe, comme pour appeler vers lui tout ce qu'il pouvait y avoir de sensualité en Abel (ses fesses nues devant moi, l'espace d'une seconde, oh grosses fesses de femme et dans lesquels il eût été bon entrer après cet absurde voyage) — mais Abel déjà amoureux de Judith, et je n'ai rien à faire de ma soeur pensait encore Jim, pourquoi ne pas nous donner notre joie puisqu'elle dort paisiblement à des centaines de milles de nous, dans la bienheureuse ignorance de ce que nous commettrions? Cette nuit manquée! Voilà pourquoi Jim avait retiré son genou de la main d'Abel et tirait vaguement sur son cigare. Il n'avait même pas envie d'ajouter quoi que ce soit à ce qui avait déjà été dit. Trop enfoncé dans son rêve pour saisir cette perche que je lui tends, ne balbutiant que des mots incohérents qu'il faut bien que j'écoute parce que je n'ai pas le choix et, pensait toujours Jim, je devrais partir, laisser ce fou à ses élucubrations, tant pis pour lui et le bungalow! Abel dit:

«Cette nuit, je ne veux pas faire tout ce chemin en ambulance. Si je dois mourir, que cela se fasse ici même, dans le lieu de mes échecs. Jim, je t'interdis de faire venir le médecin. Que l'on m'ait trompé hier passe encore, mais pas aujourd'hui! J'ai tant de choses à accomplir et la nuit vient si rapidement! Aurais-je le temps, Jim? Aurais-je le temps?»

«Bien sûr, dit Jim. Il suffit pour cela de faire chaque chose à son heure. Tu devrais repenser à l'offre que je t'ai faite.»

«De quoi s'agit-il?» dit Abel.

Quand Jim vint pour lui répondre, Abel leva la main. Jim garda le silence. Il avait l'habitude de tout cela, de cette mise en scène qu'Abel s'amusait à créer toutes les fois qu'ils se rencontraient. Ce qui modifiait le jeu aujourd'hui, c'était que Judith ne tourbillonnait pas comme une mouche autour d'eux, leur versant à boire, leur offrant dans le plat argenté des cachous et des cacahuètes, les interrompant parfois pour leur rappeler qu'elle était tout simplement là (dans sa robe écourtichée et fleurie, au décolleté si ample qu'on voyait presque complètement ses petits seins, qu'on avait la tentation de les prendre dans ses mains, seulement pour s'approprier leur chaleur et leur beauté). Jim suçait le glaçon au fond de son verre, attendait qu'Abel laisse tomber sa main pour reprendre la conversation. À quoi pensait-il, bon Dieu? À cette terre tiède dans laquelle je mets les pieds, déterrant les graines d'avoine que père vient de semer (je le vois, monté sur son tracteur, les mottes de terre éclatent sous les dents de la herse faisant du feu sur les cailloux, comme le printemps était doux en ce temps, avec les vaches qui broutaient sur le Coteau des Épinettes et le chien poursuivant les siffleux et

178

moi debout dans le champ, me disant que tout cela m'appartiendra un jour et que Judith — non, c'est plus tard qu'est venue Judith, longtemps après que notre maison du Rang Rallonge fût déménagée au village, longtemps après que la grange fût démolie à coups de hache, longtemps après qu'une nouvelle route eût coupé le verger en deux et fait disparaître les deux ormes gigantesques au bord de la Boisbouscache; tout était fini quand Judith m'est arrivée, m'offrant son nouveau pays, cette innocence dans ses yeux verts, comme une plaine s'étendant à perte de vue, toute verdoyante et calme comme une mer, je n'avais qu'à accepter mais pourquoi ne l'ai-je pas fait? Qu'y avait-il dans mon pays qui contredisait et même annulait le sien? Oublie le passé, Abel! Ta Boisbouscache n'est qu'un infâme petit ruisseau polluée que même les poissons désertent. Regarde-moi! Je suis là, avec toute ma faim, avec toute la faim de mon amour. Aime-moi. Si tu le fais, je saurai bien te faire taire tout le reste. Me crois-tu, Abel? — «Je n'ai guère le choix.» — Et ceci avait été dit alors qu'il pleurait, assis sur la banquette de l'Acadian, les pieds dans le fumier, jetant un dernier regard sur son pays, ces pitoyables clôtures de perches tout en démanche et ces masses de chardons qui poussaient là où s'élevait la grange. Judith, elle, avait fermé les yeux derrière ses lunettes noires, pour être certaine de ne rien se rappeler de tout ceci afin de ne pas faire de cauchemars la nuit (ces rêves où les vastes pâturages vus se remplissaient d'énormes vaches noires, il y en avait de milliers et des milliers qu'elle devait faire rentrer dans l'étable trop petite, à peine deux fois grande comme cette miniature qu'avait acheté Abel et qu'il avait mise sur la table dans le salon, ce bâtiment de bronze, ces petits animaux tenant mal sur leurs pattes, ce tracteur qu'il s'amusait à faire rouler entre les verres, apportant même une fois une planche qu'il avait mise sur le bout de la table et sur laquelle il avait laissé descendre le tracteur, imitant le bruit du moteur, battant des mains, un enfant, un arriéré, voilà ce que tu es, Abel!) Et cette idée tant de fois combattue par Judith d'acheter une ferme, n'importe où, cela importait peu, un

lopin de terre, une cabane, deux hangars auraient suffi!
«Choisis, Abel, c'est moi ou cette histoire!» Et il avait tendu
la main à Judith, il l'avait prise dans ses bras, l'embrassant,
allant loin avec sa langue dans sa bouche, disant: «D'accord,
Judith. C'est d'accord. Je ne te parlerai plus jamais de cette
ferme, oublie tout ce que je t'ai raconté là-dessus», et il avait
fait du mieux qu'il avait pu, ce qui n'avait pas empêché Judith
de partir et de le laisser seul aux mains de ce Jim qui voulait
lui voler son bungalow! (Je suis à bout, ne croyant plus à rien,
incapable même de forcer le réel à se produire, c'est-à-dire de
l'inventer, ce qui serait ma seule porte de sortie et l'échappa-
toire ultime, cette déraison assumée qui me ferait tout autre,
meilleur que je ne suis, grand seigneur de mes terres, maître
de ce domaine que j'étais en train de construire avec Judith
mais dont il ne reste plus maintenant que la parabole, que
cette liquide ivresse dans laquelle il faudra bien que je me
fonde et me corrompe, tout mutilé dans mon intérieur,
inconsistant et inconséquent, lâche, si dérisoirement lâche, ô
ma Judith!)

«De quoi s'agit-il?» dit Abel.

Jim haussa les épaules. Rien de ce qu'il avait à apprendre
à Abel ne pouvait lui être d'un quelconque secours. Entre lui
et Abel rien ne se passait, rien ne s'était jamais passé, l'un
d'eux ayant trop insisté pour que tout demeure dans le flou et
l'inexprimé. De sorte que Jim, haussant les épaules, se
déchargeait de son fardeau, retraitait poliment, ainsi que j'ai
toujours fait vis à vis de toi à défaut de trouver sous tes
masques la cible peinte dans laquelle j'eusse pu enfoncer ma
flèche et, par cela même, appréhender ta réalité, essayant de
réussir là où Judith a échoué, ne pouvait qu'échouer, Abel. Je
suis assis devant toi et pourtant il n'y a personne qui me fait
face. Toujours absent, disait Judith. J'ai épousé l'homme
invisible dont je ne saurai jamais que le moins de son rien.
Est-ce possible? Est-ce Dieu possible? Et caressant le poil
blond de ses cuisses, Jim pensait à ce qu'il lirait bientôt dans
le journal (il serait assis sur un tabouret derrière le comptoir
dans ce restaurant où, depuis vingt ans, sa mère était ouétrice;

il y aurait les deux oeufs dans l'assiette, la tranche de tomate sur la feuille de laitue, et les deux rôties, et le café chaud à côté, mais il ne mangerait pas, lisant les manchettes, regardant la photo, Abel défiguré dans un horrible accident, sa tête sanglante coincée dans la portière, son bras gauche arraché, inerte dans l'amas de ferraille sur le trottoir) — et pensant cela, tout se mêlait, Abel et Judith, Judith et Julien, Judith et sa mère et lui-même Jim qu'il voyait beau comme un dieu, entouré d'amants, heureux et orgiaque, se laissant caresser. Tout pouvait être si simple! Il ne s'agissait que d'obéir aux exigences de ses provocations. Si tu aimes Judith tant que cela, pourquoi ne vas-tu pas la retrouver? À Daytona Beach! Tu crois qu'elle est actuellement à Daytona Beach alors qu'elle passe ses journées à pleurer, à cause de toi, dans la maison de ma mère! Et tu t'imagines que je suis venu ici pour ton bungalow quand c'était à Judith que je songeais, quand c'était d'elle que je te parlais même si je gardais la bouche fermée.

«Maintenant, il faut que je m'en aille », dit Jim.

«Non, non, ne pars pas. Reste encore un peu. Nous n'avons rien dit encore. Je ne t'ai surtout pas donné ma réponse au sujet du bungalow.»

«J'ai changé d'idée. De toute façon, il était normal que tu ne comprennes pas. C'était le passé de Judith que je voulais te racheter.»

«À quoi donc veux-tu en venir, Jim?»

«Me vendant ton bungalow, j'aurais installé ma mère ici et peut-être Judith y serait-elle revenue, le temps de se dégager vis à vis de tout ce qu'elle a vécu avec toi, un peu comme lorsque quelqu'un de votre famille meurt et que pendant des mois, quelquefois même des années, vous prenez grand soin de ses choses, lavant son linge, mettant son pyjama sous la taie d'oreiller, regardant ses photos, lisant ses lettres, faisant tout comme s'il était là pour pouvoir, non l'oublier, mais au contraire garder vivant ce qui est mort et assumer cette mort et, par cela même, la dépasser, être capable, non pas de recommencer, mais de continuer, avec les charges émotives de son passé, celles du présent et celles de son avenir. Je m'explique mal, Abel. Je ne suis pas très fort en mathématiques modernes. Mais ce que je veux dire, c'est que rien ne meurt jamais et que rien, au fond de soi, ne cesse d'être inventé. Même quand nous oublions, c'est pour mieux nous resouvenir. »

Jim toussota. Que viens-je de dire à Abel? Lorsqu'il roulait sur l'autoroute en direction de Terrebonne, ce n'était absolument pas le monologue qu'il avait préparé pour Abel. Mais c'était le désordre de cette maison qui avait tout modifié, et la présence inattendue d'Abel — j'entends par présence inattendue cette espèce d'angoisse désespérée que je vois dans tes yeux rouges et dont la force malheureuse a comme investi ton bungalow, à croire que ton frère Jos avait raison quand il disait que tout devient à votre image et ressemblance, que le paysage dans lequel vous vivez devient réellement et effectivement votre paysage, comme s'il y avait projection de vous-même, de tout ce qu'il y a d'intense en vous, de pur et d'impur — Jos parlait de vibrations, Jos parlait des ondes vibratoires coulant de vous comme une lumière et s'appropriant le paysage, le cycle de la spirale, c'est ainsi que Jos appelait cette chose: «Tu n'as qu'à faire devenir toi le paysage en te l'appropriant, bien sûr, mais aussi en le tirant vers ton centre, de sorte qu'ainsi tout t'appartienne et ne fasse plus qu'un avec toi» — Au fait, se dit Jim, qu'arrive-t-il maintenant à ce vieux fou de Jos? Une éternité que je l'ai vu, un samedi soir, dans ce bungalow d'ailleurs... Mais peu importe, je dois partir. Il fit le geste de se lever, s'appuyant pour ce faire aux deux bras du fauteuil.

«Ne pars pas tout de suite, supplia Abel. La nuit sera longue et c'est tant mieux si mes amis peuvent en gruger le plus possible. »

«D'accord, dit Jim, mais cinq minutes seulement et à la condition que tu emplisses une autre fois mon verre de ton infect gin. »

La main tremblante d'Abel prenant le verre, la sueur sur son front, ce quelque chose d'infâmant dans son attitude

182

(comme si j'avais en face de moi le double d'Abel — Sois sans
crainte Judith, je te comprends d'être partie. Si tu n'avais pas
eu ce courage, ce fou t'aurait rendu semblable à lui, inattei-
gnable parce que changeant sans cesse tout en restant
curieusement le même, comme si c'était au coeur de ses
répétitions qu'il devait trouver une vérité à son existence).
Jim haussa une autre fois les épaules. Il songeait à sa corvette
stationnée le long du trottoir, au crucifix qu'il avait lancé sur
la banquette avant, à cette musique qu'il écouterait quand,
quittant le bungalow, il foncerait à vitesse folle vers Montréal
où, dans quelque gay club, il rencontrerait Steven, peut-être
même Géronimo (et ils finiraient la soirée dans cette garçon-
nière qu'il avait louée rue Davaar, couchés ensemble, les
jambes enchevêtrées, la bouche pleine d'odeurs, les fesses
mouillées et heureux au centre de leur douceur seraient-ils, si
heureux à la vérité qu'il n'y aurait pas de place dans leur
affection pour Abel jouant férocement de l'harmonica dans
son souterrain). J'ai eu tort de venir, se dit Jim pliant ses
grandes jambes pour laisser passer Abel.

Ils burent et ne se dirent plus un mot, comme s'ils
avaient été deux hommes de verre et d'une si subtile fragilité
qu'un seul mot prononcé par l'un d'eux aurait tout bouleversé en leur âme, les faisant s'effriter. Si grand était le
malaise de Jim qu'il n'osait bouger. D'ailleurs, il cala son
verre de gin d'un seul trait pour n'avoir plus à allonger la
main vers la table. De même, il s'abstenait de regarder Abel;
il avait vu le petit Pollux entrer par le carreau ouvert de la
fenêtre panoramique et l'appelait vers lui silencieusement,
seulement par la force qu'il essayait de mettre dans ses yeux,
fronçant les sourcils. Le petit Pollux sauta du carreau sur le
plancher et bondit, sur trois pattes, dans la pièce. Il n'alla
toutefois pas plus loin qu'entre les jambes d'Abel qui le tira à
lui par la peau du cou. Pollux se coucha dans les deux mains
ouvertes, lécha la paume gauche d'Abel. Pourquoi se
regardent-ils ainsi? Il ne s'agit pourtant que d'un chat! Ah, je
m'en vais, il est temps que je m'en aille, ça ne pouvait pas
réussir, il y a trop de folie dans l'air — mais comment

raconter tout ceci à Judith? (Il resta encore quelques minutes, à écouter le dialogue de Pollux et d'Abel, conscient que ni par l'un ni par l'autre il n'existait plus, en tous les cas pas davantage que cette grosse mouche noire qui virevolte au-dessus de leurs têtes. Jim se leva donc. Lorsqu'il mit sa main sur l'épaule d'Abel, il éprouva la désagréable sensation d'avoir posé ses doigts dans du beurre mou. Il grimaça et se jeta dans la porte, content de voir qu'au moins sa corvette était encore là. Il ouvrit la portière, se laissa tomber sur la banquette, poussa le bouton du magnéto-cassettes; les Doors le rendirent tout de suite à son monde et il appuya solidement sur l'accélérateur une fois qu'il eût enlevé ses souliers car superstitieux, il ne conduisait qu'en chaussettes, toujours dès mauves.) Dans le petit bungalow, ni Pollux ni Abel ne s'étaient rendus compte de son départ.

22

«Nous avons fait tout ce qu'il était humainement possible de faire, dit Abel. Je t'en prie, Pollux, ne revenons pas là-dessus.»

«Dans ce cas, attendons. Mais peut-être que si nous faisions brûler un lampion?»

«Auras-tu cesse un jour de toutes ces niaiseries?»

«Pardonne-moi. C'est la peur qui me fait parler ainsi.»

«Tu devrais monter sur le dossier du fauteuil et dormir un peu. Tu es au bout de ta fatigue. À la veille d'une crise de nerfs.»

«Et l'ambulance viendra me chercher, comme pour toi la nuit passée. Autrement dit, mon cher Abel, il n'y a pas que moi qui devrais piquer un somme.»

«Je n'en ai malheureusement pas le temps, Pollux. Je prévois sortir cette nuit et, pour l'instant, il me faut aller au-delà du souterrain, dans la salle des Machines où une montagne de linge sale attend ma main de buandier.»

Abel embrassa Pollux avant de le déposer sur le bras du fauteuil. Après quoi, il se rendit dans la cuisine, cueillit par son goulot la bouteille de gin qu'il y avait sur le buffet et en avala une bonne rasade. Après quoi encore, il descendit les marches qui menaient au souterrain. Jamais si mou me suis-je senti. Il me semble que si je me laissais tomber par terre, je pourrais ramper comme un serpent et, sans doute aussi, me mordre à ma queue. Il vint pour rire mais rien ne bougea en lui, exactement comme ce matin où, se réveillant dans le petit lit blanc de l'hôpital, il n'avait pu lever son bras gauche. Plus de bicep, plus de tendons, mangés par l'intérieur, tout le côté gauche comme un os saillant, fragile et douloureux, tout le côté gauche mort, enterré déjà et bientôt pourrissant. Qu'aurait pensé Judith si elle m'avait vu ainsi, nu, avant ce traitement hydrothérapique? — «Ne parle pas toujours de ta maladie, Abel. Tout le monde connaît la souffrance, vrillée en soi comme une énorme carotte rouge. Tu perds ta peine et moi je dois sortir. J'ai hâte que tu me voies dans mon nouveau grand chapeau blanc. Bye Abel.» — L'humidité du souterrain, mes livres qui doivent moisir, les araignées géantes tissant leurs toiles et quoi d'autre encore, quelle tristesse dans ce lieu silencieux qui ressemble à une bouche inconfortable? O Judith! Ne me diras-tu plus jamais que tu m'aimes? Boire encore. Non, résister à la tentation, jeter la bouteille quelque part, pourrais-je la faire rouler sous le calorifère, trop grosse, maudite bouteille, tiens la laisser ici, dans le pot sans fleurs où Pollux aimait à se coucher. (Et, au-dessus du pot, les portraits qu'il avait lui-même faits de Malcomm, de Satan et de Paquet Pollus, monstres hideux, à grosse tête, sans corps, avec des jambes tordues et des bras ridiculement courts, sans mains.) Il était important qu'il ne les regardât pas car alors la galerie des Monstres se mettrait à bouger, comme l'autre nuit, et il sentirait tout vaciller sous lui, n'aurait pas le temps de courir à sa table de travail pour se replonger dans son roman, ces quelques misérables milliers de lignes qui resteraient toujours dans l'en-deçà de leur écriture, comme une imprécation douloureuse de tout ce qui, en lui, bataillait encore contre l'infini mutisme.

Le souterrain traversé, il se trouvait maintenant à être devant la porte derrière laquelle était la montagne de linge sale et les machines de couleur cuivre. Avant de faire tourner la poignée, il se dit qu'il n'avait pas encore réparé la moustiquaire et que ce devait être plein d'abeilles rugissantes dans la pièce (il ne comprit pas pourquoi il pensa à des abeilles, peut-être parce que le pompier Cardinal lui en avait parlé l'autre jour alors qu'un essaim était venu se réfugier sous cette branche du gros cèdre dans sa cour). Je pousse la porte, j'entre, j'appuie sur le commutateur électrique. Quand la lumière se fit, Abel jeta un coup d'oeil au soupirail, étonné de constater que la moustiquaire avait été bel et bien remplacée. Par qui? se demanda-t-il, ne se souvenant pas l'avoir fait lui-même. Il bougea la tête pour enlever une mèche de cheveux qui lui tombait dans l'oeil et ouvrit le premier panneau de la machine cuivre. Il avait tout à coup très mal à la tête. Mon coeur sautillant dans ma poitrine. Les chaussettes faisaient tout un tas dans le panier — de vieux fruits noirâtres, au ventre mou, filandreux, est-ce que cela se pouvait? Apporte-moi ton dictionnaire, Judith, que je vérifie. Il cria cela de toutes ses forces, autant pour exorciser son mal de tête que pour calmer son coeur. Une à une les chaussettes tombèrent dans le trou de la machine cuivre. Je ferme avant d'appuyer sur le bouton, je pars et je reviens dans quinze minutes. Mais qu'était-ce donc qui se frôlait contre ses jambes? Un rat, pensa-t-il. Y aurait-il un rat ici? Il jeta des regards éperdus sur la chaudière à côté de laquelle avaient été empilés une douzaine de madriers dont il ne s'était pas servi pour la construction du souterrain. Le quelque chose de froid frôla ses jambes avec plus d'insistance encore. En voulant faire un saut, Abel se frappa l'épaule sur la machine cuivre et tomba à genoux, juste en face de la Mère Castor, accroupie, un long filet de morve jaunâtre coulant de sa gueule, les yeux gonflés, vitreux — et tout le blanc de son poil taché de sang — et la petite langue jadis si rose et maintenant d'un gris de cendre.

«Mère Castor! Mère Castor! Que t'est-il arrivé?»

La Mère Castor essaya de faire bouger les muscles de sa gueule, ses yeux (comme deux cercles d'intense douleur) semblaient dire: «Je voudrais te répondre mais tu vois que je ne le puis. Comme tu as mis du temps à venir, Abel! Je croyais bien que j'allais mourir ici où déjà je suis depuis deux jours. J'entendais tes pas au-dessus mais quel moyen avais-je donc de te prévenir de ma présence? Où est Pollux? Regarde tout ce sang que j'ai perdu depuis ce matin seulement. J'ignorais que la mort pouvait être si rouge et si terrifiante. Sors-moi d'ici, Abel! Sors-moi d'ici!» — «Ne bouge pas, Mère Castor. Ne bouge pas! Laisse-moi voir où tu as mal.»

187

Et agenouillé devant la Mère Castor, oubliant son mal de tête et l'affolement de son coeur, Abel passa une main tremblante sur son corps, laissant glisser ses doigts sur le pelage. Ronronner m'est même impossible. Je n'ai rien aux pattes, Abel. J'ai tout attrapé sous la mâchoire, brisée, éclatée, fragment d'os dans la gorge. La Mère Castor tressaillit quand Abel mit son pouce sous l'oeil. Le retirant, une goutte de sang tomba sur le ciment, vint élargir la mare qui était déjà presque noire. Abel se releva et dit:

«Tranquille, Mère Castor. Tranquille! Je monte chercher mes médecines et je reviens.»

Il n'avait pas passé le seuil de la porte qu'il se retourna dans l'espoir que la Mère Castor ne serait plus là, vision fugitive venue le troubler alors que dehors le temps se couvrait, accumulant au-dessus de Terrebonne de gros nuages noirs qui crèveraient bientôt, noyant la mort de la Mère Castor dans une pluie qui ne pourrait être qu'antédiluvienne.

«Je ne veux pas rester seule,» dit la Mère Castor.

Elle essayait de se lever, se servant de sa queue comme d'un appui, gardant la tête immobile pour souffrir le moins possible. La morve jaunâtre était comme une vieille ficelle sortant de sa gueule. Abel la regardait faire, incapable de dire une seule parole qui ne fût pas une glapissante divagation. La Mère Castor fit deux petits pas avant de retomber sur le plancher. La blessure sous la mâchoire avait dû s'ouvrir davantage car le sang coulait maintenant avec abondance. Seul le bout de la langue de la Mère Castor bougeait. Si au moins j'arrivais à me défaire de tout ce mauvais qui me colle aux dents!

Abel grimpa les marches quatre à quatre. Dans la chambre de bains, il ouvrit la petite porte de l'armoire, cherchant parmi les médicaments quelque chose qui eût pu l'aider à soulager le mal de la Mère Castor. Ne trouvant rien, il courut dans la chambre du Sud où il sortit du frigidaire la pinte de lait dont il défit le bec. Il prit la soucoupe qu'il avait mise sur le pot d'olives pour remplacer le couvercle qu'il avait perdu. En se retournant, il se frappa le genou sur le montant du lit, échappa la soucoupe qui roula plusieurs fois sur elle-même avant de s'arrêter sous la commode. Les juręments d'Abel et le bruit que fit la soucoupe réveillèrent Pollux.

«Qu'est-ce qui se passe? dit Pollux. Pourquoi tout ce boucan?»

«Ta Mère Castor, dit Abel qui se pencha pour ramasser la soucoupe... Heureusement, elle ne s'est pas brisée.»

«Le contraire m'eût surpris, dit Pollux. Elle est fabriquée de matière plastique, donc à peu près incassable.»

«Ta Mère Castor», redit Abel sans pouvoir ajouter quoi que ce soit, les yeux encore pleins de l'hallucination dont il venait d'être la victime dans la salle des Machines. La pinte de lait dans une main et la soucoupe dans l'autre, il retraversa le corridor pour se précipiter dans le souterrain, Pollux à ses trousses, miaulant son incompréhension mais pressentant que quelque horrible drame venait de se produire pendant qu'il dormait, tout allongé sur le bras du fauteuil. Le premier, il vit la Mère Castor qui avait réussi à passer le seuil de la porte de la salle des Machines et qui marchait péniblement vers eux, presque en rampant. Pollux s'arrêta net, émit un sourd miaulement. Tout son corps se hérissa, il était comme un arc prodigieusement tendu à dix pieds de la Mère Castor. Qui pourrait craindre ma colère et le retournement de mon chagrin? Abel enjamba Pollux, s'approcha de la Mère Castor à côté de laquelle il s'agenouilla, versant dans la soucoupe un peu de lait.

«Bois, dit-il. Bois un peu. Ça te fera grand bien.»

Mais la Mère Castor ne voyait rien d'autre dans ses yeux que les marches menant à la fin du souterrain. Elle mit les deux pattes dans la soucoupe de lait. Des gouttes de sang y tombèrent. Comme tes flancs battent fort, Mère Castor! Abel fouetta le lait du bout des doigts. Peut-être que si j'arrivais à t'en verser un peu sur la langue... Le lait glissa sur la langue de la Mère Castor, se perdit dans les gencives, se mêlant à tout le pus qui recouvrait les dents. Pollux n'avait pas bougé. Immobile devant la galerie des Monstres, les yeux ronds, reconnaissant à peine sa Mère, interdit face à tout ce qu'il ne comprenait pas, à cette masse de souffrance qui, péniblement, marchait vers lui. O Mère Castor! Que t'est-il arrivé? Du fond de son silence, la Mère Castor dit:

«Il ne faut pas que Pollux me voie ainsi. Emmène-le en haut. Donne-lui la souris de caoutchouc pour qu'il s'amuse avec. Si possible, dans la chambre du Sud d'où il ne pourra pas me regarder sortir. Je t'en prie, laisse-moi monter seule.»

Abel enleva la soucoupe de lait et retraita en direction de Pollux. Il allongea la main pour le prendre mais Pollux fit un bond et asséna un méchant coup de griffe sur sa main. Le sang monta tout de suite à la surface de la blessure, l'irrigua. Abel frotta sa main contre son pantalon. Il vit la bouteille de gin et s'en empara. Comme une feuille, je tremble. Bon Dieu, que faire? La Mère Castor faisait vraiment pitié à se traîner comme ça dans le corridor du souterrain. Tout ce sang! Tout ce sang perdu, Christ-Jésus! Par le gin, il faudra bien que tu t'apaises et que tu trouves comment la délivrer de cette morve. Au pied de sa Mère Castor, Pollux ressemblait à un chien d'arrêt, la queue parallèle à son dos, sa petite tête pointée, les oreilles droites. Que sent-il? Devine-t-il toute la mort qui pisse furibondement de la Mère Castor? Il y a quelques mois, il était dans ton ventre, ils étaient quatre à rêver dans ton ventre, et lui seul devrait assister à ta fin? Mère Castor! Pauvre Mère Castor! Que t'a-t-on fait? Le nez de Pollux et celui de la Mère Castor se touchèrent. Désespérément, la Mère Castor essaya de faire bouger sa langue, sans doute pour émettre un miaulement grâce auquel Pollux eût pu comprendre que tout n'était pas perdu encore. Pourtant, rien ne vint, sauf ce formidable hoquet qui amena une autre hémorragie. La Mère Castor se laissa tomber sur le plancher. Je suis à bout, Pollux. Va-t-en. Ne reste pas ici. On ne voyait presque plus ses yeux tant ils étaient meurtris et chassieux.

«Viens Pollux, dit Abel. Viens, Pollux petit.»

Il montait l'escalier, pensant que peut-être de la ouate imbibée d'eau tiède soulagerait la Mère Castor. Il entendit Pollux miauler, un pitoyable et long miaulement qui lui donna froid dans le dos, puis ce fut le bruit que firent les petites pattes sur le plancher et Pollux lui passa entre les jambes, à toute vitesse. Il donna tête première sur le mur dans la cuisine et resta quelques instants assis, hébété, la langue sortie de la gueule. Voyons, Pollux. Voyons. Abel aurait voulu le prendre dans sa main, le caresser un peu pour qu'il se calme. Mais déjà Pollux bondissait sous le bahut dont il sortit tout poussiéreux et en miaulant sauvagement. Il détala dans le corridor, sautant par-dessus les piles de livres, roulant parfois sur lui-même, agitant avec fureur les pattes. Puis il disparut dans le salon. Sans doute était-il sorti par le carreau ouvert dans le fenêtre panoramique. Aussi bien qu'il ne soit plus là. Et que son retour annonce la fin de tout ceci. Où est donc cette sacrée boîte d'ouate? Il ouvrit les tiroirs, tira vers lui tous les panneaux de l'armoire pour se rappeler finalement que Judith, avant de partir, s'était légèrement coupée à un doigt avec le couteau à légumes et qu'il l'avait vue remettre la trousse de premiers soins dans le buffet. Quand il l'eût trouvée dans l'amas de papiers, il fit jouer la fermeture éclair, sortit du contenant quelques petits morceaux d'ouate qu'il imprégna d'eau tiède. La Mère Castor avait réussi à se rendre jusqu'à la première marche de l'escalier et c'est là qu'Abel la retrouva.

«Pollux est sorti», dit-il simplement.

Il passa délicatement le premier tampon d'ouate au-dessus des yeux de la Mère Castor. Avec le deuxième, il essaya de lui nettoyer la gueule. Dès qu'il toucha le long filet de morve, il sentit tout de suite le corps de la Mère Castor se raidir. Elle fit un petit saut, ce qui lui permit de monter sur la deuxième marche.

«Ne me touche plus, dit la Mère Castor. Trop sensible. J'y arriverai bien moi-même.»

«Si je te montais dans mes bras? En faisant attention...»

«Surtout pas, Abel. Surtout pas.»

Du haut de l'escalier, Pollux les regardait. Seule sa queue bougeait.

«Je sens que Pollux est là, dit la Mère Castor. Éloigne-le. Le temps que j'atteigne au bout de ce maudit escalier!»

«Bien, dit Abel. Bien, bien.»

Il alla retrouver Pollux. Dans le noir de ma terreur. Mère, il ne faut pas que tu meures. Que puis-je pour toi? Quelle forme pourrait prendre mon aide? Dis-le moi, Abel! Pollux s'était laissé prendre. Son petit museau tout humide sur le bras d'Abel dont il avait vu les yeux pleins de larmes. Toi aussi, tu ignores ce qu'il faudrait faire, hein? Cesse de me promener ainsi dans la maison et dépose-moi quelque part. À quoi penses-tu, Abel? (Tout cela lui rappelait un cauchemar qui propulsait à des milliers de milles du petit bungalow de Terrebonne la tragédie que vivait la Mère Castor dans le souterrain. Quand avait-il fait ce rêve? Sans doute lorsqu'il avait appris que Judith était enceinte, de la bouche du médecin de famille chez qui il était allé pour soigner une mauvaise grippe. Le médecin avait dit quelque chose comme: «Et la petite Madame se porte bien, et le bébé...?» Cela avait suffi pour qu'Abel comprenne tout. À peine avait-il éprouvé le besoin de poser une seule autre question, pour être vraiment sûr que Judith portait bien un enfant de lui — trois mois bientôt avait dit le médecin. Pourquoi Judith ne m'en a-t-elle rien dit? Pourquoi tenait-elle à me cacher son état? Il roulait comme un fou sur le boulevard Gouin et pleurait sans trop savoir pourquoi, anxieux d'être enfin de retour à la maison pour tirer tout cela au clair avec Judith. Mais les lumières du bungalow étaient fermées et, sous le portrait de Goulatromba dans la cuisine, il y avait ce simple mot épinglé au mur: «Suis sortie avec des ami(e)s, arriverai tard. Couche-toi sans m'attendre. Ta Judith.» Il avait fait brûler le message dans le cendrier puis, revêtu de son pyjama-kimono, il était descendu dans le souterrain, désireux de tromper son attente en travaillant un peu à son roman. Il avait écrit n'importe quoi, tapant sur la vieille Underwood au lieu de se servir de son stylo feutre, ce qu'il ne faisait que rarement, lorsqu'il écrivait un article de journal ou bien lorsque rien n'allait dans son livre et que, désabusé, il notait furieusement tout ce qui lui passait par la tête seulement pour se décoincer dans son obsession, retrouver le filon, cette maigre petite idée originelle suffisante toutefois pour qu'il puisse redémarrer. Ce soir-là, ce fut différent. Il n'arrivait même pas à frapper les touches comme il faut. Aussi avait-il essayé de lire, se plongeant comme à l'accoutumée dans *Moby Dick* après avoir ouvert le livre au hasard. Les mots dansaient devant ses yeux, il lisait un passage et il ne se souvenait pas de trois mots une fois qu'il l'avait terminé. Il avait lancé le livre à l'autre bout de la pièce, avait manqué d'assommer Pollux qui dormait dans la caisse près de la fenêtre, en compagnie de Capucine et de Zimmin. Pollux n'était presque pas un chat en ce temps-là, gros comme une souris, aveugle et ne se tenant pas sur ses pattes, comptant désespérément sur la Mère Castor non seulement pour boire mais aussi pour déféquer (elle lui léchait le derrière pour le mouiller et exciter les muscles mous).

«Je t'en prie, dit Pollux. Débarrasse-toi de moi et retourne auprès de ma Mère Castor.»

«Ta souris de caoutchouc, où l'ai-je mise?»

«Quelle importance, Abel? Quelle importance cette souris, alors que ma Mère se meurt?»

«Tu as raison, dit Abel. Excuse-moi, Pollux petit.»

Il poussa du pied la porte de la chambre du Sud entrebâillée, se pencha pour mettre Pollux par terre, vint pour dire: «Ne t'inquiète pas, nous ferons l'impossible», mais cette phrase, comme n'importe quelle autre qu'il aurait pu prononcer, lui parut tellement vide de sens qu'il haussa les épaules et referma la porte. Pollux était déjà grimpé sur le lit où, tout le temps que durerait sa captivité, il n'allait pas arrêter de tourner en rond, angoissé et obsédé par l'image désespérée qu'il avait eue de sa Mère Castor dans le corridor du souterrain. Et parfois miaulait-il sourdement en se levant sur ses pattes arrière — sans raison.

Il n'eut pas la force de redescendre tout de suite dans le souterrain, comme s'il se fût attendu d'y voir là non pas seulement la Mère Castor mais aussi Judith, comme dans ce rêve qu'il avait fait en l'attendant. Abel fit une trouée dans le rideau de la fenêtre panoramique et regarda dehors — il n'y avait plus de papillons, pas plus d'ailleurs que de serpents, dans l'espace de Terrebonne. Seulement des ouvriers qui, de l'autre côté de la rue, casqués de casques jaunes et montés sur de bruyantes machines, creusaient le sol. Un magasin Steinberg ou cet édifice de la Bell Téléphone, des milliers d'appareils contempra qui n'arrêteraient jamais de sonner, qu'il faudrait décrocher à tout moment, ce que Judith avait accompli pendant des années, à cette époque déjà lointaine où elle fréquentait Steven, était folle de lui, et je ne sais même pas comment ils se sont connus et pourquoi elle est venue vers moi, se jetant dans mes bras et pleurant (c'est Steven que je cherchais en elle, sa pureté et sa grandeur, tout ce que je n'étais pas et ne pourrais jamais devenir — pourquoi a-t-il fallu qu'elle le comprenne aussi?). Un moment, il avait laissé la fenêtre, à la recherche de sa pipe qu'il bourra de son tabac trop sec et qu'il dut allumer trois fois avant de pouvoir tirer dessus tout à son aise. Et la main retenant un pan du rideau, il regarda avec le plus d'attention qu'il put les montagnes de terre jaune que les énormes tracteurs, comme de gros vers, pensait Abel, tiraient des entrailles du boulevard des Seigneurs — «La machine elle-même était féminine, gracieuse comme une ballerine, les jupes de fer de ses gondoles voltigeaient toujours plus haut», dit Abel en se souvenant de cette phrase de Malcom Lowry, peut-être pour l'avoir dite bien des fois à Judith quand, trois ans plus tôt, alors qu'ils faisaient un tour de Gaspésie, ils étaient allés à une foire, Judith insistant beaucoup pour qu'ils montent tous deux dans la Grande Roue, ce vieil assemblage de ferraille qui grinçait comme le tombereau de Job Horton lancé à toute allure dans la rue Notre-Dame des Trois-Pistoles quand enfant... Non, se dit-il, inutile de penser à ça.

Il quitta son poste devant la fenêtre, pour se laisser tomber sur la chaise bancale, celle-là même où il s'était assis pour écouter les âneries de son beau-frère Jim. Il respira bruyamment à plusieurs reprises. Ce n'était pas pour oublier sa fatigue ou sa lassitude, il était bien trop épuisé pour lui opposer désormais une quelconque résistance. Seulement y penser était au-dessus de ses forces. Non, c'était ce maudit rêve qui le poursuivait encore, qui s'était ravivé comme un feu de forêt quand il avait vu la Mère Castor rampant dans le souterrain, ensanglantée, avec les épais filets de morve coulant de ses yeux et de sa gueule. Je tapais sur l'Under-wood, de plus en plus mal, mais sans être capable de m'arrêter, poussé à cela par (était-ce de la terreur) — par cette extraordinaire vague de désespérance que je sentais bouger en moi et monter dans ma tête, au point que j'écrivais sans arrêt les mêmes phrases et que je ne m'en rendais pas compte; il était peut-être trois heures du matin, je savais que Judith ne reviendrait pas cette nuit, que pour la première fois elle ne coucherait pas avec moi — et qu'allais-je faire de mon bras avec lequel, tous les soirs, j'entourais sa taille, acte chaud grâce auquel je, pouvais trouver le sommeil et elle de même? Ces phrases que j'écrivais, de quoi parlaient-elles? Dans la première, il était question de Jos, de cela je me souviens, une colère ignoble de Jos contre mon père — «Je serais pitoyable si je ne te tuais pas, toi dont la paternité étriquée m'empêche dans la mienne. Pis: toi dont la paternité m'annule, ne peut que m'annuler dans la mienne» — Cette phrase, je l'écrivais sans arrêt sur mes feuilles, de même que cette autre concernant Steven reclus dans sa petite chambre de l'Hôtel du Panthéon à Paris, nu et se regardant les fesses dans le miroir, et disant: «Mère, tu peux entrer, j'ai fini de prendre mon bain, il faut que tu viennes m'essuyer» — Abel vida sa pipe dans le cendrier. Tout cela à quoi il pensait ne faisait que l'éloigner de son rêve, cette chose visqueuse et malpropre qui lui était arrivée après qu'il eût quitté sa table de travail dans le souterrain, à moitié endormi déjà, toutes les feuilles qu'il avait écrites froissées dans sa main et bientôt jetées dehors (le pompier Cardinal les lui rapporterait le lendemain soir, le vent ayant dû les pousser dans sa cour, et j'ai cru que je n'avais pas le droit de détruire comme ça vos pensées). Tout habillé, il s'était jeté sur le lit dans la chambre du Sud et s'était mis à pleurer parce que Judith n'allait pas venir cette nuit-là et qu'il savait que lorsque l'aube la lui retournerait, toute brisée de fatigue et de remords, il serait trop tard pour lui parler de l'enfant et de toutes autres choses les concernant.

«Judith! Judith!» avait-il crié.

Il ne s'était endormi qu'avec le matin, couché par-dessus son oreiller, avec toutes les odeurs répugnantes du gin mal digéré dans la bouche. Ce rêve qu'il avait fait, si terrifiant que pendant six mois il n'avait pu s'empêcher de l'écrire et de n'écrire que cela, en deux cents pages malsaines qu'il avait détruites parce qu'il avait peur, réellement peur de ce qu'il avait composé, comme si quelques dizaines de milliers de mots griffonnés sur du papier rose le menaçaient, risquaient de détruire tout ce qu'il pouvait y avoir encore de bon en lui, notamment la possibilité de pouvoir un jour tout recommencer avec Judith, même cet enfant dont il ne savait toujours pas s'il était né ou si plutôt on avait tellement forcé sa venue au monde qu'y arrivant il n'avait été bon qu'à être jeté avec d'autres déchets dans un quelconque incinérateur. La Mère Castor blessée à mort dans le souterrain, la mâchoire cassée, la langue rigide et toute grise, les yeux mangés par la fièvre. Or Judith avait une tête de chat dans le rêve, et son ventre n'était pas gros: il était monstrueux. Couchée dans la chambre du Sud, elle criait, épuisée par la fréquence des contractions, ses jambes écartées qui gigotaient dérisoirement en dépit du fait que Jos (qui avait tenu à garder ses dents de

vampire, son chapeau noir à larges bords et sa cape) et Steven
(il lisait à haute voix *Ulysse* et, toutes les fois que le vent
faisait bouger le rideau de la chambre du Sud, il criait: «Oh,
tisse tisseur de vent!») — en dépit du fait que Jos et Steven lui
tenaient chacun une cheville. Et lui, Abel, immobile, assis à
côté de son père, parlant à voix basse (de quoi? Y avait-il un
sens à cette confession, à cette flopée de mots gras que son
père écoutait presque religieusement, les yeux fixés sur le sexe
de Judith, rasé et rougi par l'iode?), ne se préoccupant guère
de sa femme, légèrement irrité par ses cris et ses sanglots.
Heureusement que le rire dément de Jos recouvrait tout cela
par instants! Heureusement que son père, dans l'efficacité de
son silence, savait encourager son monologue! Sinon, je
serais sûrement devenu fou et jamais plus je n'aurais pu me
réveiller.

«Abel, Abel!» avait crié Judith dans son rêve. Et
brusquement, Jos, Steven et son père étaient disparus. Il n'y
avait plus que lui et Judith dans la chambre du Sud qui
ressemblait à un salon funèbre, éclairée seulement par deux
lampes enveloppant tout le paysage d'une lumière jaunâtre et
comme salée qui faisait mal aux yeux. Déjà la tête de l'enfant
apparaissait entre les cuisses de Judith. Coupe le cordon,
Abel, coupe-le, je t'en prie. Mais qu'avait-il fait? Quel crime
odieux? L'enfant à tête de chat n'a même pas eu le temps de
pousser son premier vagissement que je le prenais par les
jambes et l'assommais contre le coin de la commode. Judith
pleurait dans le lit. Tant de souillures, ma pauvre fille! Tant
de souillures! Pleure tandis que je me dévide dans mon
cauchemar, mets l'enfant dans un sac (comme il ressemble à
Steven, Judith!), sors du bungalow. Devant, l'ambulance
m'attend. J'y monte. Le conducteur va rouler comme un fou
jusqu'à l'Hôpital du Sacré-Coeur où, me promenant dans les
corridors, je verrai les effrayants poumons artificiels et les
paralytiques et même notre enfant, immobile dans une petite
caisse, ses deux petits pieds appuyés sur un panneau de bois,
sa tête de chat tournée vers la fenêtre. Incapable même de
pleurer.

Abel se leva d'un bond. Depuis des mois, il avait réussi à oublier cet épais cauchemar, quitte à ne pas dormir la nuit pour éviter d'y sombrer (et quand le sommeil venait, après des jours de veille forcée, il était tellement épuisé qu'aucune image ne pouvait plus le troubler, seulement cette impression que, le temps de quelques heures, il était tombé dans le noir et un mutisme ultime — comme si j'étais déjà mort, avec tous les orifices de mon corps remplis de terre). Et voilà que tout était revenu, et voilà que toute cette affreuseté lui était rendue par cette vision qu'il avait eue dans le souterrain de la Mère Castor à son agonie. Il ne s'était jamais senti si mal, même pas quand Judith avait quitté le bungalow, titubant sur le trottoir à cause de ses deux valises rouges trop lourdes.

«Maintenant, se dit-il, il faut descendre dans le souter-rain. Peut-être la Mère Castor y est-elle déjà morte. Ça serait plus facile si c'était le cas.»

Il mit le doigt sur le commutateur pour éclairer l'escalier. Il n'eut toutefois pas besoin de se rendre dans le souterrain puisque la Mère Castor avait réussi à grimper jusqu'à la dernière marche sur laquelle elle se tenait dans une rigidité cadavérique, avec sa gueule toujours ouverte sur la langue desséchée, et le filet de morve qui s'était encore allongé, qu'elle aurait pu prendre entre ses pattes, et ses yeux presque complètement disparus derrière la poche de ses chairs gonflées.

«Plus qu'une marche, Mère Castor. Plus qu'une marche, Mère Castor», dit Abel qui se laissa tomber sur les genoux. Et de sa main il effleura le poil de la Mère Castor. Elle bougea la queue comme pour lui montrer qu'elle comprenait ce qu'il disait mais qu'elle ne pouvait plus lui répondre — je suis aussi aveugle maintenant. De toute façon, je me demande bien pourquoi je tenais tellement à quitter le souterrain pour venir mourir dans la cuisine. T'es-tu au moins occupé de Pollux? Abel lui répondit que Pollux était enfermé dans la chambre du Sud et qu'il saurait attendre là tout le temps qu'il faudrait. La queue de la Mère Castor bougea encore. Redis-moi cette belle phrase irlandaise, traduisit Abel. Il pensa à ce mot de

198

Joyce qu'il aimait se rappeler toutes les fois qu'il voyait la Mère Castor bâillant paresseusement au soleil — Une chatte sagace aux yeux mi-clos veillait de son seuil tiède. Se remémorer cela lui fit venir les larmes aux yeux. Comme tout était paisible en ce temps dans le petit bungalow, Judith assise à côté de lui, regardant la télévision, la Mère Castor jouant avec Capucine et Pollux sur le tapis, faisant aller sa queue dans tous les sens pour que les deux petits chats lui sautent dessus et lui mordillent affectueusement les oreilles, et lui, caressant le ventre de Judith, songeant à l'énorme roman dont il retardait jour après jour la rédaction, satisfait de lui-même seulement qu'à y penser, jouissant de tous ces mots qui se bousculaient dans la nuit de sa tête, jouissant de toutes ces phrases par lesquelles il tournait enfin carrément le dos à tout son passé. Grâce à toi, Judith! Grâce à toi, Mère Castor! Sais-tu qu'il y a longtemps que je t'aime? Cesse de rire, Abel. Je ne peux plus suivre ce qui se dit dans le film.

La Mère Castor faisait son chemin dans la cuisine, elle zigzaguait, peu sûre de sa route, laissant derrière elle une traînée de sang. Un petit navire tourbillonnant dans l'écume rose de ses jours. Il suivait la Mère Castor, un pas derrière elle, perdu dans ses pensers, incapable de les fixer, à la dérive, comme ce corridor est long, Mère Castor!, et toi butant sur les livres, t'obstinant malgré tout à continuer cette longue marche dérisoire, où m'emmènes-tu, Mère Castor? Où? À l'autre bout du passage, la petite patte noire de Pollux s'agitait sous la porte — comme une main appelant au secours.

«Repose-toi, Mère Castor, dit Abel. Tu souffles épouvantablement.»

Pourtant, la Mère Castor ne s'arrêta que devant la porte du vestibule.

«Tu veux sortir? C'est cela, hein?» dit Abel en ouvrant la première porte. Des boules de poussière obstruaient le calorifère et, en plusieurs endroits, le papier teint posé par Judith se décollait. Je ne l'avais pas encore remarqué, pensa Abel. Il ouvrit la deuxième porte. La Mère Castor sortit sur le perron. Ce vent frais va te faire du bien, tu as raison. Des guêpes butinaient dans les fleurs, sur le Golgotha délâbré, envahi par les mauvaises herbes. Abel vit le crucifix de Jim planté sur la butte, cette chose tragique auquelle il manquait un bras, et il grimaça. La Mère Castor, son corps collé contre le mur de pierre des champs, essayait de récupérer, grattait le ciment de sa patte. Ces gouttes de sang qui tombaient une à une, pendant combien de temps encore?

«Il faut vraiment que je fasse quelque chose», pensa Abel.

Tout l'orient de Terrebonne était d'un rouge crémeux, modifiait le paysage, défaisant tout ce qui pouvait y avoir d'hostile dedans, transfigurant la tristesse uniforme des bungalow, multipliant subtilement les rangées de petits arbustes qu'on avait plantés le long des fondations pour oublier jusqu'à quel point elles avaient quelque chose de grotesque et de friable. Ce soleil qui se couchait humanisait les bungalow, les départissaient de leur aspect artificiel de décor cinématographique. La rue Kennedy. Un acte de création éphémère qui disparaîtrait avec la nuit venue, qui retournerait à l'irréel avec la nuit venue. Au fond, il n'y avait rien à abolir et rien à oublier. Tout cela n'avait jamais existé. C'était simplement le soleil qui tombait comme tous les soirs derrière la chaîne de magasins du boulevard des Seigneurs. Mais la Mère Castor? Que puis-je pour toi, Mère Castor? Crois-tu que le pompier Cardinal pourrait nous être de bon secours? Descendre les marches, traverser la cour en évitant d'écraser les jouets du petit Jonathan, s'arrêter devant la porte d'aluminium du bungalow des Cardinal, d'où il lui serait facile d'entendre les bruits venant de l'intérieur, ce floc des ustensiles qu'on jetait dans l'eau de vaisselle, la voix rugueuse du pompier Cardinal jouant avec Jonathan, cette chanson de Gilles Vigneault à la radio — tout cela pensa Abel en fermant les yeux pour ne pas voir la détresse de la Mère Castor, tout cela il faudra bien que je le fasse, il faudrait que je le fasse maintenant. Pourtant, il restait droit comme un i sur le perron, n'osait même pas ouvrir les yeux, écoutant tout ce qui, dans le silence même de Terrebonne, n'était qu'une calamiteuse fausseté, qu'un appel discret à la nuit.
200

Assis dans les marches de l'escalier, la carabine sur ses genoux, incapable de faire monter une image dans sa tête, ainsi serait Abel lorsque le pompier Cardinal lui donnerait une tape dans le dos et retournerait dans son bungalow, abandonnant en même temps toute espérance d'abattre la Mère Castor et d'avoir Abel à son côté quand viendrait le moment d'écouter le baseball à la télévision. Cassant comme du verre, Jim, je suis cassant comme du verre. Mourir c'était peut-être cela: ne plus arriver à pousser un cri, tous vos mots se bloquant non dans la tête mais dans le ventre, là où ils se formaient dans les ténèbres intérieures avant de se jeter dans votre sang et de monter à votre gorge d'où vous les expulsiez pour n'avoir pas trop à souffrir au milieu même de votre silence. Le ventre se gonflait, toute une vie infâmante s'en emparait, le dénaturait, en faisait un long ver solitaire glissant lentement dans le labyrinthe de l'intestin où il grugeait avec ténacité toute votre beauté et tout cet amour que vous mettiez dans les choses, tout cet amour par lequel vivre vous était possible et bon. Et le ver n'en finissait plus de glisser lentement dans le labyrinthe de votre intestin. Et, un beau matin, vous étiez mort, la langue entre les dents, crucifié comme une gourgane au beau mitan de votre lit. Un champignon pousserait à l'emplacement du nombril, les mots se mettraient à jaillir comme d'un geyser, prendraient forme humaine, s'échapperaient de vous, tout en miaulements et jappements, envahissant le monde hostile pour le rendre fou, pour le tuer aussi. Alors seuls les mots resteraient, tout à la fois mâles et femelles, croissant comme des amibes, voraces, dévorant toutes choses sur leur passage, avalant toutes choses pour les recracher en onomatopées, barbarismes, néologismes qui ne pourraient plus signifier que l'envers du langage, que son extrême perfectionnement, que sa totale indigence, que son absolue indigence — les mots éclateraient au sol comme des fusées fascistes, ou ramperaient sur leurs moignons de bras et de jambes, desséchés, desquamés, ignobles, et n'exprimeraient plus rien.

De même, il y avait des douleurs muettes contre lesquelles on ne pouvait rien, sinon se réfugier dans l'artifice grâce auquel, peut-être, il devenait possible de les réduire, possible de les ramener à d'insignifiants événements qui rendaient futile toute agression. Tantôt, Abel aurait pu ne pas aller chez le pompier Cardinal, il aurait dû ne pas le faire et vivre, seul avec la Mère Castor, le cauchemar presque doux de sa mort — elle était sur le perron, immobile, soufflant fort, et lui était assis à son côté, il la regardait s'en aller tandis que le crépuscule, tout rouge, éclatait au-dessus des bungalow. La mort de la Mère Castor, pouvait-elle se comprendre autrement? Pourtant, il lui avait fallu, à Abel, se lever, il lui avait fallu fuir le spectacle de l'agonie de la Mère Castor. Pour trouver quoi à la place? Le pompier Cardinal venu lui répondre, un Blé d'Inde entre les dents, ne comprenant pas ce qu'il lui disait, croyant que la Mère Castor avait mis bas, criant à son blond fils Jonathan cette nouvelle fausse, et l'enfant avait laissé tomber son tricycle (un cheval de plastique jaune monté sur des roues de caoutchouc), avait déboulé l'escalier, entouré de ses deux mains la jambe de son père, et crié: «J'veux voir, j'veux voir! J'peux-tu, Monsieur Beauchemin?» Et lui, derrière la moustiquaire, balbutiant: «Oh non! Oh non! Pas de chats, la Mère Castor, pas de chats. Mais toute défigurée sur le perron. Viens Gros Jean, il faut que tu viennes. Je ne sais plus quoi faire. Tout meurt, même sans la noirceur. Oh non! Oh non!» Mais Jonathan ne comprenait pas, cela avait été long avant qu'il comprenne, il avait fallu que son père se fâche, lui dise: «Toi, retourne jouer avec ton wawal!», il avait fallu que son père le prenne dans ses bras, le soulève de terre et l'aille déposer en haut de l'escalier, sur son cheval de plastique jaune monté sur des roues de caoutchouc. Après, cela n'avait guère été mieux, à cause de l'excitation du pompier Cardinal. Sur la table dans la cuisine était son képi d'inspecteur des incendies, à côté d'une grosse bouteille de bière et d'un verre à moitié plein qu'il avait bu avant de retourner vers Abel. Ce grand homme ridicule en shorts kaki, aux jambes velues et variqueuses, à la chemise tachée de sauce rouge, aux yeux qui louchaient, et ce sacré képi sur la tête — rien d'autre à opposer à la mort de la Mère Castor! Une manière de croque-mort à moitié saoul, un gesteux dérisoire et bavard. À l'ombre des arbustes dans sa cour, c'est rempli de bouteilles vides, qu'il a bues alors qu'il arrachait les mauvaises herbes. Dans le potager, sa Janou croit que ce sont les mulots qui ont creusé tous ces trous tandis que c'est lui qui les a faits pour se cacher de sa vérité. Dès que ma Janou a le dos tourné, je cale d'un coup une demi-bouteille de bière. Faut le faire, Abel. Des engeances, les femmes! Comme je te comprends de l'avoir signifié à Judith!

On ne pourrait pas en sortir. Derrière les barreaux de fer forgé du perron, le pompier Cardinal avait examiné la Mère Castor en fermant son oeil gauche. Il avait dit: «L'air mal en point, hé, hé!» Et cette simple phrase avait suffi pour qu'Abel se mette à parler, racontant l'épisode de la salle des Machines, sans comprendre pourquoi il le faisait quand tout ce qu'il désirait, c'était que le pompier Cardinal s'en aille chez lui et s'installe devant sa télévision couleur pour écouter le base-ball. Que disait le pompier Cardinal? Que disait-il qu'Abel avait tant de difficulté à comprendre? C'est moi qui l'ai posée, cette moustiquaire. J'ai pris sur moi de demander à mon père d'en fabriquer une. J'ai pensé que tu avais dû oublier. Ça doit être normal quand on écrit. Et ç'aurait été bête que ta maison s'emplisse de mulots et de toutes sortes d'autres bibittes. Je sais ce que c'est, ça m'est arrivé l'année passée. Je ne t'écoute pas, avait pensé Abel. Ayant comme seul outil le muscle qui abolit la distance — ne meurs pas, Mère Castor!

Le pompier Cardinal était monté devant lui pour mieux voir la Mère Castor. Que pouvait-il connaître aux chats? Tu vas lui faire mal à la tâter grossièrement comme tu le fais. Les grosses mains avaient glissé sur le pelage de la Mère Castor, avaient sondé la solidité de la croupe, celle des pattes, celle des muscles du ventre — «il n'y a rien là, rien là non plus» — Et lui, il regardait tout cela, la bouche entrouverte, incapable de dire quoi que ce soit, incapable d'empêcher quoi que ce soit, tout épais dans sa peau, ne sachant plus guère qui se tenait tout racotillé sur le perron, si c'était vraiment la Mère Castor, ou peut-être Judith qui avait trébuché sous le poids de ses deux valises rouges, la bouche tout humide de sang, et Julien était accouru vers elle, et Julien s'était penché sur elle — moi, derrière la fenêtre, je les regardais, trop humilié, trop écrasé, trop démuni pour crier ce mot qui aurait ramené la paix et les infaisables amours. Ou peut-être la négresse Johanne devant qui il n'avait pu manifester que la même impuissance suspecte — arrivant dans son bureau, toute chavirée, vêtue de son long manteau d'hiver, les cheveux en toile d'araignée, tremblante de la bouche et des mains (dans l'une tenant une grosse boîte d'allumettes et dans l'autre un bidon d'essence), disant, qu'avait-elle dit dans l'obstination de son silence? Qu'avait-elle hurlé tandis qu'il faisait semblant de se préoccuper de sa pipe-totem, la frappant sur le bord du cendrier? Il avait seulement réussi, avant qu'elle parte, à lui enlever la grosse boîte d'allumettes et le bidon d'essence, comme si cela avait été ce qu'elle attendait de lui et ce qu'elle ne pouvait attendre que de lui.

«Tout est dans la mâchoire», avait dit le pompier Cardinal qui s'était accroupi pour mieux voir la Mère Castor immobile, appuyée sur le mur de pierres des champs qu'il avait fait poser peu de temps après la construction du bungalow pour faire plaisir à Judith. «C'est ici, avait dit le pompier Cardinal. Toute cette zone qui va du museau à la mâchoire. Le mal vient de là. Tout le mal est là-dedans. Tu mets ta main dessus et ça résonne comme la peau d'un tambour. Qu'est-ce que ça peut bien être?» — Il avait semblé fasciné par sa recherche et ne s'était même pas rendu compte qu'Abel lui avait mis une main sur l'épaule, l'invitant, d'une voix cassée, à laisser tomber, à retourner chez lui. Une trop grande souffrance se préparant au bout des doigts du pompier Cardinal — sur le sommet de la tête de la Mère Castor d'où ils étaient descendus lentement le long des oreilles, frôlant tout le mauvais qui coulait des yeux malades (comme des trous par lesquels coule la bave de ta mort, ô Mère Castor! avait pensé Abel). Puis, lorsque les doigts étaient arrivés sous la mâchoire, ils s'étaient activés presque cruellement, faisant bondir de douleur la Mère Castor dont le corps était allé s'écraser dans l'espèce de s que faisait le fer forgé entre deux barreaux. «Laisse-la, avait dit Abel. Ça n'a pas de sens de la faire souffrir comme ça.» Tant de gratuite fragilité dans cette agonie animale qui resterait toujours en-deçà de l'homme, inénarrable parce que trop précise, trop rassemblée dans ce petit tas de chairs sanglantes, comme une explosion de solitude — pas de mort plus horrible, pas de fin du monde plus horrible, un simple chat de gouttière au bout de sa vie, la tête prise dans l'espèce de s que faisait le fer forgé entre deux barreaux. Le pompier Cardinal s'était levé, avait frotté ses yeux de ses mains, fait ce geste-tic, du bout des doigts, de remonter son képi, caressé son menton et monologué, les mains sur les hanches, comme un vieux croque-mort, croyant trop à la banalité de la mort pour s'en émouvoir, pour ne voir qu'elle, pour rester silencieux devant elle. Cette mâchoire cassée. Rien à faire. La Mère Castor sera morte avant que ça guérisse. Ne peut rien avaler comme ça. Je me demande ce qui a pu lui arriver — et supposant, n'arrêtant pas d'imaginer ce qui avait pu se passer, se donnant lui-même la réplique parce qu'Abel, tout comme hier avec Judith et la négresse Johanne, restait silencieux, refoulait en lui tout le mal qui emplissait ses yeux, qui partait de la Mère Castor et dessinait de grands cercles d'amertume au-dessus des bungalow, y faisant déjà apparaître les rapaces aux griffes acérées, les charognards du monde dont la fonction était de dévorer de la mort pour que celle-ci n'envahisse pas tout à fait et en même temps l'univers. Arrête le temps, Gros Jean! Fais sonner ta trompette argentée! O ma Mère Castor! Que t'est-il arrivé? Que t'est-il arrivé dans la sagacité de ton seuil? Le pompier Cardinal avait haussé les épaules, jouant avec son képi, le baissant sur ses yeux, le calant sur ses oreilles, l'enlevant, soufflant dedans, comme si, par ce geste, il eût répondu à quelque rituel caricatural. «Peut-on la sauver?» avait dit Abel. — «Elle souffre beaucoup trop, la Mère Castor. J'ai ma carabine. Je peux te rendre ce service si tu veux.» (Descendu les marches de l'escalier, grimpé sur la grosse roche qu'il y avait devant le perron, regardant la Mère Castor, les deux mains agrippées à la rampe de fer forgé.) «Je ne sais pas, avait dit Abel. Je ne sais vraiment pas.»

Il s'était assis à côté de la Mère Castor, il lui caressait le dessus de la tête du bout des doigts, il aurait voulu mettre dans son geste tout ce désespoir qui montait en lui et qui ne concernait pas seulement la Mère Castor mais tout ce qu'il y avait eu de profondément désespérant dans sa vie jusqu'à ce jour, cette impuissance, cette impossibilité d'arrêter le temps ou de le faire tourner de telle manière qu'il put y trouver, non son compte, mais la simple volonté d'être, au beau fixe dans mes amours et non pas ce qui est en train de m'advenir. Je ne veux pas perdre tout ce que j'aime et tout ce qui s'aime au travers de moi... Toi Judith!... Et toi Johanne qui as mis le feu à tes vêtements imbibés d'essence!... Et toi Johanne transformée en torche vive au beau milieu de la Place d'Armes!... Et toi Jos!... Et toi Steven heureux de me retrouver en Gabriella! ... Et toi aussi, pauvre Mère Castor, il faudrait que tu y passes? Reviens, reviens-moi dans ta vie! Parle-moi, Judith! Ne m'abandonne pas! J'aimerais mieux mourir plutôt que de te voir quitter ma maison, traînant tes deux valises rouges, mordant ta langue pour ne pas pleurer devant moi, me disant: «Je t'écrirai une longue lettre dans laquelle je t'expliquerai tout, mon si pauvre Abel.» Mère Castor! Mère Castor! Il ne faut pas que tu meures!

206

Il avait essayé de la prendre dans ses bras, il aurait voulu qu'elle se blottisse contre lui, qu'elle mette sa tête dans le creux de son aisselle. Seulement cela peut-être aurait pu la guérir, faire tomber la morve de sa gueule et désenfler ses yeux. Mais la Mère Castor se débattait, ne comprenait pas, elle ne comprenait plus rien. Elle se laissa tomber en bas du perron, atterrissant malgré tout sur ses pattes et, en se traînant, alla se terrer sous le petit sapin bleu à côté du bungalow. Abel avait sauté par-dessus la rampe de fer forgé. «Voici l'arme, avait dit le pompier Cardinal tenant à bout de bras la carabine. Et voici les munitions. Où est la Mère Castor?» — «Ne fais pas ça, ne fais pas ça» — Mais le pompier Cardinal avait déjà épaulé, le canon de la carabine n'était qu'à un pied de la tête de la Mère Castor. Il ferma un oeil et bang! Un gros caillot de sang noir dans la gueule. «C'est dur, tuer un chat, avait dit le pompier Cardinal en abaissant sa carabine. Dur, dur» — La Mère Castor ferait encore quelques pas dans l'herbe. Comme si elle savait. Ils la suivraient qui louvoyerait comme un serpent sur la pelouse, s'arrêtant pour récupérer un peu de ses forces et repartant dès que le pompier Cardinal la remettrait en joue. Ils seraient bientôt à l'orée de la savane où la Mère Castor disparaîtrait en faisant un bond ultime dans les feuilles.

«C'est manqué, avait dit le pompier Cardinal. J'aime autant ça, qu'elle meure d'elle-même. Les perdrix, ce n'est pas la même chose à tuer.»

Ils étaient revenus le long de la haie de rosiers. Du bout du canon de la carabine, le pompier Cardinal avait fait disparaître une tache de sang déjà sèche sur la grosse pierre près du petit sapin bleu. Puis, la carabine entre les jambes, sortant de sa poche le paquet de Menthols et s'allumant une cigarette. Il n'avait rien dit d'autre. Sa main droite tremblait. Que voyait-il dans ses petits yeux gris tournés vers la savane? Les maringouins apparurent, on entendait le bruit de leurs ailes quand ils frôlaient vos oreilles. Une chiquenaude et, la panse gorgée de sang, ils tourbillonnaient le long de la jambe avant d'aller s'écraser dans les herbes. «Ça doit être l'heure pour le baseball. Tu viens?» avait dit le pompier Cardinal — «Je vais attendre un peu, au cas où la Mère Castor reviendrait», dit Abel. — «Dans ce cas, je te laisse la carabine et les cartouches. Si tu aimes mieux que je vienne, appelle-moi.»

Et c'est ainsi qu'Abel s'était de nouveau retrouvé assis dans les marches de l'escalier, incapable de faire monter une image en lui, emprisonné dans les cercles de plus en plus grands que faisaient, dans la savane, la douleur sortant du corps meurtri de la Mère Castor. Peut-être même avait-il fini par s'endormir, la carabine sur ses genoux, comme cela arrivait à son frère Jos toutes les nuits alors que couché dans la chaise pliante au milieu de son appartement, une dent de vampire dans chacun de ses poings fermés, il se laissait empoigner à bras le corps par ses rêves mous.

— Il n'aimait pas les chats et pourtant il y en avait toujours dans la maison, qu'il attrapait au filet dans les ruelles. Que faisait-il avec les chats? Le bol de lait était piégé, il y avait un fil dedans, un fil électrifié. Le bond fantastique du chat quand il venait pour y mettre sa langue. S'écrasant la tête sur le mur.

— Il aimait les chats et pourtant il ne pouvait s'empêcher de les faire souffrir, surtout les blancs. Il mettait du beurre dans le fond de la rôtissoire, des feuilles de chou, deux ou trois carottes, un gros oignon, du persil et de la ciboulette. Puis il appelait son chat, le prenait dans ses bras, l'embrassait et le déposait dans la rôtissoire. Le chat, croyant qu'il voulait s'amuser, jouait avec l'une des carottes. Puis il fermait le couvercle de la rôtissoire et allait la mettre dans le four. Puis il allumait le four, s'assoyait devant la cuisinière, fermait les yeux, se disait qu'il était un chat et pensait à toutes les souffrances qu'il endurait. C'était très dur pour lui. Puis, une fois le chat grillé, il le mangeait, jetant le chou, les deux ou trois carottes, le gros oignon, le persil et la ciboulette. Le chat c'était bien meilleur que du canard à l'orange.

— Je suis certain que c'est arrivé, on me l'a raconté. Ils avaient deux chats chez eux, deux gros matous gris trop pacifiques qui passaient la journée à dormir, couchés devant la fenêtre. Un soir, ce fut plus fort qu'eux, il fallut qu'ils le fassent. Ils étaient deux pour s'occuper d'un chat. Ils avaient formé deux équipes par conséquent: la A et la B. Ils s'étaient emparés des chats, leur avaient passé une corde autour de la queue et avaient été les attacher à la corde à linge dans la cour, à deux pieds à peu près l'un de l'autre. C'était terrifiant, ces deux chats suspendus entre ciel et terre et qui se griffaient sauvagement, rendus fous par la rage et la peur. On avait dû les tuer. Après ils étaient comme de vieux chiffons pendus à la corde à linge. Je suis certain que c'est arrivé, on me l'a raconté.

— Il ne voulait pas noyer les chatons comme c'était jusqu'alors la coutume. Il avait pour son dire qu'on perdait trop de temps à trouver un sac, deux ou trois gros cailloux et une ficelle pour attacher le sac. Sans parler, bien sûr, de la centaine de pieds qu'il fallait faire dans les broussailles avant d'arriver à la rivière. Quand personne ne le surveillait, il allait chercher les chatons, les mettait dans ses poches et marchait jusque devant le hangar, s'arrêtant à vingt-cinq pieds de la porte. Alors il prenait un chaton et le lançait de toutes ses forces contre les planches. Trois, quatre ou cinq petites taches de sang qui finissaient par disparaître avec la pluie. Il disait que parfois la chatte venait ramasser ses chatons morts (car une fois qu'il les avait tués, il n'y touchait plus), qu'elle les transportait dans sa gueule il ne savait où, peut-être pour les enterrer. Mais ceci n'est rien, comparé à cette autre histoire...

«Assez! avaient dit en même temps Judith et Abel. C'est assez, Jim!»

Jim s'était mis à rire. Mais il n'avait pas raconté cette autre histoire. De toute façon, Jos ne lui en avait pas laissé le temps. Il était tout à fait ivre et comme il faisait toujours en pareille circonstance, il s'était levé, avait étendu les bras, avait crié: «Il faut que vous m'écoutiez, j'ai des choses à vous révéler» — Ce délire qui avait duré au moins trois longues heures à l'issue duquel il s'était endormi, la tête dans le plat de chips. Jim était furieux, non pas parce que Jos l'avait traité de grande tapette, mais parce qu'il avait insulté Judith en l'accusant de vouloir détruire son frère. Judith s'était mise à pleurer, consolée par Jim qui la berçait dans la chaise et essuyait les larmes qui roulaient sur ses joues. Abel, lui, n'avait pas dit un mot, pour ne rien envenimer, parce qu'il connaissait Jos et souhaitait seulement qu'il ne vomisse pas sur le divan. C'était le lendemain que la Mère Castor avait eu

210

sa première portée, dans cette caisse qu'avait préparée Judith et qu'elle avait déposée dans le souterrain (qui n'était encore qu'un projet dans ce temps-là). Assis dans l'escalier, Judith et Abel avaient regardé la délivrance de la Mère Castor, émus par toute cette tendresse animale et remettant à plus tard la querelle que Jos avait fait naître entre eux.

Abel ne mit pas de temps à creuser le trou, sous le cèdre au fond de la cour. Il essayait de ne pas penser à ce qu'il venait de faire. C'était pourquoi il s'accrochait à Jos, pour avoir ce courage d'achever ce qu'il avait commencé. Il n'avait pas vu revenir la Mère Castor. Ce fut au bruit qu'elle fit en se frappant la tête sur la vitre de la fenêtre panoramique qu'il avait bondi. Pauvre Mère Castor aveugle, muette et sourde, qui ne savait plus qu'une chose: qu'il y avait une ouverture quelque part le long du mur et qu'il suffisait de sauter un peu pour y atteindre. Abel avait eu beau lui ouvrir la porte du bungalow, elle s'était obstinée à chercher le soupirail, augmentant le nombre de ses meurtrissures. Elle ne s'était arrêté qu'une fois à bout de force, la tête passée entre deux barreaux, mouillant de sa morve les feuilles du sapin nain qui poussait à côté de l'escalier. C'était trop pitoyable. Et cela avait duré trop longtemps déjà. Alors Abel, à deux pieds de la Mère Castor qui ne le voyait pas, avait épaulé la carabine, avait visé entre les deux yeux, appuyant sur la gâchette. La première balle n'avait pas tué la Mère Castor. Elle était tombée, restant immobile quelques instants, puis ses pattes s'étaient mises à bouger. Les griffes râclaient le ciment, la queue balayait la poussière. C'était encore trop pitoyable. Abel avait mis une autre balle dans la carabine, s'était avancé, avait appuyé le canon de la carabine entre les deux oreilles de la Mère Castor et avait fait feu. Pan pan: qui va là? Chat. Chat qui? Chatastrophe. Trop pitoyable aussi cette phrase qui lui revint brutalement en mémoire dès que la balle s'était enfoncée profondément dans la tête de la Mère Castor. Alors Abel laissa tomber la carabine et courut chercher la petite pelle presque complètement recouverte par les mauvaises herbes dans le potager. Mais il mit du temps à se convaincre qu'il devait enlever le cadavre de la Mère Castor et le faire disparaître. Ce corps encore chaud. Mon Dieu! Mon Dieu! Le sang de la Mère Castor était trop rouge, faisait mal aux yeux. Abel arracha quelques poignées d'herbes et les jeta sur le sang. Après, il poussa la pelle sous la Mère Castor. Quelle avait été la dernière vision des grands yeux ouverts? Il aurait aimé que le manche de la pelle eût un mille de long afin de ne rien voir de cette pauvre chose qu'il transportait derrière le bungalow. Mou, mou! Si mou est ton corps, Mère Castor! Comme ce matin alors que j'avais dû partir à pied parce que Judith, qui avait la voiture, n'était pas rentrée. Tu me suivais, Mère Castor, comme un petit chien, à quelques pieds derrière moi sur le trottoir. Si je m'arrêtais, tu t'arrêtais aussi, t'assoyais sur tes pattes arrière et miaulait, ne m'écoutant pas, moi qui ne faisais que te dire de retourner à la maison. Boulevard des Seigneurs, tu suivais toujours. Alors je t'ai appelée, tu es venue te frôler contre mes jambes, je t'ai prise dans mes bras, tu ronronnais, heureuse, tous tes muscles dénoués. Parfois me léchais-tu la paume de la main. Quand j'ai raconté cela à Judith, elle a ri de moi, elle a dit quelque chose comme:

«Tu prends plus soin de tes chats et de tes livres que de ta Judith. Un jour, je serai fatiguée et tu t'en repentiras.»

Il n'avait pas cru qu'elle était vraiment fâchée à cause de cela, s'était même complu à l'agacer davantage en laissant la Mère Castor coucher avec eux, ce que Judith n'admettait plus depuis que la chatte avait, à sa deuxième portée, mis bas dans le lit, sur la belle courtepointe. Cadeau de Jim. Deux jours après, en revenant de son travail à la maison d'éditions, il n'y avait plus de Mère Castor, seulement Judith qui, à ses questions, ne répondait que malicieusement:

«Est-ce que je sais où elle est, moi? Regarde dans mon slip, peut-être qu'elle s'y trouve! De même que son si cher et si beau petit Pollux!»

«Je sais que c'est toi qui les a fait disparaître. Où sont-ils, Judith? Où les as-tu mis?»

Elle avait haussé les épaules, elle avait brusquement quelque chose de désagréable (toutes les parties non cachées de son corps ointes d'huile, barrage pacifique contre le soleil; on aurait dit la peau d'une truite, visqueuse, avec ces pigments rouges jetés au hasard, et les éclairs qui passaient sur le verre de ses lunettes noires quand elle regardait dans la fenêtre, et les poils noirs qui giclaient hors du trop court slip moulant la forme de son vagin-matrice et, entre les seins, cette malformation, ce creux où, l'autre jour, quand Judith était couchée, j'ai mis quelques gouttes de lait qu'est venu lécher la Mère Castor). Quelque chose d'hostile chez Judith, ce feu vert dans ses yeux! Il ne faut pas que je me laisse tordre le bras par ma colère. Allons Judith, allons! Fais la bonne fille et dis-moi où tu les as mis, Pollux et la Mère Castor. Mais elle léchait les os de son poulet, tapait du pied en fredonnant le refrain d'une chanson de Janis Joplin, s'obstinait à ne pas répondre. Abel avait laissé tombé sa fourchette et son couteau, il s'était levé, s'était approché d'elle, convaincu que toute cette scène était absurde mais impuissant à la retenir plus longtemps en lui, cette violence rentrée qu'il sentait couler par les fentes de ses yeux, et qui se mettait à tourner vertigineusement autour de la tête de Judith.

«Pour la dernière fois, Judith! Pour la dernière fois!»

Elle le provoquait, c'était tout ce qu'elle faisait, lui tirait la langue avant de se remettre à ronger son os et de chanter. Ma main me démange, Judith! Ses doigts pleins de sauce brune, ses lèvres trop juteuses. La gifle avait laissé une grande marque rouge sur sa joue. Et Judith avait craché l'os de poulet qui avait rebondi sur le ventre d'Abel avant de tomber sur le plancher. Cette première grave querelle qui avait tout changé, brouillant leurs rapports, grossissant l'inimitié jusqu'à ce jour silencieuse. Ils se battaient furieusement, lui ne faisant que dire: «La Mère Castor! La Mère Castor! Je veux savoir où elle est!», lui tenant les épaules rivées sur le plancher, et elle hurlant, battant follement des jambes et refusant follement, presque avec désespoir, de lui dire quoi que ce soit au sujet de la Mère Castor. Cette première goutte de sang qui était apparue sur sa lèvre n'avait fait que les précipiter davantage dans cet absurde cauchemar. Elle était nue dans le lit de la chambre du Sud, il lui avait arraché son slip et les boutons du soutien-gorge avaient éclaté quand il avait tiré sur le tissu. La battait-il encore? Il ne savait plus trop en quoi consistaient ses actes, s'ils étaient des manifestations de haine ou d'amour. Les cuisses bien écartées, Judith se laissait pénétrer, et il entrait en elle furieusement, se tenant sur ses mains pour que seul son sexe prodigieusement dressé fût en contact avec elle. Et il n'arrêtait pas de crier au sujet de la Mère Castor tandis qu'elle, les yeux fermés, sa tête allant de dextre à senestre et de senestre à dextre, disait:

«Je ne sais pas, Abel! Je ne sais pas! C'est si doux, si doux!»

Puis il avait craqué tout d'un coup. C'était arrivé en même temps que son jet de semence blanche, en même temps que les mains de Judith, montées sur ses fesses, lui avaient déchiré la peau. Il s'était jeté à côté d'elle, avait mis ses mains sur ses oreilles, il sanglotait, brisé comme une coquille d'oeuf, au fond d'un grand trou noir plein de crocodiles velus. Judith avait dû utiliser toute sa force pour ôter la main sur son oreille. Ses yeux étaient pleins de larmes aussi. Elle avait dit:

«Tu les aimes tant que ça, les chats?»

Il avait fait oui avec la tête.

«Dans ce cas, viens avec moi, nous allons aller les chercher, avait dit Judith. Pardonne-moi, Abel. Si j'avais su.»

Le trou était profond. Sûrement plus de trois pieds, pensa Abel. Il passa la main sur son front pour essuyer la sueur. Il ne regardait pas la Mère Castor, réprimant sa forte envie de vomir. Du bout de sa pelle, il coupa quelques branches de cèdre, les jeta dans le trou. Et du bout de sa pelle encore, il fit tomber la Mère Castor dans le trou. Ensuite, il remit dans le trou quelques autres branches de cèdre. La terre faisait un drôle de bruit, très sourd, en tombant sur le corps de la Mère Castor. On ne lui voyait plus la queue. Une dernière pelletée de terre, un gros caillou par-dessus le trou...

214

La Mère Castor n'avait jamais existé. Ce que je voudrais, me semble-t-il, c'est acheter un cheval et une charrette et traverser toute l'Irlande, en colportant des baguettes, lentement, au son des grelots, dans la poussière blanche du soir. Abel lança la pelle dans le potager et revint vers le bungalow. Sur le frigidaire, derrière la fenêtre de la chambre du Sud, Pollux le regardait. Je n'aurai pas à lui mentir. Il sait déjà tout. Comme un gros ver noir, le boyau d'arrosage était enroulé sur le charriot vissé au mur. Abel actionna la manivelle, le ver se déplia, se mit à ramper sur l'asphalte. L'eau jaillit à l'extrémité du boyau d'arrosage quand Abel ouvrit le robinet. Les plaques de sang furent soulevées du ciment, ne résistèrent pas longtemps au choc de l'eau qui faisait comme le bruit d'une petite chute en tombant sur les pierres au bas du perron. Il ne resterait vraiment plus rien de la Mère Castor. Et quand les feuilles des arbustes furent lavées, Abel alla fermer le robinet. Que vais-je dire à Pollux? Comme ce matin, il restait immobile et droit comme un i devant la porte, n'osant pas entrer, se disant que ce qu'il aurait aimé faire au fond, c'aurait été de fuir, de ne plus jamais remettre les pieds dans le bungalow, d'aller très loin, d'imiter son frère Jos... À la grève Fatima des Trois-Pistoles, terré dans son petit chalet, ne regardant, jour et nuit, que le jeu de la mer et les longues mouettes blanches. Sans penser. Déjà mort. Ne pouvant plus avoir peur. Vivant d'elle comme au coeur d'un mot aussi doux qu'un ventre. Totalement mort. Radieusement et froidement libre. Plein d'oubli. Ne sachant même pas que Judith... Ni même que... Vide comme ma mort!

Les phares d'une automobile éclairèrent la porte du bungalow et Abel se précipita à l'intérieur. Il fallait en finir, il n'était que juste qu'il perdît aussi Pollux. Lorsqu'il ouvrit la porte de la chambre du Sud, le petit chat noir sauta entre ses jambes. En se retournant, Abel le vit qui s'élançait dans le carreau ouvert de la fenêtre panoramique. Il devina tout de suite où Pollux s'en allait. Vers la savane, vers sa Mère Castor, lui aussi vers sa mort. Il n'y aura désormais plus rien en deçà.

Le bruit que faisaient ses souliers sur le plancher. Les muscles de son épaule gauche qui tremblaient. Un vieux garçon poisseux, éreinté, malheureux, qui s'allongea sur le lit pour sombrer aussitôt dans un sommeil lourd, spiraloïde et plein de mauvaises odeurs. Je ronfle, pensa Abel.

26

Ils ne mirent pas de temps à venir. Ils arrivèrent à la queue leu leu, s'agrippèrent au drap du lit, marchèrent sur les jambes d'Abel, sur sa hanche, sur son ventre, et montèrent encore, jusqu'au coeur dont ils écoutèrent longtemps les battements. Puis l'un d'entre eux, celui qui était vêtu d'une cape noire et d'un long pantalon flottant, dit: «Nous pouvons entrer.» Un autre d'entre eux (il était tout nu, avait marché jusqu'à ce moment le dos courbé, en protégeant son sexe derrière une petite mallette de cuir noir) ricana, ploya le genou, fit jouer les attaches du porte-documents qui s'ouvrit comme une bouche. Dedans, il y avait une échelle de corde à l'extrémité de laquelle deux crochets phosphorescents luisaient. Le curieux petit personnage nu s'en empara et s'avança encore un peu sur la poitrine d'Abel, dans la zone extrêmement velue. La bouche était toute proche, derrière la forêt du menton. «Y arriveras-tu?» dit celui qui était vêtu d'une cape noire et du long pantalon flottant. «Laisse-moi faire», dit l'autre. Il fit tourner vertigineusement au bout de son bras l'échelle de corde et la lança avec violence par-dessus l'épaisse barbe d'Abel. On entendit le bruit que firent les crochets phosphorescents sur les dents humides. Le curieux petit personnage nu ricana. L'échelle de corde était bien solide. On pouvait donc y monter. Ils s'y précipitèrent tous avec hâte, manquant perdre pied et se retenant les uns aux autres pour ne pas tomber. Mais aucun d'entre eux ne dit un mot, respectant la consigne sévère du curieux petit personnage nu. Un chapeau à larges bords tourbillonna dans les airs, dégringola le long de l'échelle et alla s'arrêter sur la poitrine d'Abel, recouvrant presque totalement la petite mallette noire. Ils marchaient sur les dents, évitaient la langue d'Abel, pinçaient leur nez avec les doigts parce qu'il ventait très fort dans la bouche et, qu'aussi, ça ne sentait pas très bon. Ils faillirent tous culbuter dans un précipice, dû au fait qu'il manquait une dent, quelque part tout au fond. Mais le curieux petit personnage nu fit un pont de son corps et tous les autres passèrent dessus. Tout au bout, c'était la luette et, derrière elle, dans le rose de la chair, la porte secrète grâce auquelle, par un escalier en calimaçon, ils monteraient tous dans le cerveau d'Abel. Il les voyait arriver, sa tête faisait un bond toutes les fois qu'un personnage sautait dedans. Abel aurait voulu se réveiller, c'était plein de lumières rouges qui s'allumaient en lui pour le prévenir du danger qu'il courait. Sans s'en rendre compte, il avait mis un doigt sur son oreille et le bougeait avec colère. Peut-être les petits personnages allaient-ils perdre pied et se prendre aux toiles d'araignées, ou bien encore se noyer dans les sinus piégés. Mais les petits personnages étaient rendus trop loin, au coeur de sa tête. Il ne pouvait plus les atteindre, il ne pouvait plus rien contre eux. Il les regarda courir dans les souterrains de sa tête. Il les reconnut facilement. Le curieux petit personnage nu, c'était Jos. Dans un des souterrains, il fouilla dans une poubelle remplie de vieux vêtements; il choisit la longue robe rouge et s'en recouvrit. Suivaient derrière Géronimo, Steven, Gabriella, Judith en bikini (elle était harnachée d'un faux ventre transparent dans lequel dormaient la Mère Castor et Pollux blotti contre son flanc), Jim et quelques autres personnages qu'Abel ne put démasquer car ils étaient trop flous, comme enveloppés dans des nuages noirs. Que cherchaient-ils dans sa tête? Allaient-ils enfin s'arrêter de tourner en rond? Quand Jos ouvrit la dernière porte tout au fond du souterrain 126, Abel comprit où ils voulaient en venir. Dans ce cas, pouvait-il ne pas craindre pour ce personnage qu'il avait mis des années à bâtir dans sa solitude et son désespoir? Ils avaient tous pénétré dans la gigantesque salle où tous les accessoires de son théâtre étaient remisés. L'ensemble constituait un véritable petit village. «Même ma Corvette est stationnée en face du bungalow», dit Jim. «Je n'aurais jamais pensé ça!» dit Judith. Jos s'était arrêté devant un groupe de maisons qu'une rocaille de petits cailloux cimentés isolaient des autres. Devant la charmille, cet écriteau: BEAUCHEMIN — MAISONS D'ENFANCE. Jos les reconnut toutes: sur son extrême gauche, la maison des Trois-Pistoles où il était né, puis celle de Saint-Paul-de-la-Croix où Abel avait vu le jour — «et moi aussi», dit Steven —, puis cette autre des Trois-Pistoles, avec la lucarne, les bardeaux d'amiante, les affiches flamboyantes sur la devanture: «Café des Sportifs». Jos courut rapidement de l'une à l'autre, pour s'arrêter finalement à cette autre maison qu'il y avait à l'extrême droite de l'enclos. Il était devant la maison de Saint-Jean-de-Dieu, les trois lilas (dont l'un bouchait tout un coin de la maison) étaient fleuris. Le vieux chien Collie, couché sur le pas de la porte, dormait. Même la boîte aux lettres, fixée sur le piquet le long de la route, paraissait réelle. On y lisait toujours, peinte en rouge, le nom de l'ancien propriétaire: MAURICE JALBERT, qu'Abel avait utilisé dans un récent roman. «Quelle mémoire!» dit Jos. «Et quelle misère!» dit Steven. «Et quel écrasant nique de souffrances!» dit Gabriella. Personne n'entra dans les maisons d'enfance. Jos avait dit: «Je ne m'intéresse, il ne faut s'intéresser qu'au passé plus loin que l'enfance.» Et tous avaient acquiescé, se mettant derrière Jos, courant à sa suite, se cachant les yeux pour ne pas voir le petit cimetière aux multiples croix blanches qu'il y avait entre les maisons d'enfance et le bâtiment à toit français près duquel ils trottinaient. «Chiens méchants, employés seulement», disait la pancarte. Jos dit: «C'est une ruse, le sac à malices d'Abel déborde, hi, hi!» Il donna un coup de pied sur la clôture qui tomba à terre, fit éclater la porte du bâtiment et entra. C'était une usine de mannequins, enfin quelque chose de ce genre-là, totalement automatisée. «Quels monstres notre frère Abel fabrique-t-il ici?» dit Steven. Jos examina le premier mannequin. «Ce n'est pas de la ripe pressée, dit-il. Je croyais que c'était ça, mais j'étais dans l'erreur. Regarde, Géronimo. C'est de la chair, de la *vraie* chair! Mais aucun de ces

mannequins n'a encore ni de bouche, ni de nez, ni d'yeux.
Mets ta main ici, Steven. Les coeurs battent. Toutes ces
choses vivent. Et ça n'arrête pas de sortir de cette machine
tout au fond. On dirait un oeil proéminent.» — «Je veux
sortir! cria Judith. Je veux sortir!» — «D'accord, Judith», dit
Jos. — «Si on en apportait un?» dit Géronimo en mettant la
main sur l'épaule d'un mannequin muni d'un sexe femelle et
d'un sexe mâle, avec un sein sur la poitrine et un autre entre
les omoplates, sans doute un défaut de manufacture, avait dit
Steven. «Non, non, dit Jos. Nous ne sommes pas venus ici
pour piller.» — «Je veux sortir!» cria encore une fois Judith
qui tenait à deux mains son ventre phosphorescent. Jos mit
son bras autour de sa taille. «C'est moi que tu aurais dû
épouser et non pas mon frère Abel», dit-il alors qu'ils se
dirigeaient vers la sortie. «Steven! dit-il. Steven, tu viens?
Allons, dépêchons, dépêchons! Il nous reste peu de temps et
nous n'avons pas encore trouvé ce que nous sommes venus
chercher, au centre de cette prodigieuse mémoire. Steven!» —
«Je viens, je viens», dit Steven qui dut jouer des coudes contre
les mannequins les menaçant, Gabriella et lui. Il en fit même
tomber un par terre. Et le cri qu'il poussa, presque obscène,
les projetta, Gabriella et lui, loin devant le bâtiment. Un
grand cheval noir broutait dans le petit pré, à l'ombre d'une
épinette rouge. «C'est Goulatromba», dit Gabriella. —
«Avançons, avançons!» dit Jos. Un édifice sortit brusquement de terre, une porte apparut et tout le groupe s'y
engouffra — BIBLIOTHÈQUE DE BIBI. Ils le virent qui
était assis sur une pile de livres, il y avait un gros album
ouvert sur les genoux et les rayons de la bibliothèque étaient
si hauts que l'oeil se fatiguait avant que d'en voir la fin.
«Étonnant, dit Jos. Tous mes livres, même les secrets, sont là-
dedans.» — «Et les miens aussi!» dit Steven. Judith était allée
s'agenouiller devant Abel, elle faisait une croix avec ses bras
étendus, la Mère Castor et Pollux bougeaient dans son
ventre, donnaient des coups de pattes contre la paroi
translucide. Judith dit: «Regarde, Abel. Tandis que tu lis, me
voici à la veille de mon accouchement et tu ne t'en préoccupes

pas, me laissant seule dans mon rêve. Pourquoi, Abel? Pourquoi? Je ne vois aucun sens à ma souffrance.» Abel ne dit rien, il n'avait même pas levé les yeux de son album, la fumée sortait de son nez bien que Judith ne vît pas la pipe accrochée entre les dents. Judith se laissa tomber de tout son long, devint une roulade effrénée, ses hoquets surtout faisaient pitié, mais Abel (peut-être était-il comme Ludivine Lachance dont il avait tant parlé à Judith, sourd, muet, et aveugle?) ne bougea pas davantage. La poche des eaux creva, la Mère Castor bondit sur les genoux d'Abel. Elle était affreuse, avec la gueule pleine de morve et tout son pelage ensanglanté. «Tue-moi, tue-moi encore une fois!» dit-elle à Abel. Il ne répondit pas. Tout ce qu'il y avait de changé, c'était les pages de son gros album qui ne tournaient plus. «Je t'en conjure, dit la Mère Castor. Assassine-moi, Abel!» Les yeux s'ouvrirent, deux marbres rouges, seulement deux marbres rouges dans le visage. La Mère Castor se leva sur ses pattes arrière et se mit à griffer furieusement la peau, en s'attaquant d'abord au nez, puis aux yeux rouges. «Viens Pollux! Viens!» avait dit la Mère Castor au petit chat. Il était monté le long de la jambe d'Abel, avait sauté sur l'épaule et mordillait l'oreille. «Comme une souris de caoutchouc», dit Pollux. Judith hurlait. Elle avait réussi à se relever, tenait son ventre ouvert de ses deux mains, essayait de fuir cette vision d'Abel se faisant déchiqueter par les deux chats. Mais c'était comme un tapis roulant sur quoi elle marchait, de sorte qu'elle restait toujours à la même place. «Jos! Jos!» criait-elle. Ce fut Steven qui arriva le premier. «Ma pauvre Judith! Ma pauvre Judith!» dit-il en la saisissant sous les aisselles et en la halant vers la sortie. Un des yeux d'Abel avait roulé par terre dans une traînée lumineuse de sang. «Fais quelque chose, Jos!» Il vit les deux chats, saisit de ses deux mains la Mère Castor par le cou et l'étrangla. Puis il la lança sur l'un des rayons de la bibliothèque — comme une énorme chiure de mouche. «Non! Non!» hurla Abel dans son sommeil. Judith n'arrivait plus à suivre les autres. Elle était assise dans un fauteuil roulant qui allait trop lentement, c'était plein de

malades autour d'elle. Toutes ces civières, et ces poumons
artificiels, et ces innombrables lits blancs (dessus, allongés et
râlant, tous les membres de la grande tribu), et ces cris de
souffrances! «Où m'as-tu emmené? Où suis-je donc, Abel?»
disait Judith dans le fauteuil roulant. Elle n'avait pas vu
l'affiche pourtant lumineuse au-dessus de l'entrée —
MAISON DES MORTS. Le cercueil de la Mère d'Abel
tournait comme une roue dans les yeux de Judith. Et son
père, à moitié décomposé, flottait à la hauteur des épaules,
assailli par les gros essaims de mouches noires. «Je deviens
folle. C'est toi qui m'as rendu folle, Abel! Trouve la clé!
Délivre-moi! Je ne veux pas mourir!» Tant de fantômes
s'agitaient autour d'elle, les os craquaient, s'effritaient,
devenaient comme de la poudre verdâtre sous les roues du
fauteuil roulant. Et Julien, elle vit Julien — la Thunderbird
roule sur la route mascoutaine, Julien est seul, il prend mal le
virage, la voiture va s'écraser contre un arbre, Judith voit la
tête rouge de sang dans la vitre du pare-brise, l'oeil qui pend,
les coulisses, la main coupée qui a roulé dans l'herbe. «Oh
non! Je ne veux pas que dans cette mort tu fasses mourir
Julien!» Steven la giflait. «Reviens à toi, Judith!» Il n'y avait
rien à faire contre ce fauteuil roulant qui tourbillonnait au
milieu des cercueils, et bien que Jos, Géronimo et quelques
autres personnages inconnus vinrent prêter main forte à
Steven, Judith en demeurerait prisonnière. Alors Jos dit: «On
ne peut rien pour elle et le temps nous oppresse. Laissons
Judith ici et allons là où nous devons nous rendre. Abel finira
bien par s'occuper d'elle!» Steven pleurait, agenouillé devant
le fauteuil roulant. Derrière lui se tenait Gabriella dont les
ailes translucides battaient dans son dos. «Quand ton âme
aura fini de japper, dit Jos, il faudra bien que tu viennes nous
retrouver. Tu n'auras qu'à suivre les cailloux blancs que je
jetterai derrière moi tout au long du chemin.» Tous les
personnages sortirent de la MAISON DES MORTS. Il
faisait noir dehors, si noir que Jos ordonna à tous de se tenir
par la main. C'est ainsi qu'après une longue marche, ils
arrivèrent dans un grand pacage où d'innombrables vaches

noires se laissaient toutes pénétrer par le même taureau, en même temps. Le sexe du taureau était un serpent inouï que Jos dut couper plusieurs fois avec ses dents pour que ses gens et lui-même pussent passer outre et parvenir enfin à Goulatromba. Or le cheval était multiple: aucune vision de lui-même ne restait plus d'une seconde dans l'oeil. Tantôt fabuleux, tantôt minable, tantôt de bois, tantôt de tôle, tantôt infirme (marchant sur trois pattes ou ayant une tête de veau) et tantôt puissant, il cavalait dans le pré, Abel monté sur lui, Abel comme soudé à sa croupe. Le ventre de Goulatromba était plein de mots lumineux. C'est en se protégeant les yeux de leurs mains que Jos et ses gens se glissèrent sous lui pour arriver plus aisément à l'autre bout du pacage. «Nous ne sommes plus loin, dit Jos. Frères, redoublez-vous dans votre ardeur.» Ils étaient maintenant très nombreux à le suivre, munis de flambeaux qui forçaient la nuit à se retirer loin au-dessus d'eux. «J'en ai plein mon casque, dit Géronimo. J'ai l'impression que nous tournons en rond. N'étions-nous pas ici même il y a quelques instants?» Jos écarquilla les yeux. L'écriteau MAISONS D'ENFANCE lui déchira l'oeil. Il cracha et jura avec force. «Ne nous affolons pas, dit-il. Il s'agit de regarder comme il faut.» Il mit un genou à terre, regarda droit devant lui, ses mains au-dessus de ses yeux. Quand il se releva, il rayonnait. «J'ai tout compris, dit-il. Maintenant, il nous faut courir. Ces maisons que nous voyons sont montées sur roues et cherchent, tout comme nous, l'aventure. C'est dans l'une de celles-là que nous devons entrer, et je sais déjà laquelle.» Ils galopaient tous à la fine épouvante, à la suite de Jos qui avait retroussé sa robe rouge pour aller plus vite. Ils rattrapèrent facilement le troupeau de maisons. Elles s'écartaient d'eux pour leur livrer passage. «C'est la maison de grand-père Toine! cria Abel. Ne pénétrez pas là-dedans!» Les grosses roues s'arrêtèrent sur le perron, pour souffler un peu. Un homme qu'ils ne reconnurent pas était devant la porte, tenant un pot à barbe dans sa main qu'il tendait tout en psalmodiant: «S'il vous plaît, la charité pour un pauvre aveugle.» C'était un fait qu'il n'avait pas d'yeux, que d'épaisses rides blanches. Jos le bouscula et, d'un coup d'épaule, fit tomber la porte. «Nous voici dans le pays plus loin que l'enfance, dit Jos. Il s'agit maintenant pour nous de faire de la lumière.» Ses doigts claquèrent. En même temps, toutes les lampes de la maison des ancêtres s'illuminèrent. «Dommage que Judith n'ai pu venir, dit Steven. Dommage.» Il s'appuya davantage sur le bras que lui offrait l'ange Gabriella et, sur l'invitation de Jos, il ouvrit grand les yeux. On ne savait pas encore ce qui allait se passer.

27

C'est la grand-mère qu'ils virent en premier. Assise dans sa chaise favorite, regardant sur la petite table devant elle les lunettes à monture d'argent, la tasse de thé et les six biscuits Village. «Où est grand-père Toine? Et notre père Charles?» dit Jos à la grand-mère. Elle répondit: «C'est l'ouvrage de Dieu, petit-fils. S'il a filé la mort à-tant de nos humains, c'est pour fournir des chants aux gens de l'avenir. Car *l'Odyssée* est périmée, petit-fils.» Ce disant, elle fit deux gestes vagues de la main, l'un en direction de la porte et l'autre vers le couloir qui conduisait à la cuisine d'été. Jos passa au milieu de ses personnages, pour retrouver son père mendiant toujours, le pot à barbe dans la main. «Charles, dit-il. Charles! Il faut qu'enfin tes yeux s'ouvrent!» — «Ce n'est pas toi que j'attendais, dit le Père. C'est Abel. Ton retour, je n'y comptais plus guère. Peux-tu quelque chose pour mes yeux?» Jos les toucha du bout des doigts. Le Père échappa le pot à barbe. «J'ai très mal, dit-il et ce n'est pas seulement à cause de mes yeux. Je crois que je me rapetisse dans ma peau. Où est-il donc, mon Abel? Pourquoi cela ne répond-il jamais quand je téléphone chez lui? As-tu une réponse à me faire, Jos?» Jos avait mouillé de salive le bout de ses doigts, il les promena encore une fois sur les yeux de son père. «Que dans ta lumière tu puisses être, ô mon géniteur!» Les yeux s'ouvrirent. Le père tomba dans les bras de Jos, l'embrassa longuement sur la bouche. Jos se dégagea de l'étreinte, prit la main de son père, lui ordonna de le suivre. Les personnages s'agitaient dans le salon, face à la grand-mère qui faisait à intervalles réguliers, deux gestes vagues de la main. «Grand-père Toine est dans la cuisine d'été, les enfants. Il vous attend pour jouer de

225

l'harmonica. Accourez vers lui.» Jos et son père soulevèrent
la grand-mère de sa chaise. Elle était légère, une plume de
chair dit Steven, et tous les personnages dévalèrent le couloir
qui menait à la cuisine d'été. Seul Géronimo resta un moment
au salon. Il avait faim, l'appât que constituaient les biscuits
Village était là, sur la petite table. Il allongea la main pour en
prendre un. Les biscuits étaient brûlants, si lourds qu'il fut
incapable de les faire bouger. La peau des doigts de Géronimo se mit à peler. Il hurla de douleur et se mit à courir dans
le couloir, pour rejoindre les autres personnages. Le grand-
père Toine était tout nu dans sa chaise, recroquevillé. Son
sexe était disparu. À sa place avait poussé un harmonica dont
il jouait en serrant les cuisses et en faisant bouger son ventre.
Quand il les vit tous qui le regardaient, il leva haut les bras et
dit: «Que par ma bénédiction j'entre tous en vous et que
s'ouvre le soupirail de notre âme tribale!» Jos alla vers lui,
l'embrassa sur le front. «Suivez-nous, dit Jos. Venez avec
nous conspirer la fin d'un monde. Indiquez-moi, grand-père
Toine, le chemin du grenier comme jadis vous faisiez quand je
n'étais pas encore.» Le grand-père Toine se redressa, cacha
l'harmonica derrière ses grandes mains ouvertes pour que
personne ne vît l'urine coulant entre les fentes de l'instrument. Il tremblait. «Que de pitié j'ai pour vous, grand-père
Toine!» dit Jos. Il dénoua le cordon de sa robe qu'il enleva
pour en revêtir son grand-père. Mais lui-même ne pouvait pas
être nu et tous les personnages applaudirent quand, par
quelque tour de magie, il recouvrit son dos poilu d'une autre
tunique, jaune celle-là. Puis Jos donna le bras au grand-père
Toine et tous montèrent l'escalier. La porte du grenier
s'ouvrit d'elle-même. Une formidable odeur de moisissure les
fit éternuer. «Comme un chien qui vous sauterait à la gorge,
dit Steven, c'est mauvais comme ça.» Le grenier était déjà
plein de monde, des personnages que n'avait encore jamais
vus Jos et d'autres dont il reconnut les visages pour les avoir
regardé dans le bungalow de son frère Abel où, dans de vieux
encadrements, ils faisaient tout un mur. «Je suis Thadée», dit
une voix. «Et moi Moïse», dit une autre. «Et moi Borromée.»

— «Et moi Maxime.» Ils se nommèrent tous et toutes, avant de prendre place sur les sièges placées en demi-cercle dans le grenier. Jos avait les yeux pleins de larmes. Le grenier, c'était là ce passé du plus loin que l'enfance dont il parlait autrefois avec Abel et où il venait d'accéder grâce à la ruse, profitant du fait que son frère dormait pour envahir sa tête, dirigeant la horde sacrée de ses gens loin à l'intérieur d'elle, dans ce pays presque éteint qu'il appartenait à lui seul de faire revivre en l'habitant de son immense rêve. Abel dormait de son lourd sommeil, s'agitait dans le lit, incapable d'ouvrir les yeux, vivant douloureusement le cauchemar, bouleversé parce que Jos avait de lui-même détruit le mythe rassurant qui faisait de lui un vampire inoffensif et folklorique se promenant de nuit dans Morial-Mort, au volant d'une vieille ambulance noire, pour effrayer les enfants. Tout autre était maintenant Jos! «Je te volerai ton monde, Abel, car tu es indigne de lui, ne pensant qu'à t'en servir alors qu'il aurait fallu que tu le serves. Le projet du grand Oeuvre, c'est moi qui l'accomplirai, menant tous les gens de notre tribu au-delà du seuil de leur connaissance. Regarde-moi faire, Abel. Bientôt, tu devras expier.» Le rire tonitruant de Jos fit se tourner et se retourner Abel dans son lit. «Je veux m'éveiller!» hurla-t-il, bien qu'il sût qu'il dormirait tant et aussi longtemps que le rêve ne serait pas achevé en lui. Il vit le grenier, il lui sembla même qu'il était l'un des nombreux personnages qui avaient pris place sur les sièges, mais il fut incapable de reconnaître le déguisement qu'il avait emprunté pour qu'aucun de ceux qui étaient là le reconnussent. Seule la vue d'Abraham Sturgeon couché dans le cercueil du grand-père Toine le calma un peu. Il fallait admettre que le détective Sturgeon faisait bien son travail. Le masque couleur chair qu'il avait mis sur sa figure était si bien réussi que même la grand-mère s'y laissa prendre, tout comme le grand-père Toine d'ailleurs (il s'était age-nouillé devant le cercueil, à côté de sa vieille femme, et priait: «Je me regarde dans ma mort et comment ne pas te remercier pour cela, Dieu de mes armées! La litanie joyeuse est mon repos. Christ-Jésus, aie pitié de nous lorsque tes chevaliers

227

d'Apocalypse, montés sur leurs blancs chevaux, viendront des quatre coins du monde pour le Dernier Jugement, précédés des trompettes argentées!» Abraham Sturgeon avait appuyé sur le bouton de son petit magnétophone japonais dissimulé entre ses jambes. Rien de ce qui se passait dans le grenier du grand-père Toine ne connaîtrait l'oubli quand Abel se réveillerait. On s'impatientait dans le grenier. Plusieurs des personnages qui étaient assis trouvèrent que le grand-père Toine mettait beaucoup de complaisance à prier pour lui-même. Jos dut l'en aviser. «Sans doute as-tu raison, petit-fils, dit le grand-père Toine. Mais je sais que tu me comprends. N'aspires-tu pas à devenir notre père à tous?» Jos l'embrassa encore, le serra dans ses bras, le conduisit devant les personnages assis qui applaudirent. Alors Jos, le grand-père Toine, le géniteur Charles et une flopée impressionnante de patriarches barbus prirent place sur la longue rangée de chaises qui faisait face aux personnages dont le nombre croissait sans cesse, au point que les murs du grenier tombèrent d'eux-mêmes. En face de lui, Jos n'avait plus qu'une marée humaine, houleuse, inquiète et réclamant des paroles. Il leva les mains pour apaiser la foule. Elles tremblaient. Il dit: «Je suis plein d'appréhension quand je songe à la mission prométhéenne que je nous veux voir accomplir.» Une voix, quelque part dans le grenier, hurla: «Ce n'est pas toi que nous attendions. Tous les signes nous disaient que ce devait être Abel.» Jos répondit: «Je sais, mais le droit d'aînesse est un droit sacré que même les Beauchemin ne peuvent transgresser. Je peux me prouver dans ma royauté. Chez mes gens, le don de la musique, le talent saint de l'harmonica, la marque de la souveraineté, ne s'est transmis, ne peut se transmettre qu'au fils aîné. Et bien que je n'aie jamais joué de cette musique, je veux que vous sachiez que j'en possède toute la beauté. Qu'on m'apporte l'harmonica.» Le grand-père Toine fouilla sous sa robe. Quand il arracha la musique entre ses jambes, il y eut dans le grenier une grande coulée d'air. Tous les personnages assemblés frissonnèrent. «Pourquoi n'ai-je pas fermé la fenêtre de la chambre du Sud?» dit Abel dans son sommeil. C'est le patriarche Maxime qui prit l'harmonica des mains du grand-père Toine et qui l'apporta à Jos sur un coussin de velours. De sa salive, Jos mouilla l'harmonica comme il faut avant de jouer. Les notes qu'il se mit à cracher prirent forme humaine dans l'espace. Tous reconnurent les oncles et les tantes, les amis de la tribu, ses commerçants, ses prêtres, ses guerriers et jusqu'à ses fous qui les chapeautaient, authentiques paratonnerres protégeant la race de toute calamité. Les yeux se remplirent de larmes devant tant de puissance. «Par mon chant, dit Jos lorsqu'il s'arrêta de jouer, je puis recréer notre monde et l'assurer dans sa pérennité. C'est de toute autre chose que de mots qu'il s'agit là. Et c'est pourquoi j'ai dû écraser mon frère Abel dont l'entreprise ne pouvait faire de nous tous que des morts, mémorables sans doute, mais seulement des morts. Or, nous devons continuer de vivre du milieu de nous-mêmes pour que s'accomplisse vraiment notre temps. Je dis non aux héros de papier, je refuse que nous soyons seulement des phrases sous la plume de mon frère. Ce que je veux, c'est que le rêve de nous-mêmes, commencé il y a des milliers d'années par celui qui ne savait même pas encore qu'il s'appellerait un jour Beauchemin, s'accomplisse, non dans quelques mots alambiqués, destinés à moisir sur une étagère, mais dans un quotidien renouvelé. Pour ce faire, nous avons besoin de toutes les énergies et de tout ce passé qui vit en nous. Voyez nos patriarches qui jamais ne furent questionnés par nous. Demandons-leur leur secret. Exigeons des pères de nos patriarches cette vérité qui leur vient de plus loin que de leur enfance. Et l'ayant obtenue, fondons-la dans le creuset de notre alchimie nouvelle!» Les personnages applaudirent encore. Le grenier était plein d'une émotion si intense que Jos eut peur, pendant un instant, que tout explosât. Il dut apaiser les personnages par un nouvel air d'harmonica. On ouvrait grand la bouche pour boire les notes. Quand on en fut bien repus, Jos confia l'harmonica au patriarche Maxime et dit: «Ce projet que nous allons vivre est presque surhumain, je le sais. Mais c'est le seul soupirail qui nous reste. Si nous refusons, le ciel nous tombera bientôt sur la tête et, de la nuée, apparaîtront les chevaliers impitoyables de l'Apocalypse. Que ceux qui m'aiment dans ce que je dis me suivent!» Une voix, au-delà du grenier, hurla encore: «Le Plan, il faut nous faire connaître le Plan! Nous nous sommes trop souvent enlisés dans les hasards pour maintenant courir l'aventure ultime sans rien connaître de ses hautes exigences. Le Plan! Quel est le Plan?» Jos mit ses mains sous sa robe, en sortit un parchemin qu'il se mit à dérouler. Il allait parler longtemps. Tous seraient suspendus à ses lèvres, tous seraient mangés par la fièvre de Jos les mettant au fait de son projet. Ils subiraient avec une telle intensité la force de son éloquence qu'ils jureraient dans un cri énorme le serment d'aller avec lui jusqu'au bout. La litanie de Jos, qu'il avait mise des mois à répéter, à corriger et à compléter dans son petit sous-sol de Morial-Mort, ne fut pas interrompue une seule fois tant l'attention des personnages était vive. Abel se fit tout petit dans son lit, ne bougea plus guère, retint même sa respiration pour ne rien perdre des paroles de Jos. Dans le cercueil, Abraham Sturgeon s'affairait. Le mécanisme du petit magnétophone japonais s'était traîtreusement détraqué. Le ruban de la bande devait s'être brisé. Abraham Sturgeon se concentra tellement dessus elle, dans une tentative désespérée de la remettre en marche, qu'il n'entendit plus rien du discours de Jos. Encore une fois, il devrait truquer son rapport hebdomadaire, convaincu qu'Abel, plongé dans son sommeil profond, ne retiendrait pas grand-chose de ce rêve et rien des paroles de Jos. «Voilà pourquoi je tends douloureusement l'oreille», dit Abel. «Il faut que je sache tout de ce complot, pour m'en déprendre moi-même et en déprendre tous mes gens. Ne triomphe pas tout de suite, Jos! Il en est peu qui se prendront à l'hameçon de tes menteries quand, même endormi, je ne fais que veiller!» Mais le vent s'était levé dans les environs du bungalow de Terrebonne, l'espace fut striée d'éclairs et le tonnerre tonna. Le grenier faisait eau de toute part, les personnages devant même monter sur leurs sièges pour ne pas avoir les pieds mouillés. Abel gloussa. La tempête était un signe que lui envoyait le destin : le complot tramé par Jos et Géronimo ne réussirait pas si facilement. À la nage, la plupart des personnages s'enfuyaient déjà. Seuls Jos, l'homme de main Géronimo, le patriarche Maxime, le grand-père Toine et le géniteur Charles, se tenant des deux mains aux poutres du plafond, ne voulaient ou ne pouvaient pas abandonner le rêve. (Et Steven, dans l'ombre de Gabriella faisant battre ses ailes, restait bien au sec, l'eau le cernant mais n'approchant jamais à plus de deux pieds de lui, comme si, sur le plancher, une marque invisible lui défendait de pénétrer dans le cercle au centre duquel il se tenait, récitant d'une voix monotone cette jérémiade qui, dans le funèbre Paris, l'avait protégée de sa mort: «Bronze et Or terni en la pénombre abyssale, s'en fut Bloom, le mol Bloom, je me sens si seul Bloom. Ne me quitte plus dans ma crainte, ni que dans ma désespérance ») — Jos criait. Il avait dû laisser tomber le parchemin qu'il tenait entre ses dents, pour essayer de retenir sinon les eaux du moins les personnages qui sortaient, tête première, du Grand Oeuvre. Il n'avait pu dire que peu de choses du Plan. L'eau avait tout escamoté. L'encre se défaisait sur le parchemin, Jos regardait les lignes s'effacer et monta en lui un grand besoin de larmes. Les yeux pleins d'eau il s'époumona à hurler encore quelques bribes de son Plan avant qu'il n'en restât plus rien. «Il est bon que l'ère de la secte secrète des Porteurs d'Eau s'ouvre par un déluge. Ne nous effrayons pas. Et écoutez-moi, nom de Dieu! Je n'ai encore rien dit des grands-prêtres et des guerriers, de leurs organisation, de leur pouvoir, de leurs buts, ni même de leur financement. Je n'ai encore rien dit non plus des centres de recherches, de la Bibliothèque totale qu'il nous faudra constituer, de tous ces morts à déterrer et à interroger. Et rien dit aussi du nouveau cosmos dont le Québec créera la configuration définitive. Restez avec moi, ô mes peuples! L'eau n'est qu'une épreuve dérisoire qui ne prévaudra jamais contre le Grand Oeuvre. Revenez!» Mais ils étaient seuls, Géronimo, lui et les ancêtres à se retenir des deux mains aux poutres du grenier. Et l'eau montait toujours. Le grand-père

Toine dit: «Sors-nous de là.» Le patriarche Maxime dit: «Tes temps, ce me semble, n'ont pas suffisamment mûri encore. Que peux-tu même contre le pouvoir insignifiant de l'eau?» Le géniteur Charles dit: «Bien qu'ayant pratiqué des centaines de métiers, je ne m'en connais qu'un seul qui me convienne, et c'est celui de ma solitude à qui je dois d'être aveugle. Quand tu es né pour une petite oeuvre, la grande ne peut que te glisser entre les doigts. Sors-nous de là, Jos!» Et lorsque inquiets du silence de Jos ils se tournèrent tous vers lui, ils ne virent à sa place qu'un vieux bulbe de pivoine tout racorni et fixé à un clou. Jos marchait sur les eaux du grenier, tenant dans ses bras l'homme de main Géronimo. Au-delà du mur, en bas de l'escalier, le moteur de la vieille ambulance noire ronronnait comme un gros chat. Avant de passer au travers du mur, Jos se retourna vers les patriarches et leur dit: «Vous n'avez rien à craindre. Dès que vous ne me verrez plus, tout votre vieux monde reprendra sa place bien qu'ébranlé. Je ne suis venu que pour vous avertir afin que vous restiez sur vos gardes et que vous vous prépariez, dans le silence de votre fausse mort, à mes desseins. Ma révolutionnaire cosmogonie ne se peut bâtir en un jour, pas plus que s'assembler en une nuit. Pères, ayez tout comme moi ce courage de la veille.» Les planches du grenier craquèrent quand Jos s'y enfonça. L'eau dans le grenier baissa prodigieusement, le grand-père Toine récupéra l'harmonica qui sentait l'urine, la remit entre ses jambes, débaula l'escalier et alla se rasseoir dans sa chaise favorite dans la cuisine d'été et recommença à faire ce geste vague de la main en direction du grenier. Tous les patriarches avaient réintégré les vieux encadrements poussiéreux. Et, sur le perron de la vieille maison, le géniteur Charles, des rides blanches et épaisses à la place des yeux, avait repris son pot à barbe et recommencé à psalmodier pour qu'on lui fît l'aumône. Seul le cercueil dans lequel était couché Abraham Sturgeon virevoltait dans la petite mare de pisse. Le détective s'était endormi, suçant son pouce. Le petit magnétophone japonais s'était, bien inutilement, remis en marche. Il n'y avait plus que les z calmes du sommeil d'Abraham Sturgeon à enregistrer.

232

Il n'y eut pas d'intermède. De son rêve, Abel passa tout de suite au monde du souterrain sans même qu'il y comprît quelque chose et sans même qu'il se souvînt d'avoir dormi. Il lui semblait que, depuis sa naissance, il n'avait jamais quitté le souterrain, aux prises de tout temps avec ce roman démentiel qu'il écrivait sans pourtant taper un seul mot sur la vieille Underwood. Blottis à l'intérieur, toujours les mêmes, usés par la répétition, et ne disant jamais plus que le fait que je sois solitaire. Comment était-ce dans ce livre que j'ai lu et dont les mots sont venus s'incorporer à mon histoire, écrite en lettres de feu sur ma poitrine? C'était quelque chose comme «plus tourmenté par les douloureux furoncles de ses aisselles que par l'immense effondrement de ses rêves, car il était parvenu au terme de tout espoir, bien au-delà de la gloire et de la nostalgie de la gloire». Ce genre de phrase qui ne veut rien dire, sauf pour celui qui la vit, et ajoutant encore un peu de solitude à toute celle déjà accumulée dans le coeur. Que n'éclaté-je pas!

Ainsi donc il était de nouveau assis devant sa table, dans la chambre-bureau à l'extrême nord du souterrain, des piles de livres devant lui et, quelque part zigzagant dans sa tête, l'idée qu'il avait déjà vécu tout cela, plutôt dix fois qu'une. Tout refusait de bouger. Et, à force d'y songer, les épisodes déjà vécus, au lieu de former des entités homogènes que patiemment il avait constituées dans ses nuits d'insomnie, se déformaient, se mêlaient les uns aux autres, dénaturant tout son projet et faisant croître en lui son angoisse. «Judith!» dit-il, à bout, sa tête sur la feuille de contreplaqué lui servant de pupitre. Il savait d'avance ce qui allait arriver. Pourquoi cette nuit serait-elle différente des autres? Pourquoi, puisqu'elles étaient toutes la dernière qu'il vivait? Son front s'était couvert de sueurs, son coeur cognait tristement dans sa poitrine, il n'arrivait même plus à tenir son stylo feutre. «Judith!» dit-il encore une fois. «Je t'en prie, ne fais pas venir l'ambulance!» Dehors, le vent soufflait furieusement. Toute la nuit, le temps serait orageux. Les arbustes claquaient contre la vitre. Vos branches, comme de petits bras affolés qui rechercheraient une tendre vérité. Je me meurs, je me meurs, Judith, oh non!

Le noeud grossissait dans sa gorge. Mais peut-être cette nuit était-elle différente des autres, en ce qu'elle apportait une terreur nouvelle, jamais ressentie, pénétrant jusqu'à l'os, bloquant le sang dans les jambes froides, dans une répétition amplifiée de ce temps où, enfant, il n'arrivait pas à dormir la nuit, terrorisé par les formes qu'il croyait voir bouger dans les ténèbres, au point qu'il avait pris l'habitude d'aller se coucher avant même qu'il fît noir, inspectant les lieux, regardant sous les lits et dans les garde-robes parce qu'il croyait qu'un squelette pouvait s'y trouver, ou bien un monstre dont la tête multiple n'avait pas d'yeux, rien qu'une bouche effroyable, avec seulement une dent sur le devant. Il n'osait même pas regarder l'ampoule au plafond, que dans son trouble il confondait avec la force même d'un dieu malfaisant. Et que faisait-il dans son lit, claquant des dents au lieu de dormir? Il mettait ses petites mains sur son sexe, seule chose de lui qui jamais ne devenait froide, et il se caressait jusqu'à ce qu'un peu de liquide blanc mouillât sa main. Alors il se mettait à rêver, se disait qu'il était une petite vache à trayon unique, que des hommes crapuleux viendraient bientôt le kidnapper, lui mettant un sac sur la tête comme faisaient les gens de sa maison quand, en décembre, on sortait le boeuf gras de l'étable pour l'aller tuer sur le fenil. Mais les hommes qui l'enlèveraient ne l'assommeraient pas d'un coup de maillet, ni ne lui couperaient la gorge. Ils l'emmèneraient loin du Rang Rallonge, sur une ferme entourée de hautes forêts et, nu, le mettraient dans un enclos où des dizaines d'Abels seraient déjà là, le nez percé d'un anneau au bout duquel penderait une chaîne traînant dans la boue. Cela ferait très mal, cette chaîne, toutes les fois qu'il essaierait de grimper l'une ou l'autre des vaches prisonnières comme lui dans l'enclos. Le sang coulerait parfois le long des anneaux souillés. Pourtant, ce ne serait pas ce qu'il craindrait le plus. Autrement effrayant était le bruit que faisait la porte de l'enclos quand, matin et soir, les hommes y pénétraient, un seau à la main. L'un, toujours le même, s'avançait vers lui, le poussait du pied contre la barrière, s'assoyait sur le p'tit banc et faisait la traite, manipulant à grande vitesse le trayon unique, lui crachant à tout moment sur la patte, à cet endroit même où il s'était fait une plaie en butant sur un fil de fer barbelé. Pourtant, ce n'était pas encore ce qu'il craindrait le plus. C'était une fois la traite finie le plus mauvais moment à passer. Car l'homme trouvait qu'il n'y avait jamais assez de lait dans le seau et, prenant le p'tit banc par l'une de ses pattes, il battait, il me battait, moi pauvre petite vache, il me battait à mort.

Abel fit un geste presque désespéré pour se redresser. Comme Judith avait ri de lui quand il lui avait raconté cet épisode qui était pourtant la chose la plus douloureuse qu'il se souvenait de son enfance, si douloureuse à la vérité qu'il n'avait jamais pu l'écrire dans l'un de ses romans. À peine en avait-il glissé une fois un mot à Jos alors qu'ils étaient ivres tous les deux et marchaient dans la rue Monselet, c'était la nuit, on les avait mis à la porte du *Café du Nord,* Jos gueulait, c'était d'ailleurs ce soir-là qu'il avait parlé pour la première fois de son projet de se déguiser en monstre et de semer la terreur par toute la ville. Qu'avait dit Jos des paroles de son frère? «Une famille de cerveaux fêlés, de neurasthéniques, de schizophrènes, d'hydrocéphales! Voilà ce que nous sommes tous devenus, Abel. Et moi le premier, qui n'arrive même pas à dormir si je n'ai pas ma carabine sur les genoux. Peut-être devrions-nous tous faire comme notre père qui travaille de nuit pour ne pas avoir à y dormir! Un de ces quatre matins, tu finiras à l'asile, Abel! Ce n'est certes pas Judith qui te sauvera de cela! Ni Steven qui, à force d'être angélique à tout prix, finira chez les Dominations! Nous allons tous très mal nous achever, Abel, à moins qu'on trouve un moyen démesuré d'en sortir!» Un moyen démesuré d'en sortir! Pauvre Jos, pensa Abel. Pauvres nous tous! Et même pas la possibilité de faire quoi que ce soit avec tout cela, avec cet amas d'épisodes qui grouillaient comme des fourmis devant ses yeux. Il n'avait plus de force, toute cette souffrance qui venait en lui comme un fleuve tumultueux l'annihilait parce qu'elle était tellement souveraine qu'on ne pouvait rien tenter contre elle; croyait-il la chasser qu'elle revenait inexorablement, chaque fois plus insidieuse et plus audacieuse, prenant toutes les formes et quantité de visages. Comme si, pensa Abel, j'étais en même temps tous les gens malheureux de ma maison et qu'au travers d'eux je devais expirer une faute collective. Le mal est dans ma lucidité. Pas en Judith ni en aucun membre de la tribu. Ils vivent eux, ils ne se rendent même pas compte qu'il n'y a plus de temps, que nous sommes passés à côté de tout, de nous-mêmes en particulier. Nous sommes douze et dans chacun des douze, il y a le même pourrissement. Pourquoi faut-il que je sois le seul à m'en rendre compte? Suis-je si vieux, si triste et si fou?

Il avait réussi à se lever, les deux mains sur la machine à écrire pour garder son équilibre. Il faisait très sombre dans la chambre-bureau, les livres n'étaient plus immobiles dans les rayons de la bibliothèque, ils s'agitaient, s'ouvraient, d'étranges petits papillons phosphorescents en sortaient. Ils ressemblaient à des têtes aplaties portées par le vent qui pénétrait dans la chambre-bureau. Ils frappaient le visage d'Abel, faisaient comme une petite morsure d'où sourdait une goutte de sang, puis, comme des rayons lumineux, allaient s'écraser sur le plancher. En tous points semblables à des chiures de mouches. Il avait fait quelques pas, toujours en se retenant à la table. Quel autre signe de son destin devait-il lire dans le phénomène des papillons phosphorescents? Venaient-ils assister à sa mort? Il voulut les chasser de sa main gauche mais n'arriva qu'à balayer un peu d'air devant lui. La bosse dans son dos lui faisait mal. Elle était apparue peu de temps après qu'il fût victime de la poliomyélite. Il venait de sortir de l'Hôpital Pasteur, tout lui avait été interdit et, pour être bien certain qu'il n'utiliserait pas son bras gauche, on lui avait mis une espèce de carcan de métal qui ne lui permettait aucun mouvement. Seule sa main pouvait bouger. Et, un après-midi que ses parents n'étaient pas à la maison, il avait défait le carcan qu'il avait jeté dans une poubelle, il s'était habillé chaudement car c'était l'hiver, il était parti, une paire de patins dans les pieds, un bâton de hockey et une rondelle dans la main. La patinoire était juste en face du bloc jaune qu'ils habitaient, il n'y avait jamais personne qui y venait l'après-midi, la glace était aussi bleue que les yeux de sa mère. Il s'était mis à patiner avec fureur mais quand il était venu pour tirer, y mettant toutes ses forces, il n'avait même pas été capable de pousser la rondelle à vingt pieds devant lui. Pourtant, il s'était entêté malgré les douleurs dans son bras. Ça avait commencé par un tout petit cercle à la hauteur du coude, puis ça s'était élargi, occupant les muscles du bicep, ceux de l'épaule et, finalement, tout le corps. Il n'était plus qu'un bras extrêmement fragile tournoyant sur la patinoire, excédé et fou. Il ne se souvînt pas quand il trébucha dans une fissure de la glace et alla s'écraser contre la bande, les yeux pleins de points blancs qui n'étaient encore ni papillons ni serpents. Il n'était revenu à lui que lorsque son père, en bras de chemise, l'avait mis sur son épaule et transporté à la maison. C'est le lendemain que la bosse était apparue dans son dos, d'abord grosse comme une piqûre de moustique puis, quand il avait épousé Judith, de la dimension d'une petite prune. Il avait arrêté de regarder la bosse il y avait déjà plusieurs mois, alors qu'elle ressemblait, par la couleur et le volume, à l'une des petites citrouilles qu'il faisait pousser tout au fond de la cour. Une seule fois Judith avait dit: «Ton génie, mon si pauvre Abel, finira par y descendre complètement. Ce jour venu, que feras-tu?» Il avait ri bien fort et fait un calembour pour ne pas éveiller la peur en lui.

Maintenant, il marchait devant sa table de travail. Il voulait se voir dans le miroir qu'il avait installé derrière la porte de la chambre-bureau. Il n'aurait jamais cru qu'il était si vieux. Quand donc ses longs cheveux avaient-ils blanchi? Et pouvait-il en avoir perdu autant en si peu de temps? C'est peut-être la bosse dans mon dos qui s'est réfugiée au sommet du crâne? dit-il en faisant une grimace. Son visage éclata en une dizaine de grosses rides. Il passa ses doigts dans sa barbe. Une poignée de poils jaunes lui resta dans les mains. «Grand-Père Toine! Grand-Père Toine! Pourquoi vous regardez-vous tout le temps dans le miroir?» Il abattit son poing dans la glace, à plusieurs reprises, finit par la casser en s'infligeant une coupure dont il arrêta le sang de couler en le suçant. Il était de nouveau assis derrière la table de travail, incapable de résister plus longtemps à la tentation; il s'empara de la bouteille de gin et but à grands traits tout en regardant la feuille barbouillée qu'il y avait à côté. Et brusquement, il comprit pourquoi il n'y aurait plus jamais d'images, pourquoi il était si âgé, à deux doigts de sa mort (le temps n'avait rien à voir dans tout cela car le temps n'existait plus malgré tous les artifices qu'on avait inventés pour en donner l'illusion — il n'y avait plus de succession, passé, présent et avenir s'étant défaits, mêlés les uns aux autres pour produire rien d'autre qu'une souffrance désuète — «Je suis tout à la fois mon père Charles, le grand-père Toine, le patriarche Thadée, les ancêtres Maxime et Moïse, et tant d'autres encore qui ne vivent que pour mourir au travers de moi»). Il ne pouvait plus y avoir d'images pour la bonne et simple raison qu'il en était devenu lui-même une, multiple et difforme, solidifiée et sans espoir. Il comprit aussi que pas un seul des nombreux romans qui lui restaient encore à écrire ne changerait rien à son état. Je pourris debout et ce qu'il y a encore de lucidité en moi me prévient que je suis comme une machine monstrueuse, impossible à user puisque c'est de ce qui s'use en elle que lui vient sa puissance. Il éructa. But encore. Il devait, cette nuit au moins, dépasser le seuil de son ivresse, sans quoi le coeur se remettrait à cogner furieusement dans la poitrine, les extrémités de ses pieds deviendraient froides, de son front, de ses aisselles et de ses reins coulerait une sueur abondante, et il ne serait plus bon qu'à tomber par terre et qu'à être ramassé, comme tous les autres soirs, par deux brancardiers qui le conduiraient à l'hôpital, sanglé comme un cochon sur la civière, horrifié à la pensée qu'il avait laissé Judith seule, qu'il ne serait pas là quand elle accoucherait, ni même lorsque son père allait mourir, après avoir essayé de lui téléphoner des centaines de fois, ni même lorsque Jos, à la tête de son armée de Porteurs d'Eau, ferait s'ébranler enfin les pays québécois, les forçant à entrer dans le nouveau monde spirituel dont il serait tout à la fois le prophète, le messie et le chantre sacré, ni même lorsque Steven reviendrait de Paris, ses malles bourrées de manuscrits flamboyants (dont cette traduction fantastique de *Finnigans Wake* à cause de laquelle il faillirait devenir fou, au coeur d'une crise nerveuse dont il serait sauvé par l'ange Gabriella). Mon Dieu! Mon Dieu! gémissait Abel tout en buvant. Qui parlera de tout cela quand je ne serai plus? Qui continuera l'alchimie de mon verbe? Il se rendit compte qu'il pleurait et que tout s'embrouillait dans la chambre-bureau, devenait extraordinairement flou et mou, comme si les murs s'étaient métamorphosés en éponges, avalant les vieux encadrements, la bibliothèque, les meubles, la table de travail malpropre dont l'Oeuf cosmique, dessiné au stylo feutre, finirait par se briser, éjectant le foetus qui roulait dans les eaux jaunes maternelles. Il prit une autre fois dans ses mains la bouteille de gin, en versa un peu dans la capsule qui ressemblait à un dé à coudre, vint pour la mettre à côté du coussin sur lequel la Mère Castor et Pollux dormaient quand il travaillait. Puis il se souvint que ses deux chats étaient morts, qu'il les avait tués, et il but tout ce qui restait de gin dans la bouteille. Alors levant les yeux, il vit que la chambre-bureau s'était curieusement modifié tandis qu'il ingurgitait le gin. À moins, pensa-t-il, qu'elle ait toujours été comme ça et que je ne m'en sois pas aperçu. Il y avait maintenant un foyer au bout de la pièce. Les bûches flambaient, éclairant tout le souterrain de lueurs fauves, dénaturant la couleur des deux divans qu'il y avait de chaque côté. À la place de la bibliothèque une porte venait d'apparaître. Dehors, il pleuvait à boire debout, le grand vent couchait par terre les cèdres de la savane, le tonnerre grognait comme un vieux chien malade. Abel se leva. Il n'avait plus peur. Il était enfin au-delà de la peur, dans ce pays imaginaire qui lui était rendu et qui ne demandait pas mieux que de se dénouer. Je n'ai qu'à ouvrir la porte, songea Abel, et nous ne serons plus très loin de la fin.

Mais qu'est-ce que tout ce vacarme? Que se passe-t-il dans cette maison malgré la nuit noire? Ce bruit de portes qui se ferment à l'étage au-dessus, que signifie-t-il? Quel piège est-on en train de refermer sur moi? Abel se précipita à la fenêtre. Les éclairs mauves ensanglantaient le ciel. Il se frotta les yeux car ce qu'il vit au fond de la cour lui parut si invraisemblable qu'il faillit pousser un cri délirant... Mais non! Il avait bien vu: un cheval venait d'apparaître là, monté par un cavalier dont le heaume-paratonnerre jetait des escarboucles de feu. Le cavalier tenait dans l'une de ses mains une vieille lance de bois. De l'autre, il tirait sur les guides de son cheval. De temps en temps, il sortait le pied de l'étrier pour que l'espèce de sac devant lui ne tombât pas à terre. «Goulatromba! Goulatromba! cria Abel. Est-ce donc toi qui, enfin, m'est revenu?» Il laissa la fenêtre, se mit à courir comme un perdu dans le souterrain en battant des mains. «Je savais que je ne resterais pas seul tout le temps!» Goulatromba hennit deux fois et Abel poussa la porte. Il ne remarqua même pas que le cheval qui était arrêté devant n'avait pas d'yeux et pas de poils à sa crinière. Il ne vit pas davantage qu'il n'avait que trois pattes, l'une en avant et les deux autres en arrière. «Goulatromba! Goulatromba!» Il prit le cheval par le cou et l'embrassait follement. Le cavalier avait mis pied à terre, relevé la visière de son heaume, retiré le gant de sa main droite. Puis il avait frappé Abel sur l'épaule.

«Monsieur, dit-il, j'ai là-dessus une passagère impromptue dont l'état d'engrossement est fort avancé et ma monture est fort lasse d'avoir trotté tout ce jour d'hui. Je vous demande donc le privilège de nous héberger, ce cheval, cette pauvre femme et moi, pour ce qui peut encore rester de nuit.»

«Qui êtes-vous?» dit Abel.

Le personnage sortit de l'ombre. Trop ivre, Abel le voyait mal et ne put mettre un nom sur cette triste figure mangée par la petite vérole, dont le front était trop haut, les cheveux blancs et clairsemés, les yeux creux dans la tête et cette curieuse barbiche de bouc qui lui donnait des airs d'égarement. Ce fut surtout la main gauche coupée (et remplacée par un crochet tout rouillé) qui impressionna Abel. Il crut que le personnage ne pouvait être que lui-même, que, par quelque subterfuge, il avait défoncé la barrière du temps, précipitant le mouvement de l'histoire pour arriver au bungalow de Terrebonne, en compagnie de Goulatromba et de cette espèce de sac dans lequel dormait une pauvre femme en état de grossesse avancée. Le personnage attendit qu'Abel lui pose la question par trois fois avant de répondre:

«Mon nom importe peu. Quand on a l'âge que j'ai, il est possible de s'appeler de multiples façons. Restons-en donc là, et occupons-nous de cette pauvre femme qui se meurt de ne pas avoir de lieu où enfanter. Aidez-moi, je vous prie.»

«Que dois-je faire, Chevalier?» dit Abel.

Le personnage retourna dans l'ombre, défit les sangles avec lesquelles il avait attaché la pauvre femme sur le dos de sa monture. Les gestes du personnage étaient ouatés et d'une grande précision. Le crochet de fer tout rouillé fonctionnait exactement comme une main. Peut-être l'intérieur est-il tout plein de sang, comme une grosse veine, pensa Abel. Le personnage avait mis la pauvre femme sur son épaule et Abel s'écarta pour le laisser passer dans la porte. Il voulut voir le visage de la pauvre femme enceinte, soulevant l'espèce de voile noir qu'elle avait devant les yeux. Il vit d'abord les deux papillons jaunes au creux des orbites, il vit les lèvres tuméfiées, les cheveux blonds plaqués contre les tempes, mais il fut encore incapable de mettre un nom sur ce visage bien qu'il eût la certitude de le connaître depuis fort longtemps. Il tourna la tête pour ne pas voir les deux papillons jaunes. Le chevalier dit:

«Ne restez pas planté là debout comme un codingue. Ouvrez la sacoche à côté de la selle. Et donnez, s'il vous en plaît, un peu d'avoine à ma monture. Puis venez me rejoindre. J'aurai besoin de vous. Ce fardeau est lourd pour un homme vieux ainsi que moi.»

Abel fit comme le lui demandait le personnage. Le cheval hennit presque tendrement, fit claquer sa queue contre ses fesses dès qu'il eût avalé une poigné de grains. Abel le flatta entre les oreilles avant de passer la porte menant au souterrain. Le chevalier avait déposé la pauvre femme sur l'un des divans, sorti un mouchoir à carreaux de sa poche. Ses éternuements formidables ébranlèrent le bungalow.

«S'il y avait un lit, dit le chevalier, ce serait plus simple. Il n'est pas de bon ton d'accoucher sur un divan. D'ailleurs, qui pourrait fermer un champ avec des portes?»

Le personnage ricana. Abel dit:

«Nous pourrions peut-être transporter cette pauvre femme dans la chambre du Sud. C'est à l'étage au-dessus. Mais je ne m'en sers plus guère, dormant peu la nuit.»

«J'ai oublié ma lance à la porte, dit le personnage. Et cette chose qui est arrivée il y a six ou huit jours, et qui n'est pas encore dans le roman.»

«Plaît-il?»

«Occupons-nous de cette pauvre femme plutôt.»

Le personnage la prit dans ses bras et suivit Abel. Les chaussures cloûtées faisaient un bruit agaçant. Le personnage marmonnait toutes sortes de choses qu'il adressait sans doute à la pauvre femme, la bouche tout près de son oreille. Il faillit tomber quand il mit le pied sur une pile de livres dans le corridor. Le crochet de fer, à son poignet gauche, fit une profonde éraflure sur le mur. Un flot de sang en jaillit. Mais on avait trop à faire pour s'en préoccuper. Le personnage avait laissé tomber la pauvre femme sur le lit. Il fit glisser la fermeture éclair de l'espèce de sac dans lequel elle était et dont la doublure était constituée de petits papillons jaunes en tous points semblables à ceux qu'il y avait dans ses yeux. Une longue robe blanche maculée de boue recouvrait la pauvre femme. Elle tenait ses deux mains croisées sur son ventre. Comme une morte, pensa Abel. Le personnage défit l'enchevêtrement des doigts, enleva la chevalière que la pauvre femme portait à l'auriculaire. Ce n'est que lorsqu'il l'eût mise sur la commode, à côté des bagues que Judith n'avait pas apportées dans sa fuite, qu'Abel se rendit compte qu'elle était tout à fait semblable à celle que Jim lui avait donnée pour son dernier anniversaire. Abel tressaillit. Il bondit jusqu'au lit, écarta de la main les cheveux qui lui masquaient le visage de la pauvre femme, et soupira d'aise. Non, ce n'était pas Judith. Il n'y avait rien dans cette autre triste figure qui lui rappelât sa femme. Tant de rides! Tant de crevasses sur la peau! Et cette grosse verrue au beau milieu de la joue droite, pitoyable!

«Cette pauvre femme a dû beaucoup souffrir», dit Abel.

«Et ce n'est pas fini. Aidez-moi à lui enlever sa robe. Il est malaisé d'accoucher de pied et de cap vêtue.»

Le chevalier tourna la pauvre femme sur le ventre et Abel dégrafa la longue rangée de boutons. La peau, sous la robe, était d'une blancheur telle qu'elle faisait mal aux yeux. La pauvre femme n'eut bientôt plus qu'un slip et qu'un soutien-gorge noir. Ses deux mains ouvertes étaient toujours posées sur son ventre. Quand le chevalier voulut lui ôter le soutien-gorge, les deux papillons dans les yeux de la pauvre femme battirent des ailes, la bouche s'ouvrit sur une rangée de dents noires.

«De cela, je ne veux point me départir», dit la pauvre femme.

Le chevalier ne dit rien, laissa descendre sa main sur le slip tout sale. Dessous, les poils du Mont de Vénus étaient exagérément longs et pleins de morpions.

«Qu'on m'apporte ciseau, rasoir, eau chaude, iode et linge propre, dit le chevalier. Les enfants sortent mal quand trop de bibittes les bourassent dans la passe.»

«Ne me faites pas mal, dit la pauvre femme. J'en ai déjà trop enduré.»

«N'ayez de crainte, dit le chevalier. Le poil est insensible.»

«Qui êtes-vous?» dit la pauvre femme.

«J'ai pour mission de défendre la veuve et l'orphelin, de venir en aide aux affligés et de poursuivre de ma colère vengeresse drôles et manants.»

«Ça ne me dit pas votre nom.»

«Je suis si vieux qu'on pourrait me soupçonner d'en avoir plusieurs. Peu importe. Songez à votre ventre, cela vous sera de plus de profit.»

Abel remit au chevalier les instruments qu'il était allé quérir dans la chambre de bains. Il les examina avec grande attention de son petit oeil bleu, les aligna sur le tabouret avant de laver l'entre-jambes de la pauvre femme à l'eau savonneuse et de l'essuyer. Il prit ensuite le ciseau dont il vérifia le tranchant en coupant quelques poils de sa barbe de bouc, qu'il jeta dans la bassine. Le Mont de Vénus de la pauvre femme eût tôt fait d'être rasé et passé à l'iode. On ne voyait que cette tache rouge. Abel dut faire beaucoup d'effort pour regarder le reste du corps de la pauvre femme. Que de maigreur si l'on excepte le ventre! On dirait une ficelle où il y a un noeud. Ces grosses veines bleues. Mon Dieu, mon Dieu! Mourir n'aurait été rien. Pourquoi faut-il que la nuit devienne ce paquet d'ossements sur mon lit? Ce n'est pas ce que j'attendais, camarade chevalier! Je n'attendais pas qu'on vienne substituer à ma mort cet accouchement absurde. À quoi donc voulez-vous ainsi m'obliger? Enlevez-lui au moins ces deux papillons jaunes dans les orbites de ses yeux! Et recouvrez-la d'un drap! Et ce heaume, absolument désespérant!

Le chevalier s'était assis sur le bord du lit. Il suait à grosses gouttes et l'extrémité de son pied gauche, dans la chaussure trouée, tremblait. Il tenait les mains de la pauvre femme, qu'il embrassait du bout des lèvres, il lui disait des

245

choses dans l'oreille, Abel entendit: «Restez dans votre calme. J'ai demandé à Dame Angélica Amabilia d'Ambleside de venir le plus rapidement possible. C'est une sage femme hors du commun. Respirez fort. Détendez-vous. Acceptez que cela se contracte dans votre ventre. Je trouvais malheureux que vous ne vouliez pas de cet enfant. Parfois, il suffit d'un pour changer le monde. Il suffit d'un pour n'être soi-même plus soi-même. Vous verrez. Ne bougez pas tout le temps.» Le chevalier tourna la tête vers Abel. Les larmes coulaient de ses petits yeux bleus. Il dit:

«Qu'attendez-vous pour nous préparer un bouillon? Vous ne voyez donc pas que tous deux, nous sommes en belle voie d'épuisement?»

Il y avait dans cette voix une douceur telle que vous en aviez de grands frissonnements dans le dos. Abel sortit de la chambre du Sud, presque heureux de ne plus y être. Il alla se coucher sous la table dans la cuisine, les journaux sentaient l'urine de chat (et il reconnut les odeurs de Pollux, crut qu'il était enfin de retour, l'appela, sur le bord d'une crise nerveuse qu'il vit monter en lui, son coeur battant fort dans sa poitrine, ses yeux s'emplissant de points noirs). Le panneau du buffet ouvert lui redonna un peu de courage. Je suis en train de perdre complètement la boule. Il se traîna jusqu'au buffet. Heureusement qu'il y avait encore une bouteille de gin! C'était la seule arme qui lui restait pour affronter la nuit et le piège qu'elle lui tendait traîtreusement en la venue, dans la chambre du Sud, du chevalier casqué et de la pauvre femme enceinte. Le gin ne mit pas de temps à agir. Lorsqu'il se releva de sous la table, il se sentit frais et dispos comme s'il avait dormi durant de longues heures. Le chevalier s'impatientait dans la chambre du Sud, réclamant le bouillon. Il y en avait deux tasses sur le comptoir-lunch. D'où venaient-elles? Abel haussa les épaules, à peine inquiet car il avait l'impression que le bungalow se remplissait de monde, comme pour une fête, celle qu'il avait préparée quand Judith, acceptant enfin l'enfant dans son ventre. était revenu avec lui, rompant avec

246

Julien. Ce petit calepin rouge qu'elle avait barbouillé de bonnes résolutions, qu'elle lui lisait à haute voix, comme pour abolir tout ce qui, entre eux, avait trop longtemps roulé carré. — «Je t'aime, je t'aime, je n'aimerai jamais que toi.» — Elle lui avait dit cela tant de fois après son retour qu'il avait fini par la croire et avait enfin pu lui pardonner. Elle avait tenu à ce qu'il mette ses mains sur sa tête et que par trois fois il lui dise: «Je t'absous, je t'absous, je t'absous.» Combien de temps cela avait-il duré après son retour? Un mois? Même pas sans doute. Tout s'était défait de nouveau de soi-même et, un soir, en revenant de son travail à la maison d'éditions, il avait vu la grosse Thunderbird de Julien stationnée devant le bungalow, et tout était redevenu comme avant, et cela avait recommencé ainsi des dizaines de fois, tant et si bien qu'il avait fini par toutes les confondre, ne sachant plus guère quel événement était antérieur à tel autre événement, comme si, au fond, il n'y avait rien eu d'autre que ce délire apitoyé qu'il ne pouvait plus être certain de vivre ou de rêver et qui, tel un immonde vautour, tournoyait au-dessus de sa tête pour l'effrayer comme il faut avant de fondre sur lui. Et cela, il l'avait bien senti même en écrivant son roman. Si bien senti qu'il n'osait plus l'achever, conscient qu'en y mettant le point final c'était lui-même qui, pour la première fois, devrait mourir en lieu et place des monstres à qui il avait donné la vie dans ses textes étriqués. Emporté dans son cauchemar! Devenu l'égal de Malcomm, de Jos et de Lémy! Sombrant comme le *Pequod* melvilien défoncé à coups de queue par la baleine blanche! Voilà pourquoi, en cette ténèbre ultime, il marchait vers la chambre du Sud, tenant les deux tasses de bouillon et souhaitant l'impossible: que le chevalier casqué et que la pauvre femme enceinte demeurassent avec lui jusqu'à l'aube. Après cela, il serait toujours temps de préparer un autre subterfuge contre la prochaine nuit.

La pauvre femme enceinte s'était endormie. Le personnage, assis à son chevet, but sa tasse de bouillon et mit l'autre sur la table, à cet endroit où il y avait un gros cerne noir.

«Aidez-moi à me relever», dit-il.

Abel lui donna le bras. Le chevalier se mit debout. Le carton pâte de son armure, tout détrempé par la pluie, se décollait sur la poitrine, faisait comme des plaques galeuses à la hauteur des cuisses. La visière du heaume lui tomba sur le nez, claquant comme une mandibule de vieux fer rouillé.

«Elle dort, dit le chevalier étendant sa main gauche vers la pauvre femme enceinte. Nous sommes trop tôt dans la nuit pour qu'elle se délivre. Et puis, Dame Angélica Amabilia d'Ambleside, nous l'attendons encore. Rien ne se fera sans elle. Descendons au souterrain et parlons un peu. Je sais que vous attendez de moi que je vous dise tout ce que je sais. Et moi, cela fera mon affaire que de tout vous conter. Je n'aime pas garder si longtemps un secret: j'ai toujours peur que ça me pourrisse dedans.»

«Je vous suis», dit simplement Abel.

La pauvre femme enceinte ronflait dans le lit de la chambre du Sud.

Discrètement, il s'était glissé à son côté. Il ne savait trop quel rôle Abel voulait maintenant lui voir jouer. Oh, il en avait répété plusieurs avant de venir, monté sur son cheval dépareillé et tenant d'une main la pauvre femme enceinte jetée comme un sac devant lui. Mais on n'en était plus là et il y avait bien autre chose que le rêve dans tout ceci. Cela, le chevalier le comprenait. Je n'ai toutefois pas de clés, ajouta-t-il pour lui-même. Je ne suis que le plus étonnant des personnages que n'a pas créé Abel. À la rigueur, j'aurais même pu être le superpersonnage de ce roman qu'il n'a pu écrire, tant il est vrai qu'un écrivain n'apporte à son auberge espagnole guère plus que ce qu'il a. Pauvre Abel! Il ne sait plus très bien ce qui reste du créateur en lui. Il devient mythique, enflé comme une grenouille dans sa colère, et voué au mutisme. Et il pleure, et je le tiens dans mes bras, et je lui chatouille l'oreille, je souffle dedans car il faut bien que j'essaie de le ranimer. Un p'tit bec sucré sur la joue et ça y sera!

«Tiens, mouche-toi», dit le chevalier.

«Vous êtes vraiment gentil, vous savez», dit Abel en prenant le mouchoir à carreaux.

«Tu en mets trop; vraiment, tu périclites.»

«Vous le croyez aussi, hein?»

«Mais non. Je ne voulais que votre étrivement.»

«J'aime mieux ça. Je commence à être trop singulier même pour moi-même, j'ai les yeux tout fripés. Les hommes seraient-ils autre chose que de vagues accordéons désaccordés?»

«Fichtre! La reine n'est pas si mal! J'aimerais assez des fesses comme ça dans mon lit.»

Abel ne rétorqua rien, ignorant s'il devait rire de ce que lui avait dit le personnage ou voir dans ses mots une subtile ironie. Au fond, je ne sais plus trop qui il est. S'il s'agissait encore d'une image de moi-même échappée par mégarde de mon cerveau brûlé?

«Il faudrait que je m'interroge à votre sujet, dit Abel. Je ne comprends pas toujours ce que vous venez faire ici. Je ne vous trouve pas d'emploi. Vous m'agacez avec vos airs de grand seigneur. Vous me faites penser à mon frère Jos, tout en malentendus. Dites-moi qui vous représentez. C'est mon métier de le savoir.»

«Et c'est aussi le tien que de l'apprendre par toi-même. Hâte-toi car le jour se lève tôt en ce temps de l'année. Moi, je ne suis que le grand maître de mon attente. J'attends probablement pour rien, comme la dernière fois. Vous en souvient-il, Don Jigote?»

«J'aimerais comprendre.»

Le chevalier avait été s'asseoir sur le divan qui faisait face au fauteuil d'Abel. Entre eux deux, il y avait une petite table sur laquelle étaient apparus un plat de chips, un bol à soupe plein de cacahuètes, deux longs verres et une carafe de liqueur jaune. Le chevalier tirait avec fureur sur l'une des vieilles pipes que, d'un signe de la main, il avait emprunté à Abel, en même temps que la tabatière remplie de vieux tabac sec. Le chevalier avait craché deux ou trois fois dans la tabatière avant de prendre quelques pincées de tabac dont il s'était bourré le nez. Puis il avait bloqué l'une de ses narines et avait fait jaillir le tabac dans sa main. Le crochet de fer rouillé était comme un gros ver desséché sur son nez.

«C'est pourtant simple, dit le chevalier. Vous n'avez que le tort d'être amnésique comme tous les vôtres. Ça entre par une oreille et ça sort par l'autre. La meilleure sauce du monde, c'est la faim, disait jadis un bon ami à moi. Qu'en est-il de la vôtre, sire?»

Le chevalier rit. Il dit encore:

«Bien sûr, tu ne te souviens pas, tu ne peux pas te rappeler de cette autre nuit tellement semblable à celle-ci qu'il serait inutile de la mieux identifier. Ça n'allait pas très fort dans ton roman. Ça ne va guère mieux maintenant, ce qui me laisse croire que nous sommes toujours dans le même temps, que rien ne se passe vraiment puisqu'il n'y a pas de continuité. Nous sommes arrivés bien au-delà de la continuité. Moi, vois-tu, je suis très vieux dans l'esprit des hommes, quelques centaines d'années... Une farce! Je n'ai pas d'âge, à peine un nom à partir duquel tout s'est créé sans que personne y soit vraiment pour quelque chose. C'est dans l'air, suspendu là depuis le grand commencement et ça y reste tout le temps. Si cette nuit-là, qui est aussi celle-ci, tu as fait appel à moi, c'est à cause de ton frère Steven, des mots que tu inventais afin d'écrire son histoire déjà contenue toute entière dans les innombrables lettres qu'il t'a fait parvenir, seulement pour que tu comprennes l'inutilité de ta tentation: on n'invente pas les héros, ils sont dans l'air, suspendus là depuis le grand commencement et ça y reste tout le temps. Ils n'ont que la force de leur hautaine solitude et ne peuvent rien pour ceux qui ne sont pas comme eux et s'entêtent à les faire venir afin de leur voir jouer toutes sortes de rôles handicapés, du genre de celui qui est le mien selon le vulgaire, c'est-à-dire défenseur des veuves et des orphelins et pourfendeur des manants de toutes espèces. Cracerie! Contes exotiques pour enfants retardés! La vérité, c'est que depuis des siècles je ne suis et ne peut être que seul, à me débattre pour que s'ébranle l'extra-monde immobile. Il ne se passe rien. Jamais.»

«Je vous suis mal», dit Abel.

«Ça ne m'étonne pas, dit le chevalier. Si tu pouvais me suivre, ton roman et tout ce qui y est greffé, ta vie même, ne te causeraient de problème. Tu serais au-dessus, assis sur le char de feu de ton silence. Ton silence actuel n'est qu'un faux silence, il n'est pas l'oeuvre de celui qui a fait le vide en lui mais de celui dont le vide s'est créé en lui. La tragique cloche de verre. Cela, je l'ai compris dès notre première rencontre. J'étais dans l'air, suspendu là depuis le grand commencement, et ça y reste tout le temps, et parfois, comme cette nuit-là qui est aussi celle-ci, les choses montent dans l'air, toi par exemple, la rue Sainte-Catherine, ces gens qu'on appelle ou qui furent appelés Ferron, Miron, Ducharme, Archibald Scott et qui, dans la transparence du réel, font procession rue Sainte-Catherine, au-dessus, bien au-dessus du Grand Morial, dans un temps autre, de sorte qu'ils ne sont reconnus de personne et que piétons et moteurs leur passent sur le corps sans que rien d'eux ne puisse être atteint: ils ne sont plus là ils sont dans l'air, suspendus là depuis le grand commencement, marchant dans leur immobilité sacrée derrière mon vieux cheval sur lequel je suis monté, revêtu de mon armure, mon heaume de carton-pâte scintillant dans le vide, ma lance de bois braquée sur le soleil et mon crochet de fer rouillé devant les yeux. Où allons-nous comme ça, dans notre procession? Nulle part puisque nous sommes dans l'air suspendus là depuis le grand commencement. Ce sont les choses qui viennent vers nous. Ta main sur le pommeau de ma selle, tu laisses arriver à notre côté la taverne du vieux Jack O'Roucke, la porte s'ouvre d'elle-même et nous nous laissons avaler et transporter dans la cuisine où nous nous assoyons autour d'une grande table, en compagnie du diable dont le pied de bouc tressaute, de Ferron, de Miron, de Ducharme et de ce plus que vétuste Archibald Scott. Nous parlons de la verte Irlande, de celle qui est en chacun de nous, qui saigne dans notre coeur comme l'Anna Pluvia Plurabelle, qui est intraduisible et à laquelle nous donnons tous des noms différents, tout dépendant de notre maison d'enfance, moi l'appelant d'Espagne, toi, vous tous, de Québec, bien que nous sachions que nous ne sommes de nulle part pour être trop quelque part. Mon Dieu! Quels contes nous contons! Et quels héros devenons-nous, quels héros sommes-nous, discutant avec joyeuseté bien que nos bouches ne s'ouvrent pas et que rien, jamais, ne se passe! Au-delà du silence, dans les fondements de la mort, dans sa renaissance, dans sa glorification. La rue Sainte-Catherine flottant dans l'air, le Grand Morial flottant au-dessus de Montréal et renouant avec

252

l'origine. Moi, j'y suis habitué, c'est dans l'air, suspendu là depuis le grand commencement et ça y reste tout le temps. Toi, il a fallu que tu décroches, ne me demande pas quand, c'est à ce moment même que ça se passe puisque rien, jamais, ne se passe. Tu as fait «puiff!» et tu t'es réveillé, criant dans ta peur, mordant ton oreiller, appelant Judith et je ne sais plus qui encore, Steven probablement, et Jos, et ton père, pour leur communiquer ton secret, cela même qui ne peut se dire, cela même dans lequel on reste enfermé et dans lequel on éclate si l'on n'a pas la force de sa solitude. Comprends-tu davantage comment il se fait que je sois dans ce bungalow, emmenant cette pauvre femme enceinte et bien d'autres choses dont tu ne jouiras pas de sitôt des beautés?»

Abel n'avait pu ouvrir la bouche. Tout le temps que le chevalier avait parlé, ses lèvres n'avaient pas bougé, comme si les paroles qu'il avait dites n'étaient pas venues de lui mais d'ailleurs. Du milieu même de moi, avait pensé Abel. Mais c'était autre chose surtout qui l'avait effrayé: tandis que les phrases bruissaient dans le souterrain, un mal curieux attaquait le chevalier: ce fut le heaume qui disparut le premier, bientôt suivi par la vilaine armure de papier mâché, et le crochet de fer rouillé et l'oeil gauche qui se transforma en un hideux papillon jaune. Abel s'était levé, avait hurlé:

«Non, ne partez pas! Il faut que vous restiez!»

Il prit le bras du chevalier, c'était comme du beurre, les doigts entraient là-dedans, devenaient froids comme la mort. La porte du souterrain claqua. Un autre personnage hirsute, à ventre gras, à pattes torves, entra en coup de vent dans la pièce. L'air fut brusquement comme pourri. Des milliers de vieux oeufs éclatant dans leur pestilence. Abel sentait son coeur lui monter dans la gorge. Ses yeux s'emplirent d'eau.

«Des vers, voilà de quoi est fait le ventre de mon écuyer», dit le chevalier.

L'écuyer mit le genou à terre devant le chevalier qui avait retrouvé toute son intégrité, baisa son crochet de fer rouillé et dit:

«Chevalier, votre Dame Angélica Amabilia d'Ambleside est maintenant dans la chambre du Sud, en compagnie de la pauvre femme engrossée. Mais depuis quand, de votre cheval, n'avez-vous point vu la fière encolure?»

«Il y a peu, écuyer. Pourquoi donc?»

«Si j'étais vous, je serais dans mes inquiétudes.»

Le chevalier bouscula le gros homme ventru. Il donna un coup d'épaule pour ébranler la porte qui refusait de s'ouvrir.

«Aidez-moi quelqu'un», dit-il.

Un deuxième coup d'épaule fut donné par Abel, sans plus de résultat. L'écuyer s'amena derrière eux, les insulta en les traitant d'incapables et, se servant de son pied comme d'un bélier, défonça la porte. Goulatromba était tombé par terre, il n'avait plus que deux pattes, celles de derrière, qui s'agitaient dans le vide. Son ventre était ouvert et l'amas de tripes translucides puait épouvantablement. Le chevalier s'agenouilla, releva la tête du cheval dont il embrassa le museau, un misérable bout de chair tout séché recouvrant à peine les dents, et commença à réciter une longue litanie dans une langue qu'Abel ne comprit pas. Il s'était approché. Les pattes de derrière de Goulatromba ne bougeaient plus. Abel les toucha l'une après l'autre. Il n'y avait plus ni peau ni os, Goulatromba était un tas de vieux chiffons, un jouet, une poupée bourrée de bran de scie. Le chevalier pleurait.

«Mort dans sa trois cent cinquième année», dit-il en se relevant et en tombant dans les bras d'Abel.

La nuit était tranquille, l'asphalte mouillé luisait comme un ver, les étoiles trouaient le ciel, il ne ventait plus guère. Tout s'était arrêté, sauf l'écuyer qui s'attela à Goulatromba et le hala dans la cour, traversa le potager, écrasa les citrouilles jaunes et s'arrêta sous le cèdre, juste à l'endroit où Abel, vers la fin du jour, avait enterré la Mère Castor. Du pied, il poussa Goulatromba contre le tronc du cèdre puis, en courant, il revint vers le chevalier et Abel immobiles devant la porte du souterrain.

«Je l'enterrerai tantôt, dit l'écuyer. Un petit trou suffira.»

«Comment m'en vais-je retourner?» dit le chevalier.

«Dans ma voiture», dit l'écuyer.

«Que ferais-je de ton âne?» dit le chevalier.

«Oh, oh, mon âne!» dit l'écuyer.

Il se mit à rire si fort qu'il dut mettre ses mains sur son ventre pour l'empêcher de sauter.

«Qu'y a-t-il de si drôle?» dit le chevalier.

«C'est l'âne, dit l'écuyer. Vous êtes si distrait que vous ne vous êtes pas encore rendu compte que depuis quelques années déjà, je n'ai plus d'âne mais me promène dans une vieille ambulance. C'est de cette façon d'ailleurs que Dame Angélica Amabilia d'Ambleside est arrivée ici. Bien trop longue pour un âne cette route qu'il nous a fallu faire!»

L'écuyer tapa dans le dos d'Abel. Une ambulance! Toujours cette maudite ambulance! Sur quelles roues-présages roulait-elle? Je ne veux plus comprendre! Tout est tellement fou! Tout cela est fou comme ce trou dans lequel nous descendons, courant à toute allure vers le malentendu, comme s'il n'y avait de possible encore que la menterie canaille. Qui se cache sous le masque du chevalier miteux? Qui se cache sous le masque de cet écuyer deux fois miteux? Qui, qui, sous le masque de Dame Angélica Amabilia d'Ambleside? Il n'était pas apeuré, il était trop bouleversé pour qu'aucun sentiment pût trouver place en lui, c'est à peine s'il lui restait suffisamment d'énergie pour suivre les deux personnages dans le souterrain. Le gros écuyer avait empoigné le plat de chips. Ses formidables bajoues remuaient, la liqueur jaune coulait sur son menton.

«Ne venez pas, dit le chevalier à Abel quand il voulut s'approcher d'eux. Mon écuyer et moi avons à parlementer.»

Ils se dirent des mots à voix basse en gesticulant beaucoup, appuyés sur le mur, les talons de leurs bottes frappant le plancher. Pourquoi l'écuyer portait-il des chaussures de cow-boy? Ce détail frappa Abel qui s'était assis sur le divan, ses mains bien à plat sur ses genoux. Il ne se souvenait pas qu'il avait laissé tomber sa pipe sur le plancher. La cendre chaude avait dû brûler le tapis. N'y pensons pas. Ne pensons plus à rien. Laissons tout se défaire, laissons le bungalow s'écrouler comme un jeu de cartes sur nos têtes.

«Nous avons terminé notre entretien, dit le chevalier. Nous n'avons pu nous mettre d'accord. C'est donc à vous de trancher le noeud gordien. Mon écuyer dit qu'il faudrait que nous allions assister Dame Angélica Amabilia d'Ambleside car l'accouchement de la pauvre femme et la venue du héros tant attendu est pour bientôt. Pour ma part, je suis convaincu qu'il nous reste une bonne heure devant nous et que je devrais l'occuper à terminer mon dire. Je n'ai pas encore répondu à votre question, vous ne savez toujours rien de cette pauvre femme enceinte. Il me semble urgent de vous l'apprendre. Qu'il en soit fait selon vos désirs!»

«Cela fait minuit dans la ligne du bras gauche», dit l'écuyer.

«Que décidons-nous?» dit le chevalier.

«Parlez», dit Abel.

D'un geste de la main, le chevalier congédia l'écuyer.

«Puisqu'il en est ainsi, dit l'écuyer, je m'en vais aller enterrer votre cheval et ajouter le siège d'honneur dans l'ambulance.»

«Bien, bien», dit le chevalier en s'assoyant sur le divan tandis que l'écuyer enfonçait la porte d'un coup de pied, ricanait et disparaissait dans la nuit. Le chevalier prit la pipe dans le cendrier, celle qui était toute ébréchée, il la bourra, l'alluma et se mit à envoyer au-dessus de sa tête des petits nuages de fumée. Il fit claquer sa langue, se gratta l'aisselle droite avec son crochet de fer rouillé.

«Parlez donc, dit Abel. C'est de quoi j'ai le plus besoin.»

31

Le chevalier dit:

«Je n'ai pas le goût de vous avouer que je vous ai menti. Mais comme j'ai déjà oublié tout ce que j'ai pu vous dire au sujet de cette pauvre femme enceinte, aussi bien tout reprendre en son commencement. Voyez-vous, il n'y a pas de hasard. Il fut un temps où j'étais d'Espagne et m'en portais bien. Ensuite, je me suis converti à l'Irlande bien qu'il fût un peu tard pour s'y livrer: l'Irlande n'existait plus, elle était devenue sans le savoir d'Espagne, un tout petit royaume pourrissant, rongeant ses os verdâtres. Des peuples disparaissent, c'est dans la force des choses. Dans mon temps, il y avait une Espagne. C'est par elle que je fus grand et qu'il ne m'a pas été donné de mourir. Mais il ne reste plus rien de cette Espagne-là et, immobile dans ma création, monté sur mon cheval chevauchant les nuages, je ne pouvais rester là. J'ai donc fait les quatre continents. Hélas! Les programmes gouvernementaux de sécurité sociale se sont beaucoup développés ces temps-ci de par le vaste monde. De sorte qu'un homme comme moi est de trop. Il n'y a plus de moulins à vent, plus guère. Ce qui n'explique pas comment il se fait que je sois venu dans ce pays sans peuple dont le passé n'est qu'une longue et vaine jérémiade, dont la littérature n'est qu'une inqualifiable niaiserie, avec un diable boiteux, inefficace et bavard comme prince, et des armées d'hydrocéphales pour fidèles. Bref, tout ce que l'indigence a de plus déprimant et qui s'étudie dans vos universités, à défaut de mythologie, à défaut de création, à défaut de vie. Pourtant, c'est ici même que je suis venu, dans cette banlieue américaine, entraîné à cela par Dame Angélica Amabilia d'Ambleside que je dus

257

épouser après que ma dulcinée, du Toboso était-elle, se fût d'elle-même congédiée de mon épopée en s'étouffant avec un os de poulet. Dame Angélica Amabilia d'Ambleside!!! Elle a fait s'ouvrir l'Amérique en moi, et bien plus que l'Amérique, votre pays dépeuplé, à la croisée de ses chemins, se préparant à son fabuleux, crachant le feu comme un dragon car vous vous êtes transformés dans votre moutonnerie, le lit de votre ténèbre tombe en morceaux, je vois des flammes partout, qui ne savent pas encore quoi brûler puisque vous avez le lieu et qu'il ne vous reste plus qu'à découvrir la direction. Bien que vieux et immobile, cela m'enthousiasme de penser qu'un pareil à moi-même pourrait venir au monde chez vous, dans ce refus que vous vous faites de l'Amérique et dans cette acceptation que vous vous faites aussi, en une apparente contradiction, si subtile qu'il faut ouvrir grand les yeux pour comprendre qu'elle est parfaitement logique et même astucieuse. Québécois! C'est sympathique et cela fait vaste. Voilà pourquoi je suis apparu, monté sur mon vétuste cheval, habillé de pied et de cap, comme au temps de ma jeunesse brillante alors que je courais les aventures, les provoquais, les faisais venir à moi pour assumer ma souveraineté. Mais je ne suis pas venu de moi-même, on a dû me tirer l'oreille pour que je vienne: la chevalerie est lasse et presque nulle de nos jours. Il ne reste que les exploits et, par serment, je me suis engagé sur l'honneur à n'être jamais qu'une formidable possibilité d'avenir. J'aimerais que vous ayiez un héros qui serait pour vous ce que moi je fus du temps de mon Espagne. Tous les signes sont là. On me rêve beaucoup, vous n'êtes pas le seul. On m'invoque, vous n'êtes pas le seul. Une secte secrète m'utilise déjà comme symbolique. Peut-être y aura-t-il bientôt des milliers de chevaliers errants qui feront chavirer ce pays et lui rendront tout son sens. Ce pays a ma complaisance, de même que la secte secrète des Porteurs d'Eau. »

Entendant cela, Abel ne put résister plus longtemps; la consigne du silence qu'il s'était de lui-même imposée lorsque le chevalier avait commencé son discours, il ne pouvait plus l'assumer. Il échappa une autre fois sa pipe sur le tapis, les cendres chaudes lui brûlaient la cuisse, ses yeux se brouillaient. Devenait-il fou? La question ne fit que l'effleurer, il ne songeait qu'à cette espèce de fantôme qui était assis en face de lui, qui suivait son dire comme un chasseur de papillons, se perdant en disgressions insensées mais calculées, comme si, dans ses paroles, on sentait, on voyait déjà où il voulait en venir.

«Qu'est-ce que c'est encore que cette secte?» rusa Abel.

«Je ne sais pas trop», dit le chevalier.

«Je pense que vous ne faites que rire de moi.»

«Encore des grands mots! Pourquoi ne me laissez-vous pas finir mon narré? Ce faisant, vous apprendriez que la dite secte des Porteurs d'Eau a une section carrément occulte, spécialisée dans la mouvance des tables et que c'est par cette voie que pour la première fois je fus mandé en ce pays. On voulait savoir si je vivais encore et s'il était hors du commun que je vinsse m'établir chez vos gens, déguisé pour confondre le vulgaire. Ça n'a d'abord été qu'amusant, et puis j'ai pris l'habitude d'aller à ces séances, non pas comme invité car le temps était rare et les vieux livres si nombreux! Je pris goût à mon rôle d'observateur, d'auditeur libre. Je me tenais à l'écart, caché par la noirceur, monté sur mon cheval, écoutant les néophytes vêtus de longues robes, tantôt jaunes, tantôt rouges, me passionnant pour leur Plan et l'avancement d'icelui. Il finira bien par donner quelque chose! Quant à moi, j'ai été expulsé de mon rôle d'observateur par un néophyte qui a buté sur moi dans l'obscurité, faisant hennir mon cheval, ce qui ne pouvait être qu'un présage. Nous n'avions plus le choix: nous faisions partie de la secte, de cet Ordre secret des Porteurs d'Eau. Chaque soir que le jour amène grossit le monde des initiés. Bientôt, ce sera tout un peuple qui quittera son souterrain pour la lumière. Comment être plus heureux?»

«Mais votre écuyer? Décidément, cette histoire ne tient pas debout!»

«C'est vous qui ne tenez pas debout, mon ami! Si vous étiez connaissant en histoires de chevalerie, vous sauriez que les écuyers ne sont pas des héros et qu'ils doivent mourir. Celui que j'ai avec moi ce soir je l'ai emprunté. Il ignore à peu près tout de la chevalerie errante lui aussi et c'est pourquoi il a troqué son âne pour cette vieille ambulance dans laquelle il veut me voir recourir dès que la nuit arrivée à son bout s'étiolera, éclatant en une multitude de papillons blancs. Mon écuyer de ce soir est la deuxième roue au char des Porteurs d'Eau. Après le Maître, c'est lui. Un génie de l'organisation qui a roulé sa bosse dans les quatre continents et dont le nom sauvage que j'ai oublié ne vous dirait sans doute rien... Vous voyez: les morceaux se placent l'un après l'autre dans le puzzle. Il en manque peu. Laissez-moi le loisir de bourrer une autre fois cette pipe, et je vous livrerai le reste. Vous, vous devriez boire un peu de cette liqueur jaune: vous êtes blanc comme un drap du Cachemire.»

Mais Abel ne comprit pas comment il se faisait que la bouteille de gin qu'il avait pourtant laissée dans la cuisine, à l'étage au-dessus, était devant lui, sur la table, en compagnie de deux grands verres bleutés dont les glaçons brillaient comme diamants du Canada. Il avait du mal à réprimer le tic qui, toutes les fois qu'il veillait trop tard et se sentait épuisé, s'emparait de sa mâchoire et la tordait de dextre à senestre. Il allongea la main, saisit le verre qui était tout froid dans sa main, attrapa la bouteille de gin par le goulot et remplit son verre à ras bord. Il l'aurait bu tout d'un coup s'il n'avait vu que la pipe du chevalier était maintenant bourrée, allumée même et que la fumée, abondante, faisait comme un écran entre lui et le personnage. Alors il se laissa glisser sur le divan, le ventre chaud à cause de l'alcool, serra les dents pour être bien sûr de ne pas dire un mot afin que le discours du chevalier se terminât le plus rapidement possible. Je dois m'être endormi, pensa-t-il lorsque le chevalier secoua sa pipe dans le cendrier, toussota et dit:

«J'en venais au point le plus considérable de mon discours. Cette pauvre femme enceinte, jetée comme un sac

260

sur mon cheval, et que je vous ai emmenée ici cette nuit, elle n'est pas arrivée comme ça, en criant pichenette. Que non! Je ne sais pas depuis combien de temps j'assiste aux assemblées des Porteurs d'Eau, mais cela fait suffisamment longtemps pour que j'aie pu connaître tout le monde, dont ce grand-prêtre à la moustache énorme qui s'est débaptisé et qui ne se fait plus appeler que Z, lettre par laquelle se termine l'alphabet de ce pays et dont je n'ai pas à vous expliquer le sens. J'ai parlé souvent à cet étrange garçon qui connaît presque aussi bien que moi la chevalerie. Ses propos ne se tiennent pas tous encore tout seuls, mais qu'importe! Demain, le temps sera toujours là puisqu'il y est bien aujourd'hui. Z croit cela aussi et c'est pourquoi, avec son armée de néophytes qu'il catéchise, il n'a pas de presse. D'ici quelques centaines d'années, me disait-il hier, nous serons prêts à constituer le clan ultime et à lancer nos hordes sacrées à l'assaut du vieux monde. Mais je m'en tiens là sur ce propos, ayant à vous parler de cette pauvre femme enceinte dont j'ai fait la connaissance hier alors qu'à la section occulte, la table mouvante invoquait les mânes d'un vieux monsieur fort poli répondant au nom de Bouddha. J'écoutais sa voix distraitement car je ne sais pas entendre très bien le russe ou le slave et aussi parce qu'à côté de moi il y avait cette pauvre femme enceinte que je n'avais encore jamais vue et qui pleurait, la tête dans un mouchoir. J'ai cru qu'il était de mon devoir de la consoler et de chercher à lui venir en aide. Pauvre enfant désorientée qui avait suivi son frère dans cette assemblée et qui n'arrivait plus à le trouver, rendu semblable aux autres dans sa grande robe jaune et méconnaissable sans l'anneau dans son oreille trouée! J'ai mis ma main sur l'épaule de la pauvre femme enceinte et je lui ai dit de tout me raconter de sa vie. Apparemment, cela se résumait à un nom: Steven, qui revenait sans arrêt dans son monologue entre-coupé de larmes, de cris et de gorge nouée. Ce Steven serait poète à ce qu'il m'a semblé, d'une grande lâcheté et d'une effronterie à faire frémir car, après lui avoir fait la menterie de son grand amour, il a déguerpi en DC-9, survolant la Mer de l'Est pour aller cacher sa cracerie en France. Un poète! Un lettriste sans doute, un sans coeur, un affreux! La pauvre femme enceinte avait tant de peine en me racontant tout cela que nous dûmes sortir, son chagrin ameutant le vieux Monsieur très poli qui n'était plus capable que de bafouillements. Nous nous sommes égarés dans la ville, à l'extrême nord du Grand Morial, un lieu que je connais à peine. Et puis, je n'étais pas monté sur mon cheval. Autrement dit, il ne restait pas grand-chose de moi, à peine cette vieille lance de bois avec laquelle je faisais peur aux chiens qui venaient trop près de nous. J'avais donné mon bras à la pauvre femme et nous marchions lentement tandis qu'elle me racontait tout. Ah, le sbire triste! Pas une seule fois il ne lui a écrit de Paris, adressant toute sa correspondance à son frère, un dénommé Abel, romancier celui-là, et lecteur de manuscrits dans une grande maison d'éditions de ce pays. Au dire de la pauvre femme enceinte, jamais cet Abel n'avait ouvert une seule lettre de l'exilé putassier. Dès qu'il les recevait, il enlevait les timbres et jetait tout le reste dans de grandes caisses d'oranges. Allez comprendre pourquoi! Il y a toutes sortes de folleries, j'imagine. Mais je commençais à avoir mal aux pieds, ayant perdu l'habitude de marcher et n'étant pas chaussé adéquatement pour ce faire. J'en ai touché mot à la pauvre femme enceinte qui m'a rétorqué avoir exagérément mal au ventre tout à coup. Et c'est elle qui a eu l'heureuse idée de héler un taxi désoeuvré et à bord duquel nous avons trouvé le chemin de sa maison. Elle était redevenue silencieuse par trop de peine. Tous les coins de rue, je devais baisser la vitre de la portière pour égoutter mon mouchoir qu'elle mouillait de ses larmes. La pauvre femme enceinte n'a retrouvé la voix qu'une fois assise sur un divan en tous points semblable à l'un de ceux-ci. Je lui avais conseillé de boire un cognac, j'en pris un petit verre moi aussi, elle avait blotti sa tête dans le creux de mon épaule et moi qui n'ai jamais eu de chats de toute ma vie, je trouvai qu'elle leur ressemblait à la façon qu'elle avait de déchirer le carton-pâte de mon armure avec son nez. Sa mère, attirée par ses sanglots, est venue nous retrouver.

Comme elle ne pouvait pas me voir, toute ensommeillée qu'elle était elle a dit: «Pourquoi as-tu versé du cognac dans deux verres quand tu es seule?» Et la pauvre femme enceinte a répondu: «C'est précisément pour me sentir moins seule, Mère.» Et les yeux de la mère se sont refermés sur un «ah!» à peine étonné, et elle est allée s'en recoucher. Nous ne l'avons plus revue du reste de la nuit. Et c'est ainsi que j'ai tout appris. Tant de misère a de quoi frapper de stupeur! La pauvre femme enceinte ne pouvait guère oublier ce misérable Steven, elle ne faisait que penser à lui, tant de nuit que de jour, au point qu'elle en perdit presque la tête, allant jusqu'à écrire des lettres absurdes qu'elle se postait à elle-même pour préserver ce qui restait encore de vie à son amour. Quelle tristesse! Et quelle pitié! Elle n'était plus rien, tout revirée à l'envers dans le cycle du jour, ne dormant plus la nuit. Le meilleur d'elle-même s'épuisait dans les larmes. Et puis, cela vint, il y eut, m'a-t-elle dit, comme une petite boule dans son ventre, elle ne sut pas d'où cela vînt, ni comment cela se mît à grossir. Un temps, elle fut presque heureuse. «J'étais moi aussi dans mon ventre, m'a-t-elle dit, je m'y rassemblais toute entière, je n'étais plus rien sans mon ventre, je flottais là-dedans, j'en oubliais même Steven, ô mon amour!» Une photo parue dans un journal a suffi à tout faire chavirer. C'était celle de ce poète maudit, maintenant barbu et célébré, qui revenait parmi les siens. On voyait bien l'ange derrière lui sur la photo, tout apaisé dans ses grandes ailes blanches, et les yeux démesurément ouverts, comme si sa fonction eût été de capter toute la lumière éclatant brusquement pour le retour de l'enfant prodigue. Quelle tristesse! Et quelle pitié! Jamais ce Steven ne devait revenir vers la pauvre femme enceinte. Pas un mot! Pas un appel téléphonique! Rien! La boule grossissait dans le ventre de la pauvre femme enceinte et elle grossissait pour rien. Ce ne serait jamais qu'une boule. Quand elle comprit cela, la pauvre femme enceinte devint folle. On la vit apparaître de nuit un peu partout dans la ville, vêtue d'un grand manteau noir, accostant les gens et ne leur posant toujours que cette question: «Dites-moi où se trouve

Steven, ô mon amour! et l'ange!» J'ignore tout à fait qui lui a dit qu'il habitait ici, dans ce bungalow, avec une négresse obscène. Tout ce que je sais, c'est qu'hier elle m'a demandé, elle m'a supplié de l'emmener en ce lieu, jetée comme un sac sur ma monture, au devant de moi, dans une nuit fendue d'éclairs. Maintenant, vous savez presque tout. Je pourrais m'en aller.»

«Judith! cria Abel. Judith! Judith!»

Il ouvrit les yeux, pour voir le chevalier qui se levait en même temps qu'un bruit assourdissant, venant de l'étage au-dessus, tomba au beau milieu du souterrain comme une meute d'oiseaux piailleurs. C'était l'écuyer dont l'éperon s'était pris dans le balai et qui avait déboulé l'escalier, ne s'arrêtant qu'entre les deux divans après avoir écrasé sous son poids la table et cassé la carafe de liqueur jaune. Étendu, il allait mettre un certain temps à se relever. Le chevalier et Abel resteraient immobiles tout ce certain temps.

«Eh bien! Eh bien! dit le chevalier une fois que l'écuyer eût retrouvé ses bras et ses jambes dans les tessons de la carafe de liqueur jaune. Expliquez-nous cette entrée peu orthodoxe. »

«C'est Dame Angélica très amable de Blanc Sable, seigneur!» dit l'écuyer.

«Angélica Amabilia d'Ambleside, sans doute veux-tu dire», dit le chevalier.

«Sans doute! Sans doute! Votre dame veut que vous montiez de suite dans la chambre du Sud, par rapport que le bébé est presque arrivé!»

«Le bébé, le bébé», dit simplement le chevalier en prenant le bras d'Abel pour qu'il les suive. Il se laissa faire, persuadé que le piège s'était refermé sur lui et qu'il ne pouvait plus opposer aucune résistance qui fût efficace contre le chevalier et l'écuyer l'escortant solennellement hors du souterrain, leur corps droit comme un i tragique, presque dérisoire puis qu'Abel était convaincu que ni lui, ni le chevalier, ni l'écuyer ne marchaient, que c'était plutôt tout l'étage au-dessus qui, comme un pot de miel, s'était renversé et venait au devant d'eux, modifiant une autre fois le souterrain, le faisant devenir cette chambre du Sud humide comme une aisselle et au beau milieu de laquelle, dans le lit, il y avait cette bosse, il y avait cette boule, il y avait ce ventre dont la peau tendue vibrait et hurlait de terreur. Dame Angélica Amabilia d'Ambleside lui serra la main, serpent de peau qui le fit frissonner. Il n'aurait pas voulu la regarder mais elle l'y obligea presque en lui pinçant le nez. Il vit d'abord les deux papillons jaunes dans ses yeux, il dit:

«Arrêtez de me poursuivre!», et tomba à genoux, se cachant la tête derrière ses mains. La pauvre femme enceinte se tordait dans ses souffrances. Dame Angélica Amabilia d'Ambleside dit:

«N'avez-vous pas honte de brailler ainsi comme un veau alors qu'il y a ici une femme en travail qui se mord les lèvres pour ne rien crier de son mal? Raisonnez-vous, pauvre Monsieur, et approchez-vous d'elle, tenez-lui la main, dites-lui des mots d'amitié. Elle croira peut-être que vous êtes ce Steven qu'elle a attendu si longtemps qu'elle a fini par lui donner tous les visages, et sans doute aussi le vôtre.»

«Mais en attendant, dit le chevalier, il ne pouvait se relever, tant il a le corps rompu.»

Abel s'était jeté dans les jupes de Dame Angélica Amabilia d'Ambleside; il lui tenait les genoux et sanglotait dérisoirement, sans ressources, comme s'il n'y avait eu que cela qui pût compter, ces larmes dont il souillait la grande robe blanche. Lorsque Dame Angélica Amabilia d'Ambleside lui mit une main sur la nuque, ce fut comme un choc dans tout son corps: il se retrouva debout. Disparus les papillons jaunes dans les yeux de Dame Angélica Amabilia d'Ambleside! La grande bouche rouge, la crinière de cheveux roux et les pommettes saillantes des joues, tout cela, cette formidable puissance animale qui irradiait le corps de Dame Angélica Amabilia d'Ambleside, tout cela apaisa Abel. Il dit:

«Je ferai tout ce que vous me demanderez. Absolument tout.»

Il se laissa conduire par la main vers le lit («Caressez-la! caressez-la!» lui disait Dame Angélica Amabilia d'Ambleside), terrorisé parce qu'il savait quels mots il lui fallait prononcer, comme s'ils avaient été écrits de tout temps quelque part en lui, dans cette région qu'il avait tenue dans la ténèbre si longtemps qu'il avait pu avoir l'impression qu'ils s'étaient perdus, mutilés, défaits, qu'ils n'existaient pas, happés par le silence, par la mort de tout ce qui dans sa tête avait été impossible. Lorsqu'il s'assit sur le bord du lit, promenant ses doigts sur le visage de la pauvre femme, il comprit que ce geste il l'avait fait autrefois, dans cette chambre du Holiday Inn alors que Judith et lui revenaient de ce voyage absurde à New York, voyage manqué de leurs amours. Judith et lui étaient assis par terre, sur le tapis bleu; il avait ouvert la bouteille de vodka, rempli les deux verres et, l'un en face de l'autre, ils s'étaient mis à parler comme s'ils avaient été fous, elle lui racontant la mort de son père, cet ivrogne qui ne dormait plus la nuit, qui s'assoyait dans la cuisine et ne faisait rien d'autre que fumer et boire du café, en poussant parfois de rauques grognements. Mon Dieu! Mon Dieu! disait Judith, je ne pouvais pas dormir, pelotonnée dans mon lit, craignant qu'il se lève, enfonce la porte et me prenne de force malgré mes cris! Et moi, pensa Abel, je lui parlais de Jos, de sa folie, je ne voulais qu'aider Jos, qu'aider mon pauvre frère Jos et pourquoi me le reprochait-elle, pourquoi? Et je buvais beaucoup moi aussi, nous ne pouvions plus nous arrêter de parler, le monde serait tombé en morceaux si nous l'avions fait. Et à mon tour, je lui parlais de mon père pour qui, à New York, j'avais acheté cet harmonica afin qu'il pût continuer de jouer pour ses Mongols qui lui avaient volé le vieil instrument de l'ancêtre Toine. Quelle nuit! Quelle pitoyable nuit! Nous nous étions couchés, je l'embrassais, elle était toute molle dans mes bras, toute petite et sans défense, j'étais furieux parce que je l'aimais et comprenais que nous n'irions jamais plus loin dans notre amour, elle serrant les jambes pour défendre son sexe, elle criant: «Non, Steven! Non, non, pas ça! Je t'aime trop! C'est si laid, Steven, si laid! Aime-moi autrement! Oh, je suis malade, aide-moi, Steven! Aide-moi!» Toute cette triste nuit à me promener du lit à la chambre de bains et de la chambre de bains au lit pour lui mettre sur le front des serviettes d'eau froide, seulement des serviettes d'eau froide!

«Parlez-lui! dit Dame Angélica Amabilia d'Ambleside. Parlez-lui! Elle en a tellement besoin!»

La pauvre femme avait pris la main d'Abel, elle lui mordillait le pouce, elle poussait des gémissements qui firent s'envoler les papillons jaunes qui cachaient ses yeux. Ils tourbillonnèrent au-dessus du drap et allèrent se poser sur le nez du chevalier assis au pied du lit à côté de l'écuyer dont les bâillements répétitifs devinrent contagieux, atteignant le chevalier et Dame Angélica Amabilia d'Ambleside immobile derrière Abel.

«C'est toi, c'est enfin toi Steven! dit la pauvre femme enceinte. Comme nous avons mis du temps à nous rassembler! Je suis là, tu veilles sur moi, le bébé dans mon ventre bouge, bientôt il sera dans le monde, pour rien, pour rien Steven, tout cela c'est pour rien, il est trop tard, je m'en suis venue ici pour mourir! Si tu savais ma fatigue!»

«Ne dis rien, Judith. Ne parle pas. Ne parle surtout pas de mourir. Pas dans ce moment alors que la nuit s'achève. D'aussi loin que de Paris, j'étais avec toi, j'ai toujours été avec toi. Pardonne-moi. Oh, pardonne-moi, pardonne-moi, Judith! Je ne croyais pas t'avoir fait tout ce mal!»

Il tomba dans le lit à côté d'elle, il se mit à l'embrasser furieusement et toutes les fois que ses lèvres touchaient une partie du visage de Judith, la peau changeait, les rides disparaissant, les cernes sous les yeux s'effaçant, les lèvres redevenant pulpeuses et rouges, les yeux retrouvant leur éclat.

«Judith! Judith! dit-il. Si tu savais comme je t'aime! Si tu savais comme il y a longtemps que je t'aime!»

«Je t'en prie, dit-elle, apporte une serviette d'eau froide que tu me mettras sur le front, comme l'autre jour quand j'avais trop bu. Je t'en prie, Steven, je t'en prie!»

Dame Angélica Amabilia d'Ambleside se retourna. Derrière elle, sur la commode, il y avait la cuvette d'eau froide et une pile de serviettes recouvrant l'*Ulysse* de Joyce. Elle en fit tremper une dans la cuvette, la tendit et la mit dans la main d'Abel qui épongea le front de Judith en balbutiant sans arrêt:

«Dis-moi que tu me pardonnes, Judith. Il faut que tu me le dises!»

Alors les larmes jaillirent dans ses yeux, elle recouvrit sa tête avec le drap, elle ne savait plus très bien ce qui la faisait le plus souffrir, le bébé qui s'agitait dans son ventre, dont la tête

268

glissait davantage vers la sortie à chacune de ses contractions, ou cet aveu qu'elle ne pouvait retenir, qui crevait dans sa bouche. Elle hurla:

«Ce n'est pas à moi de te pardonner, Steven! Tu n'étais que parti, je n'avais qu'à t'attendre, qu'à réussir cette épreuve que tu m'imposais pour que notre amour prenne tout son sens. Et moi, qu'ai-je fait? Oh, oh non Steven! Ce n'est pas à moi de te pardonner alors que je t'ai trompé et que cet enfant qui arrivera bientôt n'est pas de toi! Mon pauvre Steven! Mon si pauvre Steven! Tout ce que je te demande, c'est de rester comme ça, à mon côté, seulement le temps que je me délivre. Après tu partiras, il faudra que tu t'en ailles. Je te jure que tu n'auras plus à t'occuper de moi, jamais, jamais, jamais!»

«Je ne veux pas que tu meures, Judith!» dit Abel.

Le chevalier et son écuyer se regardaient, n'osaient pas intervenir encore. Ils attendaient que Dame Angélica Amabilia d'Ambleside leur fît un signe. Mais elle-même ne bougeait pas, debout à côté du lit, atterrée par ce qui se passait et qui n'était que la manifestation du plus cruel désespoir qu'elle connût jamais. Cette pauvre femme enceinte et cet homme fou qui roulaient dans le lit, criaient et pleuraient, se prenaient les mains et se mordaient le cou en se disant qu'ils s'aimaient et ne pouvaient vivre l'un sans l'autre, pouvait-il y avoir acte plus tragique que celui-là dans toute sa fausseté, tout se passant comme si le malentendu ne pouvait que s'ouvrir sans fin, happé par ses propres forces destructives et conduisant tout droit à la mort? Et l'enfant qui tardait, qui refusait de venir! Mon Dieu! Qu'était-il possible de faire contre cela aussi? Dame Angélica Amabilia d'Ambleside cria à son tour:

«Faites-les taire! Faites-les taire!»

Le chevalier et son écuyer bondirent, sautèrent sur Abel. L'un l'empoigna aux chevilles et l'autre sous les aisselles et c'est ainsi qu'ils le tirèrent du lit, le traînèrent dans le corridor où le chevalier le gifla cependant que son écuyer lui donnait de légers coups de botte dans les jambes. Dame Angélica

Amabilia d'Ambleside épongeait le front de la pauvre femme et la forçait à boire un peu de bouillon. Les contractions venaient maintenant avec force et si rapidement qu'on pouvait les croire continuelles.

«Apaisez-vous, apaisez-vous!» disait Dame Angélica Amabilia d'Ambleside.

«Steven! Steven!» disait la pauvre femme enceinte.

«Il est là, il ne vous quittera plus jamais, ne pensez qu'à l'enfant!»

«Je le veux à mon côté, il faut qu'il y soit, je ne veux pas mourir sans lui. Steven, Steven!»

L'écuyer avait assis Abel sur une pile de gros livres et l'y retenait là, sa grosse main velue fermée sur le poignet. Le chevalier l'avait bâillonné pour qu'il cessât de vociférer.

«Quand donc cesserez-vous de faire l'enfant? Cette pauvre femme est bien malade. Il faut que son dernier temps soit sans inquiétude. Aimez-la tandis que c'est possible. Elle ne vous demande rien de plus que de mettre sa main dans la vôtre. Ce n'est pas vos hurlements de fou qui l'apaiseront.»

Abel tapait du pied sur le plancher. Le chevalier et son écuyer se méprenaient sur ses intentions, croyaient qu'il ne faisait que s'enfoncer davantage dans sa crise nerveuse alors qu'il voulait simplement qu'on le libère et le laisse retourner auprès de la pauvre femme.

«Du calme, du calme!» dit le chevalier en serrant un peu plus le bâillon.

L'écuyer posa le talon ferré de sa grosse botte sur le pied d'Abel pour qu'il cessât de bouger. Quand il le retira, la jambe resta immobile. Le chevalier défit le bâillon, ce vieux mouchoir à carreaux qu'il remit dans sa poche, sous l'armure de papier mâché. Et l'écuyer desserra l'étau de ses doigts sur le poignet d'Abel.

«Il était temps, dit le chevalier. Jurez-moi maintenant d'être à la hauteur, quoi qu'il arrive.»

«Steven! Steven!» cria encore la pauvre femme.

Ils escortèrent Abel jusqu'au lit où ils le laissèrent s'asseoir de nouveau. La pauvre femme allongea la main, la passa sur le visage d'Abel en prononçant toutes sortes de paroles inintelligibles et qui lui venaient du fond de son délire. La sueur faisait reluire son front, la douleur tordait sa bouche, et Abel ne disait rien d'autre que: «Judith! O ma pauvre Judith! O mon amour, l'enfant, l'enfant!» Il y avait tant de phrases qui lui restaient bloquées dans la gorge, tous ces mots éplorés qu'il avait retenus dans sa tête depuis que Judith était partie, dont il avait essayé de se délivrer en passant de longues nuits blanches à les écrire, bien inutilement puisque Judith n'était plus là et que toute cette souffrance amoureuse ne concernait qu'elle, ne concernait que lui, ne pouvait, ne devait devenir que cette absurde écriture-exorcisme au centre de laquelle il s'était perdu, connaissant la plus ignomineuse des morts, celle de son imaginaire, celle des forces vives de ses dons, et maintenant retenant ses larmes au chevet de Judith, lui souriant pour que dans son délire elle continuât de le prendre pour Steven, son premier amour, son seul amour!

Puis la main de la pauvre femme retomba d'elle-même sur le drap. Un cri douloureux déchira l'espace de la chambre du Sud, dressa les cheveux sur la tête d'Abel. Il ne voulut pas regarder le visage de la pauvre femme, il savait déjà, il avait toujours su qu'un bout de langue avait jailli hors de la bouche quand les dents avaient claqué et que maintenant les yeux de la pauvre femme, et que maintenant les yeux de Judith resteraient à jamais ouverts sur l'irréel, sur ce qui ne pouvait plus qu'être immobile, sur la vision ultime de Steven l'embrassant une dernière fois sur la bouche alors que, à l'aéroport de Dorval, un cigare cubain entre les doigts, son *Ulysse* annoté sous le bras, il se préparait à monter dans le DC-9 d'Air Canada, la main sur l'épaule d'Abel et disant: «N'évoque plus que le désenchantement de ta ténèbre, mon si pauvre Abel!»

Le chevalier, son écuyer et Dame Angélica Amabilia d'Ambleside ne firent rien lorsqu'Abel tomba du lit, portant la main à son coeur, et se frappa la tête contre l'un des coins du frigidaire. Ils restèrent immobiles, les yeux fixés sur le bébé qui ne bougeait pas plus qu'eux entre les cuisses de la pauvre femme. Et cette grande tache de sang faisant comme une étoile au beau milieu du lit de la chambre du Sud.

«S'il te plaît Abel, ne raconte pas toujours la même histoire. Il faudra bien que tu oublies Judith et cet enfant mort-né. Judith est heureuse maintenant, elle n'est pas morte dans ce maudit lit comme tu le crois, elle refait sa vie, ce n'est pas la même chose. Comprendras-tu cela à la fin?»

Il ne faut pas que j'ouvre les yeux, pensa Abel. Le chevalier, l'écuyer et tous les autres sont là, entourant le lit dans la chambre du Sud, mettant la robe blanche de la mort à Judith, couchant à son côté le corps rigide du bébé. Nu est resté le bébé et déjà mangé par ce gros ver sanguinolent qui lui gruge le nombril. Non, non! Que restent sur mes paupières les deux papillons jaunes! Tout s'est arrêté enfin, il n'y a plus de détraquement dans la machine, il n'y a plus de grains de sable, plus de machine, plus rien, même pas cet envoûtement qui me venait de la nuit, qui s'était vrillé dans ma vrille, m'empêchant d'écrire, faisant se dédoubler en moi les personnages de mon monde, les forçant à éclater en une infinité de possibilités et sur lesquelles je n'avais plus aucun pouvoir, ne pouvais avoir aucun pouvoir, moi-même avalé par la multitude de mes créatures, de toutes celles qui sont en moi, que je pousse et que je repousse, que je voudrais tuer pour que mon suicide vienne plus facilement, pour que je meure vraiment, comme Judith est morte pour moi, comme mon père est mort pour moi même si je le sais vivant, surveillant ses fous dans la grande salle de l'hôpital, leur donnant des bonbons et leur jouant l'*Ave Maria* sur son harmonica, comme mon frère Jos est mort, comme mon frère Steven est mort, tapi dans l'ombre du cinéma Saint-Denis, embrassant son ange sur la bouche, mort, tout est mort, tout

273

est finalement devenu à l'image de ce pays, une extrême dérision, si extrême dérision qu'elle ne peut même pas être tragique car toute grandeur lui a été enlevée, comme s'il fallait absolument que tout se termine en queue de poisson, dans l'absence de temps et d'espace, comme s'il fallait vraiment que tout reste en l'air, inachevé, sans fin dernière, prisonnier de la transparence et de la solitude, écartelé par elles, écartelé sans cesse car c'est là le destin, cette roue roulant dans la ténèbre, cette roue roulant dans la ténèbre immobile et ne faisant rien d'autre que de dessiner dans l'obscurité un cercle froid hors duquel il ne peut plus rien y avoir, même pas Jos, même pas mon père, même pas Steven, même pas Judith, même pas, même pas puisque ne l'ayant plus je ne l'ai jamais eue; il n'y a de vrai que ce qui s'abolit, ce qui tombe malgré les défenses qu'on a imaginées pour que cela reste debout et vivant, ô Judith! O ma pauvre femme Judith!

Il ne sut pas comment il avait fait pour sortir de la chambre du Sud et retourner dans le souterrain où il se réveilla, couché sous la table de travail, les pages de son manuscrit toutes froissées dans ses mains. Il ne chercha même pas à comprendre où il en était dans la nuit. Cela aussi avait été une invention, un mot qu'il avait piégé et enfermé dans le bungalow de Terrebonne pour ne pas avoir à le vivre. Maintenant, il avait perdu ses lunettes, il était comme une tortue virée à l'envers sous la table, il n'avait jamais eu si mal au coeur. Il essaya de bouger les jambes. Elles étaient froides et rigides.

«Je gèle!» dit-il.

«Ne fais pas l'enfant, dit une voix. L'ambulance sera bientôt là. Ne bouge pas!»

Il put ouvrir l'oeil gauche. Dame Angélica Amabilia d'Ambleside était accroupie à côté de lui, elle lui avait mis une compresse humide sur le front et lui tenait le bras pour compter les battements de son coeur. Dame Angélica Amabilia d'Ambleside! Il se trouva stupide de ne pas avoir mis plus rapidement un nom sous ce masque, stupide aussi ne de pas avoir su identifier le chevalier, l'écuyer et tous ces autres personnages qui investissaient le souterrain de leur présence agressive. Il n'y avait plus de jeu possible maintenant que Jos, bombant le torse sous l'armure de carton pâte, gesticulait avec Géronimo qui avait retrouvé sa cape noire, ses bottes de cow-boy et son chapeau à larges bords. Même la mort pour la venue de laquelle il avait tant veillé lui glissait entre les doigts. Il était trop tard. Tout avait échoué. L'invocation à Judith ne pouvait que s'annuler dans ce délire de plus en plus restrictif, comme si la fin de la nuit, dont on voyait déjà qu'elle s'en venait derrière le rideau de la fenêtre du souterrain, n'était aussi qu'un piège: la fin de la nuit, ce n'en était encore que le commencement. On ne pouvait pas plus sortir d'elle que de soi puisque la ténèbre était d'abord dans la tête, puisqu'on lui appartenait et puisque c'était d'elle qu'on était fait. Juché sur le fauteuil, l'ange Gabriella battait des ailes au-dessus de Steven qui venait d'entrer, son *Finnigans Wake* sous le bras. Il n'avait même pas jeté un coup d'oeil à Abel, pas plus qu'à tous ceux qui étaient dans le souterrain; il errait dans son froc à carreaux de moine dans la verte Irlande, à la recherche d'Anna Pluvia Plurabelle sur le bord de laquelle il s'était changé en menhir sacré. Il y avait déjà longtemps qu'il ne croyait plus à la nuit. S'il avait accepté de descendre dans le souterrain, c'était parce que Jos avait insisté et aussi parce qu'il éprouvait pour Abel un sentiment d'immense commisération. Cette crise maintenant quotidienne qui poignait Abel aux petites heures du matin alors qu'il s'écroulait derrière sa table de travail, miné par son grand amour infaisable, de quelle tristesse infinie provenait-elle? Simplement de Judith partie et vivant dans la lointaine Floride avec son Julien? Il ne pouvait y avoir que cela dans le mal d'Abel. Mais plutôt une longue accumulation de tout ce qui continuait d'être impossible dans sa vie pour n'avoir pu l'être dans toutes les autres, dans la mienne même songeait Steven, comme si Abel avait pris solitairement sur ses épaules notre destin à tous, inquiet de tout ce qui nous menace et nous rend tellement vulnérable. Lui seul avait la force. Lui seul aurait pu se sauver par son énorme courage. Mais il nous a traînés et il nous traîne encore bien qu'il soit là à peu près inconscient sous la table de travail, soigné par Marie et en attendant que l'ambulance vienne. Mais pourquoi Jos s'acharne-t-il contre lui? Pourquoi le force-t-il à s'enfoncer toujours davantage dans cette maudite nuit qui ne sera jamais qu'affreusement québécoise, grande comme la main et inféconde? Steven baissa les yeux pour ne pas voir Abel, et il retourna en Irlande où les pains de savon au citron tout neuf, tout propre, montent à l'horizon, répandant lumière et parfum.

«Cesse de faire l'enfant, Abel! dit Jos. Tu as trop bu, c'est tout. Je ne suis pas Don Quichotte et aucun cheval n'a été enterré par Géronimo au fond de la cour! Tu divagues! Tu n'aurais pas dû nous inviter à venir ici fêter la vente de ton maudit bungalow! Nous avions bien d'autres choses à faire! Tu nous retardes d'une nuit dans notre Plan, tu as fait reculer aux quatre coins de l'horizon les blancs chevaux de l'Apocalypse! Réveille-toi, Abel! Réveille-toi! Puisqu'il devait y avoir célébration, célébrons!»

«Laisse-le tranquille, dit Jim. Je crois vraiment qu'il est très malade.»

Abel se fit encore plus petit sous la table pour mieux penser à son coeur douloureux. Comme tout était simple! Comme tout fuyait devant soi quand on bloquait l'imaginaire dans sa tête et qu'il n'y avait plus que les actes banals, cette main grand ouverte sur la poitrine, cette sueur qui coulait sur le front en dépit des linges d'eau froide que Marie s'entêtait à lui mettre, ces pieds glacés, ce bras gauche engourdi, comme si la maladie était revenue alors qu'il n'était pas sur ses gardes et ne pouvait lui résister. Comme tout, finalement, ne faisait que tourner dans le vide! Abel fit un ultime effort pour parler et ne sortirent de sa bouche que ces mots:

«Dites à notre père que j'ai honte. J'aurais dû aller le voir, je n'avais pas le droit de ne pas répondre à ses lettres. Dites-lui. Dites-lui cela.»

Jos maugréa. Il prit un sandwich dans le cabaret que Géronimo tenait au bout de son bras. Une vieille femme suivait derrière, lentement. Elle avait trois verres pleins dans ses mains. Elle en offrit un à Jos, un autre à Géronimo et le dernier à Marie qui refusa. Alors la vieille femme le garda pour elle et alla s'asseoir à côté de Steven, sur le tabouret. Jos mangea un autre sandwich. Le gin avait fait croître sa colère. Il s'accroupit pour voir Abel sous la table mais se releva tout de suite pour ne pas avoir à dire tout ce qu'il avait sur le coeur, et qui aurait été extrêmement dur à entendre. Il s'était débarrassé de son armure de chevalier, cet assemblage bariolé de carton pâte que Marie lui avait fabriqué parce que c'était ainsi vêtu qu'il avait voulu venir dans le bungalow de Terrebonne, en compagnie de tous ses gens, criant et chantant dans la vieille ambulance noire. Cela avait d'abord été une fête grandiose au milieu de laquelle il s'était tenu, les joues rougies par le bon vin, faisant un long discours sur la fin du monde dont lui et les siens devaient hâter l'arrivée. Au fond, rien qu'Abel ne connut pas déjà. Mais quand était-il descendu dans le souterrain pour s'asseoir devant la vieille Underwood, fiévreux, inquiet, comme pressé par son temps, craignant de ne plus en avoir suffisamment maintenant que le bungalow ne lui appartenait plus, cette pauvre petite habitation mal construite qui avait éclaté dans un rêve trop grand pour lui? Jos haussa les épaules. Abel se lamentait sous sa table de travail, essayant par cela de chasser la douleur, de faire en sorte que le froid dans ses jambes ne monte pas plus haut, n'envahisse pas le ventre, ne pénètre pas le coeur.

«Il faut faire quelque chose, dit Marie. Le pouls ralentit.»

«Conduisons-le à l'hôpital», dit Géronimo.

Il enleva sa cape noire, cassa en deux la lance de bois que Jos avait apportée avec lui et, aidé par Jim, il fabriqua un brancard de fortune sur lequel fut glissé Abel geignant, mais n'opposant plus de résistance, curieusement délivré de son oppression, avec seulement son coeur qui battait de plus en plus lentement tandis que, installé sur le brancard, on le tirait du souterrain, traversait le corridor du bungalow — comme une petite procession aux flambeaux du temps de notre enfance alors que les prières fusaient comme de courtes flèches incendiées dans la nuit. L'ambulance était stationnée le long du trottoir, la portière arrière ouverte, le moteur tournant au ralenti. Abel ferma les yeux sur la vision des ailes de l'ange Gabriella assise à côté de lui dans la vieille ambulance noire. Mais c'était déjà une autre histoire que celle de savoir si ses personnages réussiraient mieux que le bungalow de Terrebonne à le guérir de son curieux mal. L'important, pensa Abel quand la vieille ambulance noire démarra, c'est que je sois encore et malgré tout au milieu d'eux. Si tout est perdu, il reste au moins ça. Cette longue route sur le parcours de laquelle, dans deux embranchements, guette peut-être encore le hasard provoqué, ô ma pauvre Judith! ô mes si pauvres nous tous!

Morial-Mort
Joliette
Sainte-Émilie-de-l'Énergie,
mars 1972 — août 1973

DOSSIER

AH LA DÉMANCHE !

C'était quelque part comme en 1972 je crois (parce que n'ayant pas la mémoire des dates, je ne saurais en être certain), un mercredi puisqu'il y avait lancement ce soir-là au Jour (et que c'était toujours le mercredi que le singe-écrivain, descendu de l'arbre de la création, faisait connaissance avec ses primates-lecteurs). La cabane de la rue Saint-Denis était enfumée, et nous étions quelques-uns à faire assemblée privée dans un coin afin d'éviter Jean-Marc Brunet qui, même sans le pinch qu'il se greffait sous le dessous du nez quand il jouait la nuit à Hitler, lui ressemblait quand même trop pour que nous ne nous sauvions pas de lui et des bouteilles de jus de raisin qu'il apportait avec lui.

Dans le coin où nous faisions assemblée privée, il y avait Jean-Marie Poupart, Pierre Turgeon et Jacques Benoit que le succès de *Jos Carbone* avait curieusement amoindri, pour ne pas dire déprimé. Nous n'avions pas trente ans et Jacques Benoit parlait déjà du deuxième souffle qu'il nous faudrait trouver si nous voulions continuer d'écrire ! C'était là une théorie si fumeuse et si fumante, en tout cas pour moi, qu'une fois rentré à la maison, je m'installai à ma table de travail et commençai l'écriture de ce qui, plusieurs mois plus tard, allait devenir *Don Quichotte de la Démanche,* l'histoire d'un écrivain plutôt jeune, légèrement hystérique et un brin ivrogne, cherchant... son deuxième souffle justement ! Je dois donc à l'intervention de Jacques Benoit d'avoir trouvé le sujet de mon livre, cet *incipit* comme l'écrivait Aragon, et sans lequel rien sans doute ne serait venu.

C'est dans ce roman (d'où le titre d'ailleurs) que je fais état de ma passion pour Cervantes, de même que pour Melville, Lowry, Homère et Virgile, prenant dans leurs œuvres beaucoup de leurs phrases, et les intégrant, telles quelles, au corps même de la narration, me souvenant de Borges imaginant un Pierre Ménard ré-écrivant, mot pour mot, *Don Quichotte*... sans même l'avoir lu une seule fois. L'ensemble ne peut donc qu'être baroque, notamment avec cet Abraham Sturgeon dont la personne de Pierre Turgeon m'a bien servi pour son édification : le Pierre Turgeon de cette époque, avec qui j'étais très lié, se prenait un peu pour le fils spirituel de Hubert Aquin, et parlait toujours de revolvers, de pègre et de détectives (il se prenait d'ailleurs pour James Bond, amateur qu'il était de gadgets farfelus dans lesquels il reconnaissait toutefois la quintessence du monde moderne). Un jour, pour rire de lui un peu sans doute, je lui ai vendu ma bicyclette stationnaire et, à peine sorti du bungalow de Terrebonne, Pierre Turgeon l'a enfourchée et s'est mis à pédaler dessus comme un fou, au risque de froisser le beau costume qu'il portait en hommage à Hubert Aquin.

Cette anecdote-là et bien d'autres, venues de Pierre Turgeon et du milieu de l'édition dans lequel je travaillais alors, ont trouvé leur place dans *Don Quichotte de la Démanche*, représentation de l'écrivain québécois tel qu'il pouvait se percevoir au début des années 1970 : un brin fêlé du chaudron, naviguant dans les eaux glacées du Québec et correspondant, par l'absurde, le lyrisme et la folie, avec les écrivains du monde entier pour oublier que sa femme et ses chats Castor et Pollux (pour ne pas dire toute sa famille) l'ont abandonné à son sort, le rendant aussi vulnérable qu'une cloche de verre.

Pour le moment, je ne saurais en dire plus, sinon qu'il en est des livres comme du monde, que parfois on les aime, et que parfois non. *Don Quichotte de la Démanche* entre nettement pour moi dans ce que j'aime, et qui est vertigineux et définitif.

Victor-Lévy Beaulieu

282

EXTRAITS DE LA CRITIQUE

Assez étrangement, c'est peut-être le fait que Victor-Lévy Beaulieu parle mieux des chats que des hommes qui m'a passionné dans son livre. Au fait, Victor-Lévy Beaulieu, romancier, écrit de grandes choses quand il cesse de se prendre pour Victor Hugo, James Joyce, Hermann Melville, Kerouac ou... Victor-Lévy Beaulieu.

Robert Tremblay
Le Soleil, Québec,
26 octobre 1974

L'essentiel, pour Abel, c'est la solitude. Il n'a pas le courage de l'assumer tout entière. Il lui faut des gens autour de lui, qui l'admirent, qui célèbrent son génie, dont il peut se moquer. Je pense à Abraham Sturgeon, comparse morbide et idiot, dont Abel a besoin pour se rassurer sur ce qu'il est. Il ne sera jamais cet Abraham Sturgeon, écrivain raté, puisque Sturgeon existe déjà. C'est ainsi qu'Abel vit au milieu d'innombrables faux-fuyants, dont certains sont des êtres humains. Surtout, il vit dans la crainte de mourir. En effet, la mort est la solitude totale. En sorte que *Don Quichotte de la Démanche* est un dialogue d'Abel avec la « démanche » essentielle, qui est la disparition dans le néant. La littérature, l'œuvre qui dure, est le moyen le plus subtil d'échapper à l'ennui d'être, après la mort, l'un des innombrables oubliés de l'histoire. Abel sait qu'il mourra ; il veut survivre, écrivain qui a inventé ses semblables, homme qui a marqué en profondeur la vie des hommes et des femmes de son milieu. Il n'y a qu'un écrivain qui puisse à ce point croire que son destin importe. La puissance des mots est infinie. C'est une leçon que M. Victor-Lévy Beaulieu a retenue de ses maîtres, Joyce et Melville.

Jean Éthier-Blais
Le Devoir, Montréal,
19 octobre 1974

Typical of other québécois novels of pre-November 15, this work demonstrates an implicit political dimension through its preoccupation with birth, generations, heredity, and racial continuity and a fear of death, extinction, oblivion (see Beaulieu's *Les grands-pères*). But unlike contemporary French-Canadian works it is not overtly political. The setting is Québec, the characters are French-Canadian but the novel is cosmopolitan in scope and eclectic in its literary roots : Cervantes, Zola, Melville, Kerouac, Hugo, Proust, Joyce, Henry Miller, and Malcolm Lowry. The politics of Québec are transcended, or at least distilled into an artistic creation. In this respect the novel seems to anticipate the international perspective that may emerge in the literary works of the new Québec. The usual Québécois hero — the angry, alienated, underdog — will disappear after the self-confidence brought about by victory.

Joseph Pivato
Canadian Forum,
juin-juillet 1978

L'univers beaulieusien est irréductiblement québécois, alors même que le Québec n'y occupe pas en surface l'espace hégémonique qui est le sien dans l'œuvre de J. Ferron, d'A. Langevin ou de J. Godbout par exemple. Anxieux et violent, habité par le désir de (sa) mort et par la haine de ce désir, obsédé de sexe et profondément « gynophobe » (non pas misogyne : ce n'est pas la femme qu'il redoute et qu'il hait, mais le sexe de et dans la femme), Don Quichotte velléitaire et Pança fermement enraciné

284

dans la durée, le héros protéiforme du cycle Victor-Lévy Beaulieu est en définitive, sinon LE Québec, du moins UN Québec très probable, *« dépotoir de l'humanité, formidable bouillon de culture, matrice d'un monde nouveau »*.

« À ce que je vois (dit à Abel un personnage de *Don Quichotte*), *vous cultivez votre obsession. »* Et Abel, son petit doigt humide en l'air pour voir d'où venait le vent, répondit : *« Erreur, mon cher Abraham Sturgeon... c'est mon obsession qui me cultive. »*

Cette obsession cultivée-cultivante a un nom, au moins en littérature : c'est un romantisme du bon faiseur, si le mot n'était pas injuste. Il en présente du moins tous les symptômes : *« Et c'est pourquoi, disait Jos, que je laisse ma folie m'envahir, parce que personne ne m'aime, parce que personne ne me comprend, parce que personne ne veut écouter ce que j'ai à dire. »*

Ce qui condamnerait ce romantisme, c'est (à mon goût du moins), l'absence radicale d'humour commune à tous les romantismes, son narcissisme inassumé, son masochisme rudimentaire ; en clair, son acné juvénile. Ce qui le sauve, en Victor-Lévy Beaulieu, c'est une profonde sincérité : *« Je suis moi, hélas !... Moi, triste fou. Moi, décalcomaniaque reproduisant tout mais n'étant jamais ! »*.

C'est aussi le sentiment que ce romantisme épouse aujourd'hui intimement et substantiellement les contours du Québec de langue française, que personne n'aime ! qui reproduit tout (l'Amérique et la France, l'horizontalité et la verticalité, le matriarcat et la phallocratie, le français et l'anglais), et n'est jamais, ou du moins pas encore.

Jacques Cellard
Le Monde, Paris, 6 avril 1979

Dépossédé toujours, le pauvre Abel, « le si pauvre Abel », bête de nuit entreprenant tous les jours le voyage non pas au bout de la nuit, mais à travers la nuit, car c'est elle qui multiplie les fantômes et les monstres, ressuscite et éclaire de couleurs grotesques les images d'hier, jamais oubliées et sans cesse évoquées, comme autant de paysages de salut mais elles sont bien le contraire ! Abel lui-même ne s'appartient plus, il appartient à la mort qui s'amuse dans ses tripes et il ne reste plus au tripoteur de mots qu'à inventer des parodies de la mort, dans tous les registres, comme par approximation mais dans un mouvement qui se fait de plus en plus agressif et désespéré. Abel pense qu'il va mourir et c'est tout comme s'il allait mourir, de male mort en rejoignant piteusement l'accidentelle réalité de ses personnages, en devenant personnage à son tour congédié.

Réginald Martel
La Presse, Montréal,
21 septembre 1974

Vertigineux roman de l'écriture donc ce *Don Quichotte de la Démanche*, qu'il ne faut pas craindre de ranger parmi ses maîtres qui, outre ceux déjà cités, sont aussi Malcolm Lowry et Jack Kerouac.

Roman de voyage, mais dans l'imaginaire qui prolonge le voyage réel de l'autre livre que l'éditeur français nous propose, *Blanche forcée*, récit d'une dérive au cours de laquelle ladite Blanche et Job. J. Jobin essaient de déchiffrer leur commune passion.

On se sent un peu petit de présenter Victor-Lévy Beaulieu comme un écrivain à découvrir, sinon, piètre excuse pour nous éviter la honte de l'ignorer. Car ne vous y trompez pas en vous préparant à débarquer sur les rivages de cette œuvre difficile, le secret qui s'y cache pourrait bien s'appeler le génie.

M.K.
Le magazine littéraire, Paris, juin 1979, p. 42

La critique de la société québécoise, et de l'élite culturelle, si souvent faite par Beaulieu dans ses articles, s'intègre bien ici à la matière du roman : Don Quichotte explique qu'il a choisi ce petit pays pour ses grandes possibilités (le statut incertain), et malgré le fait qu'il soit « un pays sans peuple dont le passé n'est qu'une longue et vaine jérémiade, dont la littérature n'est qu'une inqualifiable niaiserie, avec un diable boiteux, inefficace et bavard comme prince, et des armées d'hydrocéphales pour fidèles ».

Mais ce statut incertain peut tout autant être interprété dans un sens négatif : le Québec n'est rien, et il va le rester ! C'est cette deuxième interprétation, déprimante, qui s'impose lorsque la lecture du *Quichotte* est terminée. Pourquoi ? Parce qu'on sent que le rêveur rêve bien, mais qu'il rêve seul. Et pourquoi rêve-t-il seul ? Parce que son clan ne le suivra pas, parce que le pays est encore plein de Louvigny de Montigny suffisants contre des Abel Beauchemin trop peu nombreux. Et surtout parce que, comme le disait Lévy dans son *Kerouac* : « Le poids des ancêtres est un conditionnement écrasant. »

Robert-Guy Scully
Le Devoir, Montréal,
14 octobre 1987

ŒUVRES DE VICTOR-LÉVY BEAULIEU

à Montréal

Mémoires d'outre-tonneau, Éditions Estérel, 1968

Race de monde, Éditions du Jour, 1968 ; Stanké, Québec 10/10, 1986

La nuitte de Malcomm Hudd, Éditions du Jour, 1969

Jos Connaissant, Éditions du Jour, 1970 ; Stanké, Québec 10/10, 1986

Pour saluer Victor Hugo, Éditions du Jour, 1970 ; Stanké, Québec 10/10, 1985

Les grands-pères, Éditions du Jour, 1971 ; Stanké, Québec 10/10, 1986

Jack Kerouac, Éditions du Jour, 1972 ; Stanké, Québec 10/10, 1987

Un rêve québécois, Éditions du Jour, 1972

Oh Miami, Miami, Miami, Éditions du Jour, 1973

Don Quichotte de la Démanche, Éditions de l'Aurore, 1974 ; Stanké, Québec 10/10, 1988

En attendant Trudot, Éditions de l'Aurore, 1974

Manuel de la petite littérature du Québec, Éditions de l'Aurore, 1975

Blanche forcée, VLB Éditeur, 1976

Ma Corriveau, VLB Éditeur, 1976

N'évoque plus que le désenchantement de la ténèbre, VLB Éditeur, 1976

Monsieur Zéro, VLB Éditeur, 1977

Sagamo Job J, VLB Éditeur, 1977

Cérémonial pour l'assassinat d'un ministre, VLB Éditeur, 1978

Monsieur Melville, VLB Éditeur, 1978

La tête de Monsieur Ferron ou Les Chians, VLB Éditeur, 1979

Una, VLB Éditeur, 1980

Satan Belhumeur, VLB Éditeur, 1981

Moi Pierre Leroy, prophète, martyr et un peu fêlé du chaudron, VLB Éditeur, 1982

Discours de Samm, VLB Éditeur, 1983

La boule de caoutchouc, in « Dix nouvelles humoristiques », Éditions Quinze, 1985

Docteur L'Indienne, in « Aimer », Éditions Quinze, 1985

Steven le Hérault, Éditions internationales Alain Stanké, 1985

Chroniques polissonnes d'un téléphage enragé, Éditions internationales Alain Stanké, 1985

L'héritage (I. L'automne), Éditions internationales Alain Stanké, 1987

au Canada anglais

The Grand-Fathers, traduction de Marc Plourde, Harvest House, 1973

Jack Kerouac, traduction de Sheila Fischmann, The Coach House Press, 1975

Don Quixotte in Nighttown, traduction de Sheila Fischmann, Press Porcepic, 1978

A Québécois Dream, traduction de Raymond Chamberland, Exile Editions, 1978

Jos Connaissant, traduction de Raymond Chamberland, Exile Editions, 1982

Satan Belhumeur, traduction de Raymond Chamberland, Exile Editions, 1983

Monsieur Melville, traduction de Raymond Chamberland, Exile Editions, 1984

The Rubber Ball, traduction de Ray Ellenwood, Penguin Books Canada Limited, 1986

Steven le Hérault, traduction de Raymond Chamberland, Exile Editions, 1987

à Paris

Les grands-pères, Éditions Robert Laffont, 1973
Jack Kerouac, Éditions de l'Herne, 1973
Blanche forcée, Éditions Flammarion, 1976
Don Quichotte de la Démanche, Éditions Flammarion, 1978
Monsieur Melville, Éditions Flammarion, 1980

cinéma, radio et télévision

Le Grand Voyage, film, réalisation de Marcel Carrière, Office national du film du Canada, 1971
Monsieur Zéro, téléthéâtre, réalisation de Lucille Leduc, Radio-Canada, 1976
In terra aliena, téléthéâtre, réalisation de Jean-Paul Fugère, Radio-Canada, 1977
Les as, téléroman en 39 épisodes, réalisation de René Verne, Radio-Canada, 1977
Race de monde, téléroman en 108 épisodes, réalisation de Maurice Falardeau et Aimé Forget, Radio-Canada, 1978, 1979 et 1980
Le plus grand des chevaux, et qui avait un sabot de bouc, fable, réalisation de Doris Dumais, Radio-Canada (Rimouski), 1986
La femme d'Anticosti, récit, réalisation de Doris Dumais, Radio-Canada (Rimouski), 1986
L'homme chauve, récit, réalisation de Doris Dumais, Radio-Canada (Rimouski), 1987
L'héritage, téléroman en 52 épisodes, réalisation d'Aimé Forget, Maurice Falardeau, Jean-Marc Drouin et Réjean Chayer, Radio-Canada, 1987 et 1988

ÉTUDES SUR L'ŒUVRE DE
VICTOR-LÉVY BEAULIEU

Pauline Arsenault, Le discours du deuil chez Victor-Lévy Beaulieu, « Itinéraires et contacts de culture », Paris-Québec (publication du centre d'études francophones de l'Université de Paris XIII), L'Harmattan, 1985.

Gérard Bessette, *Trois romanciers québécois*, Montréal, Éditions du jour, 1973.

Gabrielle Poulin, *Romans du pays*, Montréal, Éditions Bellarmin, 1980.

Québec français, Québec (n° 45), mars 1982.

Voix et images, Les Presses de l'Université du Québec, Montréal, vol. III, n° 2, décembre 1977. (Ce numéro contient un dossier essentiel sur Victor-Lévy Beaulieu.)

Études françaises, Les Presses de l'Université de Montréal, vol. XIX, n° 1, deuxième trimestre 1983. (Numéro spécial consacré à Victor-Lévy Beaulieu.)

TABLE DES MATIÈRES

Don Quichotte de la Démanche...................... 13

DOSSIER

Ah la démanche................................ 281

Extraits de la critique 283

Oeuvres de Victor-Lévy Beaulieu............. 289

Études sur l'œuvre de Victor-Lévy Beaulieu... 293

Hubert AQUIN
Blocs erratiques (50)

Gilles ARCHAMBAULT
La fuite immobile (54)
Parlons de moi (17)
La vie à trois (30)

Philippe AUBERT de GASPÉ
Les anciens Canadiens (96)

Noël AUDET
Ah l'amour l'amour (91)

Yves BEAUCHEMIN
L'enfirouapé (72)

Victor-Lévy BEAULIEU
Don quichotte de la démanche (102)
Les grands-pères (86)
Jack Kerouac (95)
Jos Connaissant (85)
Pour saluer Victor Hugo (81)
Race de monde (84)

Jacques BENOIT
Jos Carbone (21)
Patience et Firlipon (37)
Les princes (25)
Les voleurs (32)

Louky BERSIANIK
L'Euguélionne (77)

Marie-Claire BLAIS
David Sterne (38)
Le jour est noir *suivi de* L'insoumise (12)
Le loup (23)
Le sourd dans la ville (94)
Manuscrits de Pauline Archange:
Tome I (27)
Vivre! Vivre! (28)
Les apparences (29)
Pays voilés — Existences (64)
Un joualonais sa joualonie (15)
Une liaison parisienne (58)
Une saison dans la vie d'Emmanuel (18)

Georges BOUCHER de BOUCHERVILLE
Une de perdue deux de trouvées (89)

CHRYSTINE BROUILLET
Chère voisine (55)

Roch CARRIER
La trilogie de l'âge sombre:
1. La guerre, yes sir ! (33)
2. Floralie, où es-tu ? (34)
3. Il est par là, le soleil (35)
La céleste bicyclette (82)
La dame qui avait des chaînes aux chevilles (76)
Le deux-millième étage (62)
Les enfants du bonhomme dans la lune (63)
Il n'y a pas de pays sans grand-père (16)
Le jardin des délices (70)
Jolis deuils (56)

Pierre CHATILLON
La mort rousse (65)

Marcel DUBÉ
Un simple soldat (47)

Marc FAVREAU (Sol)
«Je m'égalomane à moi-même..!» (88)

Gratien GÉLINAS
Bousille et les justes (49)
Tit-Coq (48)

Claude-Henri GRIGNON
Un homme et son péché (1)

Lionel GROULX
La confédération canadienne (9)
Lendemains de conquête (2)
Notre maître le passé, *trois volumes* (3,4,5)

Jean-Charles HARVEY
Les demi-civilisés (51)
Sébastien Pierre (78)

Jacques HÉBERT
Les écoeurants (92)

Claude JASMIN
Délivrez-nous du mal (19)

Éthel et le terroriste (57)
La petite patrie (60)

Albert LABERGE
La scouine (45)

Jacques LANGUIRAND
Tout compte fait (67)

Louise LEBLANC
37½ AA (83)

Félix LECLERC
L'auberge des morts subites (90)

Roger LEMELIN
Au pied de la pente douce (103)
Les Plouffe (97)
Le crime d'Ovide Plouffe (98)
Pierre le magnifique (104)

André MAJOR
Histoires de déserteurs:
   1. L'épouvantail (20)
   2. L'épidémie (26)
   3. Les rescapés (31)
La folle d'Elvis (99)
Le vent du diable (36)

Clément MARCHAND
Courriers des villages (79)
Les soirs rouges (80)

Jean NARRACHE
J'parle tout seul quand (101)

Jacques POULIN
Jimmy (68)

RINGUET
Fausse monnaie (39)

Normand ROUSSEAU
La tourbière (61)

Gabrielle ROY
Alexandre Chenevert (11)
Bonheur d'occasion (6)
Ces enfants de ma vie (66)

Cet été qui chantait (10)
Fragiles lumières de la terre (55)
La montagne secrète (8)
La petite poule d'eau (24)
La rivière sans repos (14)
La route d'Altamont (71)
Rue Deschambault (22)
Un jardin au bout du monde (93)

Jean SIMARD
Félix (87)

Yves THÉRIAULT
Aaron (44)
Agaguk (41)
Agoak, l'héritage d'Agaguk (13)
Cul-de-sac (40)
Le dernier havre (53)
La fille laide (43)
Tayaout, fils d'Agaguk (42)
Les temps du carcajou (52)

Michel TREMBLAY
C't'à ton tour, Laura Cadieux (73)
La cité dans l'oeuf (74)
Contes pour buveurs attardés (75)

Pierre TURGEON
Faire sa mort comme faire l'amour (46)
La première personne (54)

Sylvain TRUDEL
Le souffle de l'Harmattan (105)

Jules VERNE
Famille-sans-nom (7)
Le pays des fourrures (69)

Ouvrage en collaboration
Fuites et poursuites (84)
*Gilles Archambault, Yves Beauchemin, Pan Bouyou-
cas, Chrystine Brouillet, André Carpentier, François
Hébert, Claude Jasmin, André Major, Madeleine Mo-
nette, Jean-Marie Poupar.*

Premier amour (100)
*Recueil de textes des auteurs de la collection Québec
10/10*